Tien jaar cha

Bryony Gordon

Tien jaar chaos
Een twintiger in twijfel

Vertaald door Inge Kok

2015
Amsterdam

Cargo is een imprint van Uitgeverij De Bezige Bij,
Amsterdam | Antwerpen

Copyright © 2014 Bryony Gordon
Copyright Nederlandse vertaling © 2015 Inge Kok
Oorspronkelijke titel *The Wrong Knickers. A decade of chaos*
Oorspronkelijke uitgever Headline Publishing Group, Londen
Omslagontwerp Studio Jan de Boer
Omslagbeeld © Claudia Rehm/plainpicture/Hollandse Hoogte
Foto auteur Telegraph Media Group Limited
Vormgeving binnenwerk CeevanWee, Amsterdam
Druk Bariet, Steenwijk
ISBN 978 90 234 9170 5
NUR 302

www.uitgeverijcargo.nl

Voor Mez, Jane en Naomi

Voorwoord

Het begon, zoals altijd, met een kus.

Het begint altijd met een kus.

Het begint toch nooit met vijf grote glazen bier, drie glaasjes tequila en iemand die je in een groezelige kroeg in je kont knijpt? Dat klinkt gewoon niet romantisch genoeg. Dat is geen mooi verhaal om op je denkbeeldige bruiloft te vertellen, of aan je theoretische kleinkinderen. 'Toen opa en oma op een vrijdagavond straalbezopen waren in een pub in Soho, besloten ze naar een illegaal drankhol te gaan dat aan het eind van een donkere steeg lag, achter een stalen deur vol graffiti, onder aan een trap, in een kelder waar zaagsel op de vloer lag, en de hemel beware ons als iemand er ooit een peuk zou laten vallen. Ja, opa en oma rookten vroeger, heel veel zelfs – en op een vloer die nat was van het bier dansten ze op de hits van Justin Timberlake en Beyoncé...'

Ik moet me beheersen. Ik draaf weer door.

Het begon dus met een kus, in dat illegale drankhol, terwijl 'Crazy in love' uit de luidsprekers klonk. Dit, houd ik mezelf voor, is een teken. Een teken dat we altijd bij elkaar zullen blijven. Een teken dat we het Britse antwoord op Beyoncé en

Jay-Z zullen worden, maar dan misschien zonder die fantastische billen en zonder te kunnen twerken. Ik heb geen fantastische billen – ze zijn rond, dat staat vast, maar eerder rond als in roompudding dan rond als in rijp, en de enige keer dat ik geprobeerd heb te twerken – toen ik na een avond in de pub alleen thuis was – besefte ik dat ik leek op iemand die verwoede pogingen deed om van aambeien af te komen, of van een hernia.

Maar goed, op dit moment doet dat er allemaal niet toe. Ik kus Josh. De onwijs gave, knappe Josh, met zijn donkerbruine haar, heldergroene ogen en zijn pak. Een pak! Hij heeft zijn stropdas in de zak van zijn colbert gepropt (ik stel me voor dat daarin ook een dure pen en een verzameling visitekaartjes zitten) en hij heeft de bovenste knoopjes van zijn overhemd open geknoopt, waardoor een paar plukjes borsthaar zichtbaar zijn geworden, een verleidelijk gebaar van een behoorlijk geraffineerde man. Maar dat is typisch Josh. Hij heeft zowel aan Oxford als aan Princeton gestudeerd en nu gaat hij bij Buitenlandse Zaken werken. Wat hij daar gaat doen, weet ik niet. Het zou gewoon om administratief werk of onderzoek kunnen gaan, maar volgens mij kunnen we gerust aannemen dat een overheidsbobo als headhunter is opgetreden om hem snel naar het corps diplomatique te loodsen. Ik kan me exact het leven voorstellen dat we samen zullen leiden, terwijl we de hele wereld af reizen en onze intrek nemen in alle beste ambassadeurswoningen die de Britse overheid te bieden heeft, waar ik op het gazon een high tea nuttig en bij het zwembad cocktailparty's geef voor plaatselijke hoogwaardigheidsbekleders. We zullen ons huwelijksleven beginnen in Afrika, waar onze kinderen vrij zullen rondrennen over de savannen en zich ondertussen ontfermen over olifanten, waarna we verhuizen naar Singapore, of Bangkok, of Hongkong – in elk geval een warme, vochtige stad – om ten slotte neer te strijken in Washington, waar we de president zullen tutoyeren en onze kinderen (die inmiddels drietalig zijn) goed bevriend zullen raken met zijn of haar kinderen en plechtig zullen beloven dat ze zullen blijven schrijven wanneer we ten slotte terugkeren naar de Londense kringen, waar we de rest van ons leven slijten in een witgepleisterd huis in Notting Hill (doordeweeks) en in een cottage in de Cotswolds (in het weekend).

'Zin in een wip?' fluistert Josh in mijn oor, waardoor hij de zeepbel met mijn fantasiewereld doorprikt. Goed, het is geen bijzonder romantisch voorstel, maar doordat hij een ongelooflijk beschaafde uitspraak heeft, gaat deze vraag toch nogal aanlokkelijk klinken. En zodoende merk ik dat ik boven de zoetgevooisde klanken van Jay-Z uit schril 'ja!' roep. In werkelijkheid heb ik helemaal geen zin in een wip. Ik denk graag dat ik iemand ben die zin heeft in een wip – dat ik wild en gek ben, zo'n meid die van ruige seks aan alle kanten houdt, die is *going to swing from the chandeliers*, zoals Sia zingt. (Heeft iemand ooit aan een kroonluchter gezwaaid? Je hebt toch een soort keukentrap nodig om bij de kroonluchter te komen en dat vereist een praktische inslag die kroonluchterzwaaiers vermoedelijk niet van nature hebben.) Maar ik draaf weer door. Ik heb geen zin in een wip, maar ik heb wel zin in een knuffel. Ik heb er zin in de rest van mijn leven met deze man door te brengen. En ik geloof dat mijn kansen om de rest van mijn leven met hem door te brengen aanzienlijk zullen toenemen door een wip, hoewel ik eigenlijk ben opgevoed met de gedachte dat het net andersom is. Met Josh zal het anders zijn, maak ik mezelf wijs. Na één wip zal hij meer en meer en meer willen, talloze wippen die uiteindelijk zullen leiden tot een huwelijksaanzoek, of op zijn minst een relatie die me zal helpen de lastige jaren tot mijn dertigste door te komen.

'Ja, ik heb zin in een wip!' herhaal ik.

Josh lacht naar me en pakt mijn hand in de zijne. Dan stoot hij zijn tong in mijn keel, en we zijn begonnen. Achteraf zal ik beseffen dat hij niet goed kan zoenen. Zijn tanden steken nogal uit. Hij lijkt het glazuur in mijn mond te likken alsof hij een soort menselijke tandenborstel probeert te zijn die voedselresten en 52 procent meer tandplaque verwijdert dan gewone plastic tandenborstels en die op plekjes komt waar andere instrumenten om de mondholte te reinigen niet bij kunnen. Eerlijk gezegd is het niet geweldig. Maar als ik mijn ogen even opendoe en de geconcentreerde uitdrukking op zijn gezicht zie, besef ik met een gevoel van medelijden dat hij wel dénkt dat het geweldig is, dat hij echt gelooft dat zijn beproefde techniek met kop en schouders uitsteekt boven die van alle andere menselijke tandenborstels. Dus besluit ik me er niet druk om te maken. Kussen kun je toch verbeteren? Je kunt ze voorzichtig leiden met je tong en met je lippen. Ik besluit al mijn vrienden te vertellen dat hij de beste kusser ter wereld is, in de hoop alle anderen op de mouw te kunnen spelden dat ik een op seks beluste verleidster ben. Als zij dat geloven, zal ik het misschien ook gaan geloven.

'Laten we naar mijn huis gaan,' zegt hij dringend.

We gaan naar zijn huis met behulp van een snorder (alweer een fantastisch detail voor de denkbeeldige kleinkinderen), zo'n auto waar je door posters op bussen en treinen voor wordt gewaarschuwd. Als je achter in zo'n illegale taxi stapt, waarschuwen de posters, stap je er misschien nooit meer uit – in elk geval niet levend, of met je waardigheid intact. Het probleem is echter, merk ik, dat legale taxi's je na een bepaalde hoeveelheid alcohol niet meer willen meenemen, of doen of ze je niet hebben gezien. Ze willen niet dat je achter in hun wagen gaat overgeven of dat ze urenlang met je moeten rondrijden tot je weer nuchter genoeg bent om te weten waar je woont. Maar snorders, ach, die kan het niks schelen. Achter in hun wagen kun je braken wat je wilt, omdat het eigenlijk niet hun wagen is, en bovendien is wat braaksel wel hun minste probleem, aangezien de auto niet door de laatste apk-keuring is gekomen en ze in feite geen vergunning hebben om ermee te mogen rijden. Ze rijden urenlang door Londen, tot je weer weet waar je woont – dat vinden ze zelfs prettig. Dan krijgen ze meer geld. En als je dat niet kunt betalen, dreigen ze gewoon je familie te vermoorden. Dus daar zitten we dan, achter in een spacewagon die vaag naar braaksel ruikt en geen functionerende veiligheidsgordels heeft, maar waarin we van de chauffeur wél mogen drinken en roken, iets wat legale taxichauffeurs nooit toestaan, de spelbrekers. En, even afkloppen, bij gebrek aan ongeverfd hout maar op het enigszins vochtige skai van de bank, er is nog nooit iets misgegaan.

Josh woont in Fulham. Waar anders? Alle jongen mannen in een pak wonen in Fulham – dat is een ongeschreven wet. Hoewel het net iets meer dan zes kilometer is, vraagt de snorder vijftig pond voor de rit. Het probleem is dat we geen vijftig pond hebben. Samen hebben we twintig pond en veertig dollar, een restant van Josh' tijd in Princeton. 'Dat is voor het bier dat jullie op de bank morsen,' legt de snorder uit als Josh probeert te protesteren tegen de kosten. 'We moeten naar een geldautomaat,' zegt Josh. 'Er is er één een paar straten verderop bij de benzinepomp.'

'Dat kost nog eens tien pond,' zegt de snorder vol zelfvertrouwen, wat suggereert dat het in de wereld van de snorders volkomen normaal is om een tientje te vragen voor een ritje van een halve minuut. We zijn te dronken, hunkeren te veel naar wat de rest van de nacht in petto heeft om stampei te maken. Zestig pond, afgesproken. Zestig pond is niet veel, redeneer ik bij mezelf, voor een leven als globetrotter met een knappe diplomaat.

We gaan naar binnen, de trap op naar zijn flat op de bovenste verdieping. Hij sleurt me een keuken door, terwijl hij en passant iets meegrist uit de koelkast (champagne?) en trekt me nog een trap op naar zijn slaapkamer op zolder. De kamer is crème en lichtbruin, en bevat een boekenplank met slechts vier boeken: iets van Tony Parsons, een biografie van Bill Hicks, een reisgids voor Mexico en zijn *English Oxford Dictionary* van de middelbare school. De rest van de kast is gevuld met oorkonden en prijzen die hij op school heeft gewonnen en die getuigen van een uitzonderlijk sportief talent op elk denkbaar oppervlak: voetbalveld, rugbyterrein, atletiekbaan en zwembad.

Hij is een man van zesentwintig die nog teert op de roem van zijn laatste jaar op de middelbare school. Hij is een man van zesentwintig die maar vier boeken heeft. Ik had meteen moeten vertrekken.

Hij trekt me op het bed en kust me. Ik probeer te kijken waar de champagne is die hij mee naar boven heeft genomen. Die zie ik nergens. Vreemd. We werken het ritueel af waarbij hij me uit mijn kleren helpt alsof ik een snoepje van Quality Street ben. Ik ben nerveus, voel me onervaren, als een jong hertje dat voor het eerst probeert te gaan staan. Tot nu toe ben ik met exact twee andere mannen naar bed geweest: de eerste was een puisterige jongen van zeventien die me heeft ontmaagd op de vloer van de woonkamer, terwijl zijn ouders uit waren en op de achtergrond een openingsceremonie van de Olympische Spelen schalde (ik geloof dat het Atlanta in 1996 was). De tweede was een langdurig vriendje dat ik heb laten wachten tot ik wist dat ik écht van hem hield. En hoewel ik weet dat ik echt van Josh zou kunnen houden, me alle manieren heb voorgesteld waarop onze liefde zou kunnen ontluiken, ben ik er op dit moment niet van overtuigd dat hij echt van mij houdt. Of dat hij gewoon mijn borsten bewondert.

En waar is die champagne? Ik wil dit op mijn gemak doen en ondertussen bubbels nippen uit een flûte. Hij heeft me niet eens een glas water aangeboden. Wie nodigt er nou iemand thuis uit zonder zelfs maar een glas kraanwater aan te bieden? Op de achtergrond van mijn gedachten begin ik langzamerhand te twijfelen aan Josh' bedoelingen, hoewel ik mezelf op de voorgrond nog steeds wijsmaak dat het eindelijk zover is, dat dit de ware is, de man die mijn kinderen zal verwekken...

'Ik vind dat we dit moeten gebruiken,' zegt Josh met zijn hete adem op mijn gezicht. Wat zegt mijn gezichtsuitdrukking op dit moment? Ik hoop dat die spint van genoegen, maar ik ben bang dat die eigenlijk zegt: 'Hèèèèèèèèèèè?' Wat precies gebruiken? Een ijsemmer om de champagne te koelen? Een theedoek om de sjampie op te vegen als de fles bruisend overloopt wanneer hij wordt opengemaakt? Ik begin op dit punt wanhopig te worden. Een CONDOOM?

Maar Josh heeft andere ideeën, heeft de voorkeuren van mensen die fetisjistische websites bezoeken en graag latex dragen. Want Josh wil geen champagne voor me inschenken. Hij wil niet veilig vrijen. Wat Josh wil gebruiken is een pakje Lurpakboter.

Dat lees je goed. Boter. Gezouten, omdat zij dat lekker vindt.

Hij houdt het als een trofee omhoog, kijkt er wellustig naar. Hij verlangt misschien wel meer naar dat pakje boter, besef ik, dan naar mij. 'Het helpt enorm om alles gladder te maken,' zegt hij, waardoor hij er ineens minder uitziet als een knappe oud-student van Oxford in het pak en meer als een zielige voormalige kostschooljongen. 'Daardoor brengt het meer...' – ik geloof dat hij ter plekke zal klaarkomen – '...genót.'

En het ergste is dat hij me hierdoor niet gaat tegenstaan. Hierdoor storm ik niet de deur uit en de Fulhamnacht in, op zoek naar die illegale taxi met een braakselllucht om me naar

13

huis te brengen. Het ergste is niet dat hij een ontbijtproduct als glijmiddel wil gebruiken, dat hij mijn vagina met boter wil besmeren alsof het een stuk geroosterd brood is, waardoor ik wellicht een vaginale infectie of blaasontsteking of Joost mag weten wat voor gênante kwaal zal oplopen die ik aan een dokter moet uitleggen. Het ergste is dat ik, om mijn belachelijke fantasie over een gezamenlijk leven maar in stand te houden, niet zeg dat hij de pot op kan, maar een excuus verzin. Ik neem van de weeromstuit mijn toevlucht tot stróóp, die ik hem om de mond smeer.

'O,' zeg ik voor de vuist weg. 'Dat zou ik heerlijk vinden, maar ik heb een lactose-intolerantie.'

Hij kijkt me wezenloos aan.

'Ik ben allergisch voor zuivel. Daar krijg ik galbulten van. Ik zwel op als een vis.' Voor de goede orde zet ik bolle wangen op. 'Het betekent dat ik nooit heb kunnen genieten van een slagroomtaart of een reep chocola. Kun je je dat voorstellen? Het is echt vreselijk. Kijk, als je nou margarine had gehad die van soja was gemaakt, hadden we het kunnen doen, maar roomboter is helaas onmogelijk.'

Waarom heb ik niet genoeg zelfvertrouwen om mijn recht op te eisen dat mijn geslachtsdelen niet worden ingesmeerd met boter? Waarom klets ik in plaats daarvan over melkvervangers? In werkelijkheid heb ik geen enkele intolerantie – kennelijk ook niet voor mannen met vreemde seksuele obsessies – hoewel ik die wel dolgraag zou willen hebben. Als ik allergisch was voor brood en zuivel, zou ik geen zeventig kilo wegen; dan zouden mensen me niet omschrijven als 'weelderig' en – dit is het ergst – 'rubensiaans', alsof dat complimenten zijn, alsof ik niet alleen dik ben, maar ook te stom om te beseffen dat dit nauwelijks verhulde beledigingen zijn.

GETVERDERRIE! Wat een leven!

'Wat jammer,' zegt Josh. Nu al zijn hartstocht lijkt te zijn verdwenen, ziet hij er ineens slaperig uit. Ik raak in paniek. In plaats van mijn kleren te verzamelen en te vertrekken met nog enige waardigheid intact, probeer ik het initiatief te nemen voor boterloze seks. 'We kunnen nog steeds, je weet wel...' Ik probeer hem een knipoogje te geven. Het lijkt meer of ik loens. Ik kruip over het bed, begin hem te zoenen. Zijn lichaamstaal zegt dat ik hem irriteer, dat hij teleurgesteld is, zich in de steek gelaten voelt. Ik besef terwijl het gebeurt, terwijl hij op me afkomt, dat hij met me naar bed gaat omdat hij het onbeleefd vindt om het niet te doen, want hij is zo arrogant dat hij zowaar denkt dat hij me een gunst bewijst.

En zodra hij me die gunst heeft bewezen, draait hij zich om en valt hij ogenblikkelijk als een blok in slaap, zonder zelfs maar een knuffel of een huwelijksaanzoek.

Ik lig nog ongeveer een uur wakker, lig nog altijd te dagdromen over een knuffel of een huwelijksaanzoek. Vervolgens lig ik wakker doordat ik me afvraag wat me mankeert. Waarom denk ik niet: bah, die vent moet worden aangegeven, moet misschien wel op een lijst met zedendelinquenten worden gezet? Waarom blijf ik hem nog altijd aardig vinden, hoewel ik goed ben opgeleid, de sporen in mijn niet geweldige billen heb gedrukt om goede eindcijfers op de middelbare school te halen en ik in elk ander opzicht een redelijk intelligent mens ben? En toch. En toch en toch en toch... Door deze boter smerende bink word ik zo dom als het achtereind van een op zich al oliedom varken.

Die nacht slaap ik onrustig, als ik überhaupt al slaap. Josh heeft een reusachtig bed, maar ligt er zo in dat hij driekwart in beslag neemt, waardoor er voor mij een miezerig strookje matras en een puntje van het dekbed overblijft om lekker onder te kruipen. Het verbaast me dat een man zelfs in zijn slaap zoveel arrogantie kan uitstralen in zijn lichaamstaal – en vervolgens verbaas ik me erover dat ik hem ondanks dit alles eigenlijk nog altijd wil hebben. In feite wil ik hem misschien zelfs nog liever hebben. Later zal ik beseffen dat dit gestoorde gedrag van mij niet iets eenmaligs is, maar eenvoudig kenmerkend is voor wie ik ben. Zodra iemand me niet meer hoeft, denk ik niet, zoals me altijd is geleerd: val dood, dan hoef ik jou ook niet meer. In plaats daarvan tob ik erover dat die ander me niet meer hoeft omdat ik iets vreselijk verkeerd heb gedaan, en dan sloof ik me ontzettend uit om te voorkomen dat hij me niet meer hoeft. 'Er moet een soort psychologische afwijking zijn die dit verklaart,' zeg ik tegen mijn vriendin Chloe op een van de vele avonden dat we onze problemen proberen op te lossen. 'Die is er ook,' antwoordt ze zonder enige aarzeling. 'Die wordt emotionele behoeftigheid genoemd.'

Misschien lijd ik daaraan. Maar op dit moment kan ik er maar heel weinig aan doen. Starend naar het dakraam boven me lig ik daar, probeer ik mijn lichaam kleiner te maken zodat het op het plekje past. Zelfs als ik het halve bed had gehad, zelfs als hij een armzalig kwart van zijn dekbed met me had gedeeld, had ik nog niet kunnen wegsoezen. Ik ben te gespannen, te nerveus over wat er zou kunnen gebeuren als ik me toesta echt te slapen. Ik zou zo'n enorme wind kunnen laten dat hij er wakker van werd. En nu ik het toch over winden heb, stel nu eens dat ik morgenochtend een grote boodschap moet doen. Dat kan ik hier niet doen, in zijn flat. Hoewel het een simpel biologisch gegeven is dat alle mensen hun behoefte moeten doen, zijn er nog altijd heel veel jonge mannen die geloven dat vrouwen dat niet doen. Wat denken ze dan dat we doen? Denken ze dat we alles verwijderen met behulp van een designerstomazak als zij even niet kijken? Denken ze dat onze darmen bestaan uit een fijne glinsterende stof die afvalproducten afbreekt in de bloedsomloop, waardoor we niet hoeven te poepen? Waarom denken ze in vredesnaam dat we een kont hebben? Denken ze dat we die alleen van God hebben gekregen voor het geval we pornoster willen worden, omdat hij goed van pas zal komen als een regisseur wil dat we ruig van achteren worden genomen? Ik bedoel: nee. Gewoon NEE! Vrouwen poepen, net als mannen, en toch hebben we allemaal afgesproken er nooit over te praten, wat wil zeggen dat ik het morgenochtend moet ophouden tot ik thuis ben – of, als hij wakker wordt en nog een keer met me wil vrijen, waardoor ik niet naar huis kan gaan zonder te laat op mijn werk te komen, tot ik me kan opsluiten in het zalig geïsoleerde invalidentoilet op kantoor.

O god, ik moet echt nodig. En ik weet niet eens waar de wc is. Als ik niet oppas, plas ik in dit kleine hoekje van zijn bed, en dan gaan we nooit samen naar Washington. Ik moet ook echt een glas water hebben. Mijn mond is droger dan de Gobiwoestijn. Josh is vast in de Gobi geweest, zal er wel een trektocht hebben gemaakt. Er is hier vast ergens een oorkonde die getuigt van zijn prestaties. Maar waar was ik ook alweer? Ja. Ik moet de wc vinden, want dan kan ik zowel wat aan mijn blaas als aan mijn dorst doen door mijn mond onder de kraan te houden en er een halve liter water uit te drinken.

En als ik er toch ben, kan ik mijn make-up ook bijwerken, zodat ik er enigszins toonbaar zal uitzien als hij morgenochtend wakker wordt.

Ik probeer uit bed te kruipen zonder hem wakker te maken. Ik vind mijn tas in het donker, pak hem en ga naar de deur. Ik kan me niet herinneren dat de trap naar de zolder zo steil was. Ik ga langzaam naar beneden, om niet te vallen – jezus, dat zou gênant zijn, om op dit moment een been te breken, vooral omdat ik zo nodig moet, vooral omdat ik spiernaakt ben – en ik begin deuren open te doen in de hoop dat er een badkamer achter zit.

De badkamer ontdek ik niet meteen. Wat ik wel ontdek, is

dat Josh een huisgenoot heeft, die toevallig achter de eerste deur zit die ik opendoe. Hij wordt verlicht door de gloed van zijn laptop, die hij dichtklapt zodra hij me ziet. 'SHIT!' Ik besef dat ik waarschijnlijk de hele straat heb wakker gemaakt, en dan besef ik dat ik de deur en mijn handtas moet gebruiken om mijn kuisheid nog enigszins te beschermen. 'Shit, shit, shit! Het spijt me, ik ben geen inbreker, eerlijk!'

Hij barst in lachen uit. 'Grappig genoeg zijn de meeste inbrekers doorgaans van top tot teen gekleed, zodat niemand hen kan identificeren. Maar jou – ach, laat ik alleen zeggen dat ik je er zonder meer uithaal bij een spiegelconfrontatie. Ik neem aan dat je met Josh bent meegekomen.'

Ik probeer te glimlachen. Dat is moeilijk als je poedelnaakt bent en de huisgenoot van de vent met wie je had gehoopt te zullen trouwen er net veel te kalm op heeft gereageerd toen een blote vrouw zijn kamer in liep, alsof dat misschien heel vaak gebeurt. 'Als je de wc zoekt,' zegt hij, 'is dat de eerste deur rechts.'

In de badkamer bewonder ik Josh' verzameling lotions en crèmes. Die is groter, valt me op, dan die van de meeste vrouwen. Ik ga naar de wc, gebruik mijn vinger als menselijke tandenborstel, drink water met grote teugen en leen wat van Josh' dagcrème van Clarins. Ik breng een nieuwe laag foundation, mascara en lippenstift aan. Belachelijk, denk ik. Je bent verdorie volstrekt belachelijk. Ik kijk op mijn telefoon. Die vertelt me dat het 03.21 uur is.

Ik ga weer naar bed en probeer – tevergeefs – lekker te gaan liggen. Alleen met mijn gedachten begin ik me voor te stellen wat er nog meer mis zou kunnen gaan als ik in slaap zou vallen. Ik zou bijvoorbeeld kunnen snurken. Ik zou in mijn slaap kunnen praten en hem zo laten merken dat ik hem ECHT leuk vind. Nee, ik mag niet in slaap vallen. In plaats daarvan staar ik beurtelings naar het dakraam en zijn achterhoofd, wachtend tot het licht wordt.

Maar ook als de zon opkomt, is Josh nog altijd in zoete rust. Hoe kan een man die zojuist een poging heeft gedaan boter als hulpmiddel bij de seks te gebruiken 's nachts zo diep slapen? Ik begin me af te vragen wat er zal gebeuren wanneer hij wakker wordt – en of dat wel zal gebeuren. Zal hij me slaperig in zijn armen nemen om me te zeggen dat het een geweldige nacht was? Zal hij me een zoen op mijn voorhoofd geven (ik stel me altijd voor dat een stel elkaar na een nacht wippen een zoen op het voorhoofd geeft) en zijn handen door mijn sexy haar van net na het ontwaken halen?

Ik overweeg heel even een been uit te steken, prikkelend met een elegant gewelfde voet langs zijn kuit te strijken. Misschien kan ik vanochtend het initiatief nemen, met mijn hand zijn onderrug gaan strelen. Nee, nee, dat is veel te vrijpostig (de ironie van bang zijn dat je te vrijpostig bent tegen een man die een paar uur geleden heeft gevraagd of hij je met boter mocht insmeren, ontgaat me op dit moment). Maar als hij eindelijk wakker wordt, neemt hij me niet eens in zijn armen. Ik heb me naakt laten zien aan zijn huisgenoot, ik heb mijn gezonde nachtrust opgeofferd aan getob over de vraag of hij lief voor me zal zijn als hij wakker wordt, en hij is niet eens zo beleefd om dat te beantwoorden met een omhelzing. Ik voel me diepongelukkig. Mijn domheid begint fysiek pijn te doen, hoewel dat ook gewoon de kater zou kunnen zijn.

Ik doe of ik bijkom na een nacht lekker slapen, wrijf in mijn ogen en strek mijn armen wat al te theatraal boven mijn hoofd. Hij springt uit bed en deelt mee dat hij laat is voor zijn werk, op een toon die suggereert dat het mijn schuld is, dat de menselijke tandenborstel me alleen mee naar huis heeft genomen om als menselijke wekker te fungeren. Als hij dat gewoon had gezegd, had ik ervoor kunnen zorgen dat hij uren geleden uit bed was gekomen en de deur uit was gegaan. Hij vliegt zwaar zuchtend door zijn kamer heen en weer, alsof het nogal vervelend blijkt te zijn dat hij me voor een wip mee naar huis heeft genomen. Hij begint me mijn kleren toe te gooien, waarbij het hem lukt niet één keer mijn kant uit te kijken. Mijn Levi's, mijn beha, mijn truitje – kleren die de vorige dag zorgvuldig zijn uitgekozen om een nonchalante sexy indruk te maken, kleren die nu alleen maar stinken naar oude rook en verschaald bier.

En dan smijt hij een roze, zijig slipje naar me toe, dat op mijn schoot belandt, met het etiket van Agent Provocateur boven, en hij merkt heel nonchalant op dat het een mooi slipje is. En ik bedenk dat dit het enige compliment is dat hij me heeft gemaakt sinds hij wakker is geworden, en het ergst is dat het niet terecht is; het is niet eens van mij. Want het is onmiskenbaar mooi, dit zijige sexy slipje, maatje 36. Maar hoewel dat allemaal klopt, is het absoluut niet van mij.

Dit is mijn allereerste onenightstand. En dit is het slipje van een ander.

1

Mijn zogenaamde burgerlijke leven

Ik heet Bryony en ik leid niet helemaal het leven dat ik me had voorgesteld. Eigenlijk is mijn leven precies het tegenovergestelde van wat ik me had voorgesteld. Ik ben drieëntwintig, maar tot nu heb ik geen eigen flatje, auto of slipje van Agent Provocateur; ik heb wel meer dan vier boeken, maar ik kan ze nergens kwijt; ik heb geen graad en evenmin oorkonden van school om te bewijzen dat ik bij netbal een uitstekende aanvaller van het B-team was. Ik kan niet koken, wil niet koken, en hoewel ik leef van rauwe groenten, hummus en sigaretten, zie ik er nog altijd niet uit als Gisele. (Hoe kan dat in vredesnaam?)

Ik had gedacht dat ik op mijn drieëntwintigste volwassen zou zijn, of in elk geval bijna, dat mijn leven als een mallemolen van borrels, belangrijke vergaderingen en etentjes rond mijn penthouse zou draaien. Ha ha ha ha ha. Van alle verhalen die mijn moeder me graag vertelt, gaat haar huidige favoriet erover dat zij op haar drieëntwintigste twee kinderen had, van wie er één op school zat. Ik weet niet of ik haar echt geloof – ze doet heel geheimzinnig over haar leeftijd, zozeer zelfs dat ze vindt dat ik over mijn leeftijd moet gaan liegen, want 'ik kan geen dochter hebben die al bijna halverwege de twintig is', en als ik in haar paspoort kijk, ben ik er niet eens van overtuigd dat ze mijn vader al kende toen ze drieëntwintig was, laat staan dat ze twee kinderen met hem had – maar desondanks mist haar verhaal zijn uitwerking niet, want het bezorgt me inderdaad het gevoel dat ik een mislukkeling van jewelste ben.

Ik heb geen vriend, en het ergst is dat ik het heel erg vind dat ik geen vriend heb. Dat hoort niet. Ik ben zo opgevoed dat ik een sterke, onafhankelijke vrouw zou worden, een f-e-m-i-n-i-s-t-e, me alleen om mijn carrière zou bekommeren, zelfs wanneer mijn carrière verlangt dat ik leden van popgroepen als S Club 7 en Westlife vraag wat hun lievelingskleur is. En begrijp me niet verkeerd, ik houd van mijn baan als medewerkster van de tienerbijlage van een krant, bof zelfs dat ik überhaupt een baan heb, gezien de kredietcrisis, de double dip en de ineenstorting van de economie. Het punt is gewoon dat ik weliswaar een baan heb, een geweldige baan, en dat ik weliswaar in mijn vrije tijd zou moeten bloggen over de loonkloof tussen mannen en vrouwen, geslachtsverminking bij vrouwen en de vraag waarom er nog nooit een vrouwelijke James Bond of Doctor Who is geweest, maar dat ik alleen kan denken aan een man. Aan een man die dat koud laat, die niet heeft gebeld, die niet reageert op mijn sms'jes. Die naar alle waarschijnlijkheid nooit meer contact met me zal opnemen.

Wat werkelijk ongelooflijk stom is.

Net als bij de meeste mensen waren de twee decennia tot mijn twintigste een saaie, gerieflijke en blije tijd. Er wees werkelijk niets op dat de jaren erna anders zouden verlopen. Ik heb een zus, Naomi, die twee jaar jonger is dan ik, en een broertje, dat pas is gekomen toen ik twaalf was – een klein ding dat iedereen een schatje vond behalve ik, want ik had net van de bijtjes en de bloemetjes gehoord. Hij kreeg de naam

Rufus, alsof hij naar een hond was genoemd. Rufus, Naomi en Bryony. Kan het nog burgerlijker?

Samen met onze moeder en vader – respectievelijk werkzaam in de journalistiek en de pr – wonen we met zijn allen in een rijtjeshuis in het uiterste westen van Londen, met een hond, een stel katten en op een gegeven moment ook enkele wandelende takken. We gaan op vakantie naar Cornwall en soms naar Spanje, en we hebben echt de Volvo van het modale Engelse gezin, die vergeven is van haren (van de hond), kauwgumpapiertjes (van mam) en fijngedrukte lege pakjes vruchtensap (van ons).

Ik ga naar een meisjesschool, waar ik een gemiddelde leerling ben, nooit word gepest en nauwelijks opval. Terwijl de coole meiden ongestraft hun rok ophijsen, moet ik telkens een week nablijven als ik dat probeer en gaat het ten koste van mijn cijfer voor gedrag. Ik ben al van jongs af aan voorbestemd geen coole meid te worden. Mijn rapporten hebben het over mijn 'mogelijkheden' en 'zonnige lach'. Eén jaar win ik de zogeheten Aanmoedigingscup, een soort poedelprijs voor nullen die nooit wat winnen.

Als mijn vriendinnen en ik met jongens beginnen op te trekken, krijg ik nooit de beste. Ik moet het doen met de restanten, de afdankertjes, de jongens die als laatste worden gekozen voor het voetbalteam. Mijn eerste zoen is walgelijk, met een jongen die Derek heet en een T-shirt met marihuanabladeren en de kleuren van de Jamaicaanse vlag draagt, hoewel hij 'pot' alleen kent als vaatwerk dat zijn moeder gebruikt en hij nooit verder is geweest dan West-Londen, waar hij toevallig woont. Ik wil helemaal niet met hem zoenen, maar mijn vriendin Sally – die inktzwarte ogen en donker haar heeft, en altijd, gedurende ons hele leven, de kerel krijgt – is aan het zoenen met zijn vriend Theo, zijn knáppe vriend, en ik voel me buitengesloten. Verveel me. 'Zullen we?' zegt

Derek, en nu ik erover nadenk, heeft vrijwel elke vent met wie ik sindsdien heb gezoend diezelfde aanmatigende, arrogante verleidingstactiek gebruikt.

Ik verlang mijn hele puberteit naar Theo, die alleen mijn vriendin wil hebben. Mijn beste vriendin, maar desondanks slechts mijn vriendin. Ik maak mezelf wijs dat het komt doordat er een speciale, diepe band tussen ons bestaat, die hij niet wil bezoedelen met zoiets ordinairs als ZOENEN, maar volgens mij weten we allemaal dat dit niet waar is, dat het gewoon komt doordat hij niet op me valt. Waarom zou hij ook? Ik heb vaal haar, één enkele, doorlopende wenkbrauw, en ik knijp mijn ogen een groot deel van de tijd samen, omdat ik niet de enorme bril met schildpadmontuur en borrelglazen wil opzetten die mijn moeder me heeft opgedrongen na een ongelukkige botsing met een oudere man in een scootmobiel die ik niet had gezien omdat ik te bijziend was. (We hadden allebei niets; uiteindelijk liep alleen mijn ego een deuk op.)

Maar ik koester desondanks verwachtingen en dromen. Ik wil gaan schrijven, net als mijn moeder, die volgens mij een ideale carrière heeft. Ze reist de hele wereld af om beroemdheden te interviewen – ik herinner me nog dat ze toen ik klein was naar het Windsor Safari Park werd gestuurd om een artikel te schrijven over het voederen van de leeuwen. Dat idee spreekt me wel aan: van leuke dingen je werk maken. Ik bedenk dat ik als journalist Take That zou kunnen interviewen en met alle leden van de band zou kunnen trouwen, of in elk geval met een van hen. En als Take That niet gaat, neem ik genoegen met iemand van East 17, hoewel ze aartsvijanden van Take That zijn. Zo zal ik kunnen ontsnappen aan de sleur van mijn dagelijks bestaan. Alle meisjes met wie ik op school heb gezeten, alle jongens die me hebben genegeerd, zullen me op een dag bij een filmpremière over de rode loper zien lopen aan de arm van laten we zeggen Ronan Keating. (Iemand van

Boyzone is ook goed, en als er echt niets anders op zit, neem ik wel iemand van Westlife.) En dan zullen ze denken: god, had ik maar meer aandacht aan haar besteed. Had ik haar schoonheid, wijsheid en gevoel voor humor maar gezien, die er, nu ik erover nadenk, altijd in hebben gezeten. Stom van ons!

Ik schrijf bijna elke week naar *Smash Hits* om te vragen of ik er werkervaring kan komen opdoen. Dat kan nooit. Ik werk op school steeds harder, omdat er verder niemand is; iedereen gaat helemaal op in Theo en Derek en Nick en Paul.

Ik weet dat ik in mijn element zal zijn als ik ga studeren. Diep in mijn hart – en ik geloof dat mijn hart heel diep ligt, onder lagen babyvet – beschouw ik de universiteit als het land van de mogelijkheden, waar ik zal gedijen, waar ik mezelf kan herontdekken en opnieuw kan beginnen. Ik zal niet middelmatig zijn, ik zal niet meer gebonden zijn aan mijn saaie burgerlijke bestaan. Ik zal me aansluiten bij politieke groeperingen en gaan protesteren, ik zal elke avond naar clubs gaan en dagenlang discussiëren over ideeën en theorieën, en ik zal afstuderen en meteen een baan krijgen bij een krant of een tijdschrift, en ik zal terugkijken op mijn tienerjaren als een noodzakelijk leerproces, en jonge veelbelovende figuren zullen inspiratie uit mij putten. Ik zal zo'n sterretje uit Hollywood zijn dat volkomen absurd beweert een lelijk jong eendje te zijn geweest dat nooit een partner kon vinden voor het schoolbal.

Alleen is dit niet precies zoals het gaat. Natuurlijk niet.

Ik besluit kunstgeschiedenis te gaan doen, omdat ik creatief ben, omdat ik anders ben. De schooldecaan vertelt me dat het een vergissing is en dat ik in plaats daarvan Engelse letterkunde moet gaan studeren. 'Maar ik heb er een hekel aan om teksten te moeten onderstrepen en aantekeningen in de kantlijn te moeten maken,' protesteer ik. 'Als ik Engels ga studeren, kan ik vast NOOIT VAN MIJN LEVEN meer van boeken genieten.'

Kijk me nou toch. Wat ben ik een idioot.

Ik leg uit dat ik iets wil léren als ik naar de universiteit ga, dat ik weinig weet van de Italiaanse renaissance – volgens mij spreek ik het uit, o gruwel, als ree-nee-sance – het impressionisme en het maniërisme, en als ik kunstgeschiedenis ga studeren, zal ik drie jaar lang nieuwe dingen ontdekken, en niet op zoek gaan naar de betekenis van boeken die ik liever in mijn vrije tijd lees. De schooldecaan zucht gelaten. Ze ziet in mij duidelijk niet de geleerde dame die ik onmiskenbaar ben.

'Juffrouw Gordon,' deelt ze mee, 'ik raad u aan er heel goed over na te denken wat voor baan een graad in kunstgeschiedenis u zou kunnen opleveren. Zou u graag conservator willen worden? Kunstcriticus? Binnenhuisarchitect?'

Het is hopeloos om te proberen of je die oude lui kunt ompraten. (De schooldecaan moet een jaar of vijfendertig zijn geweest, besef ik nu.)

Ik word toegelaten tot het University College London en schrijf me in om in een studentenhuis in het centrum van Londen te gaan wonen. Ik krijg een kamer, niet in een prachtig, met klimop begroeid pand in de buurt van Regent's Park, maar op de achtste verdieping van een torenflat bij Euston Road, een torenflat met een kapotte lift. Terwijl mijn moeder een traantje plengt tijdens het uitpakken van mijn spullen – een stereo, een wekker (ja, echt) en de roze handdoeken met bijpassend beddengoed die ze voor me heeft gekocht bij warenhuis John Lewis (daar moet ik van af) – sta ik te popelen om haar de deur uit te werken. 'Dag, mam,' zeg ik als ze haar ogen afveegt. Ik denk dat ze huilt door de lucht uit de gemeenschappelijke keuken en het feit dat het bad voor algemeen gebruik vol haar zit. Ze huilt waarschijnlijk omdat mijn kamer wel iets heeft van een gevangeniscel, een probleem dat ik meteen wil gaan verhelpen met behulp van grands foulards en posters die ik op gave markten zal kopen, zoals Portobello Road en Brick Lane. 'Tot kerst!' zeg ik stralend. Mijn plan om zo lang weg te blijven blijkt vreselijk optimistisch te zijn.

De universiteit is niet helemaal het beloofde land dat ik me had voorgesteld. In feite zal na mijn twintigste steeds meer blijken dat niets precies is zoals ik het me had voorgesteld. Misschien beschik ik over een bijzonder rijke fantasie, misschien heb ik als kind te veel sprookjes gelezen. Maar dat geloof ik niet. Ik heb geen andere verwachtingen dan mijn leeftijdgenoten. Ik wil gewoon hetzelfde als alle andere twintigers die ik op de universiteit tegenkom: ik wil alles. Wij zijn de kinderen van de rijke wereldreizen makende babyboomers. We hebben van diverse autoriteiten, zoals niemand minder dan de premier, gehoord dat onderwijs, onderwijs, onderwijs alles zal oplossen. De universiteit is daar pas het begin van, is louter de sleutel tot een fantastisch, welvarend leven. Toch ben ik er na een maand niet helemaal zeker van hoe dat voor mij zal uitpakken.

We studeren nauwelijks – we hebben maar acht uur college per week. Dat is strikt genomen geen probleem, aangezien we daardoor heel veel kunnen drinken en tot vier uur 's middags kunnen uitslapen. Maar dat is mijn lichaam niet gewend. Het is niet alleen de alcohol; het punt is dat ik niet weet wat ik moet doen als ik niet voortdurend les heb, zorgvuldig word opgeleid door docenten wier carrière afhangt van prestatielijsten. Ik worstel met de colleges die er zijn. Ik begin me af te vragen of ik toch niet naar het advies van de schooldecaan had moeten luisteren en Engels had moeten gaan studeren. Op een dag laat een professor een dia zien, niet van een magnifiek beeldhouwwerk of een prachtig schilderij van Michelangelo, maar van een zwart vierkant. Een doodgewoon, alledaags zwart vierkant. 'Dit zwarte vierkant,' deelt de professor mee, 'vertegenwoordigt alle zwarte vierkanten en het feit dat ze vrij zijn van elke politieke ideologie.' Ik staar wezenloos naar het projectiescherm. 'Jullie denken misschien dat dit gewoon een zwart vierkant is...' – ja – '...maar dit is in werkelijkheid een zwart vierkant dat jullie denken en jullie visie voorgoed zal veranderen.'

Inderdaad, maar niet helemaal zoals de professor bedoelt. Ik ga niet meer naar college en begin kranten en tijdschriften aan te schrijven met de vraag of er een werkervaringsplaats is. Mijn moeder weigert me te helpen – ze zegt dat ik op 'de juiste manier' in de journalistiek moet belanden. Ik sluit me niet aan bij politieke groeperingen, ga niet protesteren, bezoek geen nachtclubs en discussieer evenmin over ideeën. Er is eigenlijk niemand met wie ik over ideeën kan discussiëren, of beter gezegd: niemand die met mij over ideeën wil discussiëren. Mijn studie wordt alleen gevolgd door meisjes – nogmaals, waarom heb ik geen Engels gekozen? – en hoewel ze allemaal buitengewoon aardig zijn, krijg ik daardoor het gevoel dat ik weer op school zit, alleen betaalt mijn moeder mijn reiskosten niet meer en is er na een lange dag niksen niemand om eten voor me te koken. Ik begin veel naar huis te gaan. Op een dag laat ik per ongeluk mijn ontbijt op de vensterbank in mijn kamer staan, en als ik een week later terugkom, heb ik een volstrekt nieuwe cultuur gekweekt. Misschien had ik eigenlijk een exacte studie moeten kiezen.

Als ik van een krant antwoord krijg dat ik werkervaring kan komen opdoen, besluit ik in actie te komen. Ik ga naar huis en maak gebruik van de 'mam, ik moet je wat belangrijks vertellen'-tactiek, waarbij de zin wordt uitgesproken met een ernst die suggereert dat je op het punt staat iets verschrikkelijks te onthullen. 'Ben je zwanger, lieverd?' zegt mijn moeder, die wit wegtrekt. 'Ben je aan de drugs geraakt?'

'Of nog erger,' zegt mijn vader, opkijkend van de *Financial Times*, 'ben je een liberaaldemocraat geworden?'

'Jack!' zegt mijn moeder berispend. 'Waarom neem je toch nooit iets serieus!' Ze beginnen te ruziën. Beter gezegd, mijn moeder begint te ruziën, terwijl mijn vader haar pareert met een serie grappen, waardoor ze nog bozer wordt. Tijdens deze klucht sta ik in de keuken op de tafel te tikken.

'Ik zei dus,' val ik in de rede.

'Ja, neem me niet kwalijk, lieverd,' zegt mijn moeder.

'Wanneer ben je uitgerekend?' vraagt mijn vader.

'Ik ben niet zwanger!' reageer ik nijdig. 'Ik stop met studeren.' Let op dat ik 'stop met studeren' zeg in plaats van 'maak mijn studie niet af', wat indirect inhoudt dat je een hopeloze nietsnut bent, die geheid een zwangere junkie zal worden, maar waarschijnlijk geen liberaaldemocraat. Ik wacht tot ze ophouden met hun onderlinge gekibbel en met mij beginnen te ruziën. Dat gebeurt niet.

'Goed, lieverd,' zegt mijn moeder.

'Dat vind ik een geweldig idee,' stemt mijn vader met haar in.

Op dat moment had ik moeten weten dat er iets vreselijk mis was.

Ik ga weer thuis wonen en meld het hoofd van de faculteit schriftelijk dat ik niet zal terugkeren voor het tweede semester. Hij antwoordt met een strenge brief waarin hij vertelt hoe teleurgesteld hij is, hoe zonde het is dat de plaats die ik heb ingenomen niet naar iemand is gegaan die hem echt wilde. Ik verscheur de brief en zit even een potje te grienen op mijn slaapkamer. Ik ben niet alleen door de brief uit mijn doen, al wordt het daar natuurlijk niet beter van. Het komt doordat ik nu al heb gefaald, waardoor die bazige schooldecaan gelijk heeft gekregen. Ik studeer niet af en heb een schuld van bijna een mille, huur voor de van schimmel vergeven gevangeniscel waar ik vrijwel nooit was. Onderwijs, onderwijs, onderwijs. Nou én, meneer Blair?

De rest van mijn leven hangt nu af van een werkervaringsplaats voor twee weken. Ik wil maar zeggen, geen enkele druk, Bryony. Niks bijzonders. 'Wat ga je na die twee weken doen?' vraagt mijn moeder, niet helemaal onredelijk. 'Dat zie ik wel als het zover is,' weet ik slechts uit te brengen.

Mijn werkervaringsplaats is niet bij de *Telegraph* of *The Times* of zelfs maar de *Sun*. Het is niet bij de *Guardian*, de *Independent* of de *Financial Times*. Nee, het is bij... de *Express*.

De *Express* kan in de jaren vijftig en zestig dan een bastion van journalistiek zijn geweest, nu ligt dat wel even anders. Er staat elke dag een complottheorie in over de dood van prinses Diana of iets over levensgevaarlijk weer dat eraan komt. Maar ach, wie ben ik om te klagen? Ik ben erdoor gered van een leven van zwarte vierkanten, en daar ben ik de *Express* eeuwig dankbaar voor.

Ik arriveer klokslag tien uur bij de krant, in een grijs pakje dat mijn moeder voor me heeft gekocht bij Phase Eight, alsof ik vierentachtig ben in plaats van een groentje van twintig. Er wordt me gezegd dat er zo iemand naar beneden zal komen om me te halen. Ik ga in de hal zitten, waar ik vol ontzetting journalisten op hun werk zie komen in spijkerbroek en op sportschoenen; wie wel een pak aanheeft, laat een ongestreken overhemd uit zijn broek hangen, en ze zien er allemaal uit alsof ze niet met het openbaar vervoer van huis komen, maar al tijden als daklozen rondzwerven. Ik zie eruit als een nuf, besef ik. Ik zal op deze krant worden weggehoond zodra ik naar binnen stap, de laan uit worden gestuurd en te horen krijgen dat ik moet teruggaan naar de baan waarvoor ik me heb gekleed: die van bibliothecaresse. Ik wacht en ik wacht en ik wacht op mijn lot. Maar dat lijkt niet dichterbij te komen.

Om 10.35 uur vraag ik de receptioniste of ze weten dat ik er ben. 'Moet je horen, liefje,' zegt ze met een geringschattende blik. 'Dit is een krant. Tijd is hier een behoorlijk rekbaar begrip. Laat dat je eerste les zijn. Een kandidaat voor een werkervaringsplek heeft hier eens een hele dag gezeten voordat er iemand naar beneden kwam om hem te halen, en dat was bovendien puur toeval, doordat iedereen vertrok om naar de pub te gaan.' Ze glimlacht uiterst flauw. 'Maar dat zal jou vast niet overkomen.'

Ik heb de krant, inclusief de sportbijlage, van a tot z gelezen voordat ik word gehaald door een jonge man die eruitziet alsof hij drie dagen niet heeft geslapen. 'Hallo,' zegt hij, zonder moeite te doen om een hand uit te steken. 'Ik ben John, de assistent van de redactie achtergrondartikelen. Als je veel geluk hebt, kun je na afloop van je stage of wat voor chique term ze tegenwoordig maar gebruiken misschien ook redactieassistent worden, maar ik zou er niet op rekenen. Alleen de sterken overleven hier. Laat dat je eerste les zijn.'

'Eigenlijk is het mijn tweede les,' zeg ik bedeesd. Het valt me op dat hij naar verschaald bier en sigaretten ruikt.

'Wat zei je?' zegt hij, duidelijk overdonderd door het feit dat ik niet stom ben.

'Het is mijn tweede les,' herhaal ik, waarop ik hem mijn hand toesteek. Die schudt hij slapjes. 'De receptioniste heeft me mijn eerste les geleerd, namelijk dat tijd een rekbaar begrip is bij kranten en dat ik niet te ongerust moest zijn als je me een uur te laat kwam halen. Hoewel dat vermoedelijk mijn tweede les was, en die van jou eigenlijk mijn derde. Mijn échte eerste les was dat ik niet bij een mediaconcern had moeten verschijnen terwijl ik gekleed ben als een stijve trut.'

Waarom gebruik ik het woord trut? Waarom?

John doet of hij me niet heeft gehoord en leidt me een lift in.

'We hebben een prater,' zegt John als hij me voorstelt aan de journalisten in het redactielokaal. Het zijn er niet veel. Nu begrijp ik waarom ik hier vrij eenvoudig een stageplek heb kunnen krijgen. Er is vrijwel geen personeel, ze hebben duidelijk alle hulp nodig die ze kunnen krijgen, ook al komt die van mij. 'Goed,' zegt John, die me neerzet achter een van de vele lege bureaus. 'Je begint meteen. Je gaat niet rondlummelen door mensen te "volgen". We zetten je ogenblikkelijk aan het werk.' Mijn hart begint te bonzen in mijn borst. Zal ik als researchassistent worden toegewezen aan een belangrijke onderzoeksjournalist? Zal ik aantekeningen moeten maken tijdens een interview met een filmster uit Hollywood? Zal ik gewoon thee moeten zetten? Ik zou graag thee zetten, heus. Laat me nu gelijk thee gaan zetten, dan kunnen we daarna direct aan de slag.

John ziet de paniek op mijn gezicht. 'Maak je geen zorgen,' zegt hij. 'Hier zul je plezier in hebben, Britney.'

'Bryony,' zeg ik bedeesd, waarna ik onmiddellijk spijt heb van mijn besluit om hem te verbeteren. 'Ik heet Bryony. Maar ach, je kunt me Britney noemen als je dat wilt.'

'Maakt niet uit. Maar kijk, dit zul je leuk vinden, want hierdoor kun je dat bibliothecaressenpakje uittrekken waarin je bent gekomen.'

Heb ik te maken met seksuele intimidatie? O god, één dag op een werkplek en ik krijg al te maken met seksuele intimidatie!

Maar John trekt een reusachtig harig kostuum tevoorschijn dat hiervandaan wel iets heeft van een dode hond. 'Vandaag, Britney, ben je CHEWBACCA.' Mijn mond zakt open. Ik ben niet in staat hem te sluiten. Chewbacca. Voor mijn eerste opdracht bij een krant moet ik me verkleden als Chewbacca. Ik ben er vrij zeker van dat ik zojuist mijn vierde les heb geleerd en waarschijnlijk ook mijn vijfde en zesde.

'We schrijven een achtergrondartikel over *Star Wars*-souvenirs,' legt John uit, 'en het model heeft het laten afweten. Eigenlijk, om eerlijk te zijn, hebben we er nooit een besteld. We besloten te wachten op een bereidwillig groentje dat de uitdaging kon aangaan. En we waren bang dat we anders niets voor je te doen hadden, dus dachten we: verkleed haar als Chewbacca! En ik weet dat het vernederend kan lijken, maar eerlijk, het groentje van vorige week heeft Jabba the Hutt gekregen, dus je weet wel, elk nadeel en zo.'

Ik schuif mijn trots opzij en ga verder. Ik leer al snel om te doen wat me wordt gezegd. Ik besluit de verkleedpartij als Chewbacca te zien als een soort inwijding, en als ik die heb gehad, zal ik erbij horen voor de anderen. Of voor de Force. Ik trek op het toilet mijn bibliothecaressekleren uit en het muffe, hete Chewbaccapak aan. Ik loop door de gang terug naar John, waarbij het kostuum in elk geval mijn opgelatenheid verhult, terwijl ik voel dat de verslaggevers om me grinniken. 'Ziet er goed uit, Britney,' zegt John zwaar hijgend. Hij draagt een Darth Vaderkostuum. 'Het is leuk om de schande met iemand te kunnen delen.' Zweetdruppels glijden onder het harige pak langs mijn lichaam naar beneden, maar ik moet onbedaarlijk lachen. 'Zie je wel,' zegt John, 'ik zei toch dat ik assistent was!' Hij haakt zijn arm door de mijne en samen begeven we ons naar de studio van de krant, waar een fotograaf een uur lang bezig is foto's te maken van ons, zwaaiend met lasersabels, en van legoversies van de Death Star.

Dit is mijn eerste journalistieke ervaring.

In de loop van de week word ik weggestuurd om thee te halen, research te doen naar zorben, en wat cijfers en historische gegevens over de voetbalclub van Norwich City te verzamelen voor een 'kader'. Ik moet een interview met een dronken minister transcriberen en een taxi naar een restaurant nemen om de hoofdredacteur de *Evening Standard* te brengen. Ik ga naar Boots om medicijnen te halen en panty's te kopen, maar dat kan me niet schelen. Ik vind het heerlijk om op een redactie te zijn, om te zien hoe het laatste nieuws binnenkomt en deadlines worden gehaald. John besluit zelfs aardig tegen me te zijn door me mee uit lunchen te vragen en me op een avond zelfs met alle anderen mee te nemen naar de pub. Het is opwindend, het is heerlijk. Dit is absoluut wat ik wil doen.

De twee weken verstrijken in een roes, en dan vragen ze of ik nog twee weken wil blijven, en nog eens en nog eens, tot John me vertelt dat hij een baan als verslaggever heeft gekregen en dat er wordt overwogen mij als zijn vervanger te nemen. Ik krijg de baan en ben in de zevende hemel. 'Ik word assistent!' vertel ik mijn moeder, die ogenblikkelijk in tranen uitbarst. 'Ik ben zo trots op je,' snikt ze, en ik zie nog steeds niet dat er iets mis is.

Ik stort me op het leven als assistent. Het duurt niet lang voor ik af en toe een stukje mag schrijven over 'kidkwesties' zoals ze worden genoemd. Als ik hoor dat er een baan vrijkomt bij de tienerbijlage van de *Telegraph*, haal ik diep adem en solliciteer ik ernaar. Ik krijg de baan, leer iemand kennen, word verliefd. Ik kan mijn geluk niet op. De eerste paar jaar na mijn twintigste gaan precies zoals ik me had voorgenomen.

Dat duurt niet lang.

2

We gaan even scheiden

In een pub in Soho wordt een meisje omstrengeld door een knappe jongen in skaterkleren en met een wollen muts op zijn donkerblonde haar, hoewel het augustus is. Het meisje is drieëntwintig, de jongen achtentwintig, en ze zijn zo verliefd dat de jongen na drie of vier grote glazen bier zin heeft om tegen het meisje te zeggen: 'Als we over een jaar nog bij elkaar zijn, ga ik met je trouwen.'

Dat meisje ben ik. Die jongen is Sam. We zijn op een feestje aan elkaar voorgesteld door een gemeenschappelijke vriend, en Sam flitst. Dat wil niet zeggen dat hij bloot langsrent, maar dat hij lijkt op te lichten wanneer ik in beeld kom. Hij is de coolste jongen in de kamer. Ik zeg jongen, omdat hij weliswaar het lichaam van een man heeft, maar niet volwassener is dan een jongen van vijftien. Uiteraard ben ik daar blind voor. Ik vind het gewoon nogal karaktervol dat hij met zeven andere kerels samenwoont in een flat met een tapijt van tabak. Net als zijn kamer, waarin alleen een eenpersoonsbed staat, wat in mijn ogen 'romantisch' is. Alsof je in een piepklein zolderkamertje in de kunstenaarswijk van Parijs woont, zonder enig bezit, met niets anders dan de liefde voor elkaar. Dat hij stic-

35

kies rookt alsof het sigaretten zijn, is onmiskenbaar een teken van zijn creativiteit, niet van zijn verslaving. Ik vind het heerlijk om 's avonds computerspelletjes met hem te spelen – ach, ik ben altijd gek geweest op Mario Kart! – en je móét het toch wel prachtig vinden dat hij dol is op snowboarden? Hij is nog sportief ook!

Man, ik val als een blok voor Sam. We zijn Romeo en Julia zonder de ellendige afloop, Scott en Charlene zonder het Australische accent, Posh en Becks zonder de miljoenen. Afhankelijk van hoe je geneigd bent ertegenaan te kijken, is hij mijn eerste grote liefde of mijn eerste grote vergissing. Als ik er nu op terugkijk, moet ik erom lachen; op dat moment wilde ik alleen maar glimlachen en druipen van aanbidding.

Sam komt uit de industriestad Huddersfield in West Yorkshire en vindt me, tja, bekakt. Ik vind het natuurlijk prachtig dat hij uit Huddersfield komt – dat is een stuk interessanter dan zeg maar Chiswick of Richmond of Hanwell of een van de andere dure voorsteden van Londen waar de jongens die ik ontmoet meestal vandaan komen. Het feit dat hij uit Huddersfield komt, zegt me dat hij nuchter is, met beide benen op de grond staat, een jongen is die het gemaakt heeft. In werkelijkheid is hij een stuk bekakter dan ik, want hij is opgegroeid op het land, en daarmee bedoel ik niet op een boerderij, maar in een landhuis. Doordat hij uit het noorden komt, lijkt die bekaktheid echter niet te tellen; hij gelooft dat hij door dat geografische feit is bevrijd van de vreselijke tirannie om bijna tot de hogere kringen te behoren, wat watjes uit het zuiden nooit zal lukken. Het enige verschil tussen ons is dat hij een afschuwelijk Yorkshireaccent heeft – dat achteraf beschouwd vermoedelijk ook nep was – en een afkeer van Londen die alleen wordt geëvenaard door zijn afschuw om voor twaalf uur te moeten opstaan.

Je zult het ongetwijfeld met me eens zijn dat hij een goede partij is.

Hij luistert naar hiphop, de Wu Tang Clan en Public Ene-my. Is dat niet gaaf? Hij is heel anders dan de jongen met wie ik voor hem even wat heb gehad, een jongen van pr die ik heb leren kennen toen ik net bij de *Telegraph* begon te werken; hij was bezeten van de muziek van Bob Dylan en Jeff Buckley, en speelde gitaar in een bandje dat zijn-eigen-nummers-schreef (hij was er altijd op gebrand dat aan anderen te vertellen: 'On-ze band schrijft-onze-eigen-nummers,' zei hij dan, trots als een pauw). Het waren vreselijke nummers, dat hoorde ik zelfs, ondanks mijn semismoorverliefde staat, een hoop on-zin over soulmates die door hun huid in hun bloedbaan sij-pelden, tierelierieliere, blablabla. Hij deed me denken aan de meisjes op mijn oude school die volhielden dat ze Nirvana goed vonden, hoewel je wist dat ze er eigenlijk naar hunker-den om te zwijmelen bij posters van Take That. Het was alle-maal schijn, volstrekt oppervlakkig, en zijn muzikale preten-ties waren nog het diepzinnigst aan hem. Toen we ten slotte uit elkaar gingen, omdat we voor zijn gevoel 'in verschillende werelden' leefden (hij had iemand leren kennen die nog naïe-ver was dan ik), herinner ik me dat hij beslist samen met me op zijn bank wilde gaan liggen luisteren naar Jeff Buckleys 'Last Goodbye', waarbij zijn krokodillentranen even erg wa-ren als zijn kattengejank. Eerlijk gezegd was het een opluch-ting om van hem af te zijn. Toen hij tegen me zei dat niemand ooit meer zo van me zou houden als hij (en het was nieuw voor me dat hij überhaupt ooit van me had gehouden), dacht ik alleen maar: goddank en halleluja. En vervolgens leerde ik kort daarna Sam kennen, die geen grotere tegenpool had kunnen zijn. De avond waarop we elkaar leerden kennen, zei hij tegen me dat ik gruwelijk was, en aan het eind van de avond stonden we te zoenen tegen een lantaarnpaal – de li-chaamshoudingen die je in je jonge jaren kunt aannemen zonder je rug te vernielen! – en de volgende dag stuurde hij me een sms'je om te vragen of hij me weer kon zien, diezelfde avond, en dat vond ik allemaal zo ontspannen, zo aardig. Doordat er geen lange sms-stiltes waren geweest die zouden moeten aangeven hoe cool je bent, zag ik hoe cool hij eigenlijk was. Hij nam gewoon zo snel mogelijk contact met me op en dat was dat. Zo wist ik ook dat hij diepzinnig en attent was, juist doordat hij niet deed alsof hij dat was. Hij was de luchthartigheid in eigen persoon, was opgewekt en vrolijk, hoewel dat misschien gewoon kwam doordat hij zoveel blowde.

Ik bedacht pas veel later dat ik hem alleen had zien lachen als hij high was. Zelf was ik niet geïnteresseerd in marihuana. Ik had het geprobeerd, natuurlijk had ik dat gedaan, toen ik vijftien was, maar ik had ervan moeten overgeven op het dure crèmekleurige tapijt van de ouders van mijn vriendin en vervolgens was ik in slaap gevallen en had ik liggen kwijlen op hun dure crèmekleurige bank, waarna het volgens mij weinig zin had ermee door te gaan. Ik hield van een drankje omdat ik me daardoor monter en hyper voelde; ik hield niet van marihuana omdat die het tegenovergestelde effect leek te hebben. Zolang ik bij Sam was, heb ik nooit actief geblowd, maar dat wil niet zeggen dat ik niet doorlopend high was. Gezien de hoeveelheid marihuana die om me heen werd geïnhaleerd, is het alleszins mogelijk dat ik ook behoorlijk wat heb binnengekregen en zonder het zelfs maar te weten zo stoned was als een garnaal. Dat verklaart misschien waardoor ik niet zag dat Sam absoluut niet fantastisch creatief, jongensachtig knap en charmant was. Hij was gewoon een junkie die toevallig een uitstekende conditie had.

Tijdens de eerste paar maanden van onze relatie noemde hij me 'snoepje', een liefkozende term die ik te gek vond, maar waarvan iedereen in onze omgeving even onpasselijk werd als ik was geweest van mijn eerste joint. Toen, naarmate de tijd verstreek, begon ik steeds meer te beseffen wat hij van

Londen vond. Hij had de pest aan de metro – ach, wie niet? –, kon niet tegen de herrie en vond de mensen klojo's. Dat kwetste me, omdat ik in Londen was opgegroeid en die klojo's dientengevolge mijn vrienden en familie waren.

Ik zei tegen iedereen dat hij schrijver was, want hij was naar de hoofdstad gekomen om te gaan schrijven, maar in werkelijkheid was hij uiteindelijk gaan werken als administratief assistent bij een pas opgerichte website voor goedkope autoverzekeringen. Dat vat mijn verhouding met hem wel zo'n beetje samen: in het licht waarin ik hem in mijn hoofd zag, was hij een romantische, creatieve figuur die op het punt stond een roman te schrijven waarmee hij de Booker Prize zou winnen, of een poëtische ode neer te pennen die was gewijd aan mij, zijn vriendin en muze, hoewel hij in werkelijkheid thee zette voor mannen met een grauwe huid en een bruin pak.

In mijn achterhoofd probeerde het idee dat we niet zouden gaan trouwen, dat we over een jaar niet eens meer bij elkaar zouden zijn, meer en meer de aandacht te trekken. In het begin van onze relatie had ik besloten dat Sam, omdat hij zo'n coole kerel was, op onze bruiloft een kobaltblauw pak zou dragen, terwijl ik een strakke, nauw om de heupen sluitende jurk zou dragen waarin mijn borsten goed uitkwamen, en als mensen de foto's zagen, zouden ze denken: man, wát een gaaf stel. Getrouwd, maar gááf... – want hoewel ik traditioneel genoeg was om een boterbriefje te willen hebben, was het ontegenzeggelijk nog steeds belangrijk voor me om te worden gezien als iemand die de draak stak met de conventies. Die een beetje anders was.

Door het beeld van ons leven samen dat me voor ogen stond – we zouden ALLEBEI een bijzonder succesvolle schrijver worden en zodoende binnen drie jaar naar Cornwall kunnen verhuizen, waar we boeken konden schrijven en konden surfen, hoewel ik nog nooit van mijn leven had gesurft –, voelde ik er weinig voor tegenovergestelde gedachten toe te laten of reëel te laten worden. Dus deed ik mijn uiterste best om ze te negeren. Ik hield mezelf voor dat de reden voor zijn futloosheid en zijn zure houding ten opzichte van Londen niets met mij te maken had. Het kwam door zijn uitzichtloze baan. Daar hoefde ik hem alleen maar van te overtuigen. Dat zou ik doen door superaardig tegen hem te zijn (het kwam op dat moment niet in mijn hoofd op dat ik dat steeds was geweest), en we zouden doen wat hij wilde, en ik zou hem nooit mijn ongerustheid of zorgen opdringen, en al helemaal niet ideeën over wat ík wilde doen of waar ík naartoe wilde. Ik zou de Coole Meid zijn, plooibaar en ontspannen en opgewekt en joviaal, en hij zou van de Coole Meid houden, want er was toch niets om niet van te houden? En alles zou beter gaan, en dan zouden dat kobaltblauwe pak en die strakke jurk toch nog volgen.

Maar zo ging het niet. Hoe leuker en ontspannener ik was, hoe afstandelijker en geslotener Sam werd, misschien omdat hij mijn pogingen om een Coole Meid te zijn doorzag als bewijs dat ik dat absoluut niet was (of, nog aannemelijker, omdat hij een lul was). Onze relatie denderde bergafwaarts op een non-relatie af, en ik wist niet wat ik moest doen. Een verstandige meid had Sam gezegd dat hij kon opkrassen, had de techniek toegepast zich ongenaakbaar op te stellen, waarover ik in tijdschriften had gelezen en waardoor hij onvermijdelijk weer op een holletje bij me zou terugkomen. Maar ik was geen verstandige meid. Ik bleef hem door mijn vriendelijkheid verder en verder van me af stoten en ik begreep er geen snars van. Waarom zou je zo uit de hoogte doen tegen iemand die altijd even aardig tegen je was?

Hoe lang heeft dit geduurd? Twee maanden? Drie? Ik analyseerde de onbenulligste dingen die ik deed om te zien of onze relatie daardoor soms ter ziele ging. Had ik een sarcastische opmerking gemaakt over iemand die toevallig uit het noorden kwam? Vond hij het niet leuk dat ik mijn haar had laten knippen? Vond hij het maar niks dat ik nog bij mijn ouders woonde, als het verwende kind uit de middenklasse dat ik nu eenmaal was? Ik maakte mezelf gek terwijl ik erachter probeerde te komen wat er verkeerd ging, hoewel ik diep in mijn hart precies wist wat er was gebeurd. Hij had genoeg van me. Ik had hem bang gemaakt; of, wat aannemelijker was, hij had me verteld dat hij met me wilde trouwen en had zichzelf bang gemaakt. De Verstandige Meid zou recht op hem af zijn gestapt en hem ronduit om een bevestiging hebben gevraagd. De Niet-Zo-Coole Meid was te bang om dat te doen, omdat ze misschien een eerlijk antwoord zou krijgen.

En toen stelde Sam op een dag, als een donderslag bij heldere hemel, voor om uit eten te gaan. Als dit een gelukkige relatie, een goede relatie was geweest, had ik niet anders verwacht, had ik het volkomen normaal gevonden, maar aangezien het duidelijk een aflopende relatie was, bestond mijn eerste reactie uit hevige ontsteltenis. 'Hij wil met me uit eten,' zei ik tegen Sally in een staat van totale paniek. Sally, Verstandige Sally, had een echte relatie met Andy, een rugbyende economiestudent die ze op de universiteit had leren kennen, en tot nu toe verliep alles voor haar volgens plan. Ze waren zelfs gaan samenwonen in een flat in Putney, waar Andy, inmiddels managementconsultant (wat dat ook mocht zijn), lid was geworden van een roeiclub (uiteraard) en Sally twee keer per week een etentje gaf, terwijl ze haar dagen als assistente van een bankier gebruikte om plannen te maken voor nagerechten die nog ingewikkelder waren.

'Wat mankeert daaraan?' zei Sally, haar perfect opgemaakte gezicht vertrokken van verwarring. 'Het is toch aardig dat hij je mee uit eten wil nemen?'

'Nee!' krijste ik. 'Sam is niet iemand die uit eten gaat. Volgens mij is hij nog nooit van zijn leven uit eten gegaan, of je moet de snackbar meetellen. Dit is onmiskenbaar SLECHT NIEUWS.'

Hij nam me mee naar Nando's.

De lucht van de piripiri (of kwam het doordat ik de bons zou krijgen?) maakte me misselijk, waardoor ik niets bestelde om te eten. 'Ik neem alleen een biertje,' zei ik rustig. Hij vroeg niet of ik dat zeker wist, of ik niet tenminste een kleine portie friet wilde. Hij ging gewoon naar de bar om bier voor mij en water voor zichzelf te halen en plofte weer neer.

Hij dronk niet eens. O god, dat was een slecht voorteken. Hij was hier gekomen om me de nekslag te geven, dat stond vast, en hij nam niet eens de moeite om samen met me dronken te worden, zodat ik in het openbaar tegen hem aan kon huilen en kon vragen waardoor het allemaal was misgegaan. Hij had niet eens geld verkwist aan mineraalwater, maar voor kraanwater gekozen. Er kon nu elk moment een kelner (hadden ze bij Nando's eigenlijk kelners?) naar ons toe komen om te vragen of we wilden vertrekken omdat we geen eten bestelden. Dit was vreselijk. Het was erger dan vreselijk. Ik had nog liever gehad dat hij me gewoon had ge-sms't 'HET IS VOORBIJ, SRRY. :-)'. De Verstandige Meid zou het onvermijdelijke voor zijn geweest en er ter plekke een eind aan hebben gemaakt, maar... tja, maar.

'Ik ga in Edinburgh wonen,' deelde hij mee, alsof hij alleen even naar de supermarkt ging om wat peuken te halen.

'O,' antwoordde ik, pulkend aan het etiket van het bierflesje.

'Het lijkt me het best,' begon hij te zeggen, 'ik bedoel, het lijkt me niet meer dan eerlijk tegenover jou als we, je weet wel...'

Ik staarde naar het bierflesje. Alcohol: 4,7 procent, stond

er. Ik mocht niet drinken als ik zwanger was, las ik.

'Tja, als we er, zeg maar, een eind aan maakten.'

Hoewel ik inmiddels al een tijdje wist dat dit zou gebeuren, had ik desondanks het gevoel alsof ik een stomp in mijn maag had gekregen. Angst welde op in mijn borst en luchtpijp. Ik dacht dat ik moest overgeven, hier in Nando's bij Victoria Station.

Het was niet eens een Nando's in een winkelstraat, weet je. Een Nando's bij een statión.

'Goed,' zei ik.

'Goed?' antwoordde hij verward.

Ik begon te huilen.

'Dit is zo gênant,' begon ik telkens opnieuw. 'Het is ongelooflijk dat ik er zo door van de kaart ben.' Ik probeerde weer de Coole Meid te zijn. Sam pakte mijn hand en sloeg zijn arm om me heen. NU besloot hij aardig tegen me te zijn, na maanden van koele onverschilligheid. 'Je bent een geweldige meid,' troostte hij me. 'Een moordgriet. Een stuk, grappig, je hebt zoveel mee, aardig...'

Op dit punt zou de Verstandige Meid hem in de rede zijn gevallen om 'O JA?' tegen hem te brullen. Zij zou hebben gezegd: 'Nou, Sam, als ik zo'n stuk ben, zo grappig, intelligent (heeft hij intelligent eigenlijk wel genoemd?) en aardig, waarom geef je me dan de bons? Waarom kniel je dan godverdorie niet neer om in een flits een diamanten ring uit die stomme slobberbroek van je tevoorschijn te halen en me verdorie nog aan toe ten huwelijk te vragen? Komt het doordat je een ongelooflijke EIKEL bent? Komt het doordat je achtentwintig bent en binnenkort dertien wordt en doordat je alleen een blijvende relatie zult hebben met dat KLOTESNOWBOARD van je?'

Maar zoals duidelijk begint te worden, ben ik geen Verstandige Meid. Ik ben een Niet-Zo-Coole Meid.

'Zal ik met je meegaan naar Edinburgh?' hoorde ik mezelf zowaar zeggen.

Sam stond perplex. Op die vraag had hij geen antwoord. Eigenlijk had hij dat wel, maar 'Ik wil niet dat je meegaat naar Edinburgh, omdat ik naar Edinburgh verhuis om van jou en die Londense kutvrienden van je AF te komen' zou gewoon te vernietigend zijn voor een toch al onzeker meisje nadat je haar hoop en dromen net een koude douche hebt bezorgd met behulp van een glas kraanwater in een filiaal van Nando's. Van Nando's! 'Je kunt niet naar Edinburgh gaan,' wist hij ten slotte uit te brengen, 'omdat je híér alles hebt.' En dat is waar. Ik kan net zomin naar Edinburgh verhuizen als naar de maan of de planeet Mordor. Het is niet alleen dat alles wat ik heb hier is – vrienden, familie, de baan die ik net bij de bijlage heb gekregen. Het is ook dat het zo verschrikkelijk stom zou zijn om te verhuizen om bij Sam te zijn dat je het niet eens in overweging kunt nemen.

Ik vraag niet waarom hij naar Schotland verhuist. Ik weet niet of ik dat wel wil weten. Het zou vanwege een meisje kunnen zijn. Het is vast vanwege een meisje. Ik zal me hiermee nog maandenlang kwellen, zal kostbare energie verspillen door me de vrouw voor te stellen voor wie hij me heeft verlaten, de kleur van haar haar (bruin natuurlijk, het tegenovergestelde van het mijne), de vorm van haar onderlip (cool tegenover niet-zo-cool). Ik ben drieëntwintig. Ik heb inderdáád heel veel mee. Maar daar ben ik volstrekt stekeblind voor door mijn verbazingwekkende vermogen om me te concentreren op wat ik NIET heb. Dat wil zeggen: Sam.

Wanneer is alles zo mísgegaan? Hoe komt het dat ik me domweg doordat een relatie is uitgegaan jarenlang uitleef in moedwillige zelfvernietiging en onenightstands met zakken als Josh? Wanneer is het leven zo dramatisch afgeweken van het pad dat voor mij en mijn leeftijdgenoten was uitgestippeld door ouders, docenten en feministen? Het spijt me, Emmeline. Het spijt me, Germaine. Het spijt me, Anais. Het spijt me Sylvia en Gloria en Simone. Het spijt me dat jullie ervoor hebben gestreden om de wereld te verbeteren en dat er nog steeds meisjes zijn die hun energie verspillen aan een junkie die in augustus een wollen muts draagt.

Twee maanden nadat Sam en ik het hebben uitgemaakt (of beter gezegd, nadat hij het met mij heeft uitgemaakt) vertelt mijn vader me dat mijn moeder en hij van plan zijn te gaan scheiden. 'Wat gaan jullie?' zeg ik ongelovig. Ik ben in de keuken wat patat in de oven aan het bakken als hij me dit nieuws meedeelt op zo'n ontspannen manier dat het lijkt of hij me eigenlijk zegt dat ik de vuilnisbak buiten moet zetten. 'Wat gaan jullie?' herhaal ik, voor het geval ik hem verkeerd heb verstaan.

'Scheiden,' herhaalt hij nuchter.

'Oké,' zeg ik, terwijl het bakblik met friet op de vloer klettert. 'Scheiden,' zeg ik in een poging de informatie te verwerken. 'Scheiden.' Mijn hersenen laten het afweten. Ik ren het huis uit en kom de rest van de dag niet meer terug.

Als mijn moeder me eindelijk vindt, terwijl ik doe of ik met vrienden in de pub naar een wedstrijd van Arsenal kijk, barst ik in tranen uit, en ik vraag wat er godverdorie aan de hand is. Ze werkt me in de Volvo. 'Hij had het je niet zo mogen vertellen,' zegt ze met een boze stem. 'Laten we naar huis gaan, dan kunnen we dit fatsoenlijk bespreken.'

'Lazer op met je huis,' snauw ik.

Ze brengt me er toch naartoe.

'Ik weet dat je dit niet wilt horen,' begint mijn moeder als we allemaal aan de keukentafel zitten. 'Maar we hebben geprobeerd het een tijdje voor je verborgen te houden toen het zo lekker met je ging. We wilden het niet voor je bederven.'

'Wil je zeggen dat jullie al een tijdje weten dat jullie gaan scheiden?' krijs ik.

'Pas een jaar of tien,' zegt mijn vader als geintje.

'Jack!' grauwt mijn moeder. 'We hebben het kortgeleden aan je zus en je broertje verteld omdat we vonden dat ze het moesten weten...'

'Jullie vonden dat MIJN BROERTJE VAN ELF HET EERDER MOEST WETEN DAN IK?'

'O, hij heeft er geen moeite mee,' zegt mijn vader. 'Hij zegt dat hij op school een buitenbeentje was omdat zijn ouders nog altijd bij elkaar waren, dat is tenminste iets.'

Ik staar naar de tafel omdat ik niet weet wat ik anders moet doen. In het patroon van het hout herken ik zonder meer een oog en een hert.

'Daar zit trouwens iets in,' zeg ik. 'Waarom hebben jullie dit niet tijden geleden gedaan, net als NORMALE MENSEN? Waarom zijn jullie niet gaan scheiden toen ik een jaar of dertien was, net als bij alle andere kinderen in mijn klas? Dan hadden we tenminste medeleven gekregen van onze docenten en extra cadeautjes met Kerstmis en voor onze verjaardagen. Jezus, jullie verkloten ons leven door te gaan scheiden en JULLIE KUNNEN HET NIET EENS FATSOENLIJK VERKLOTEN.'

Nu is het hun beurt om bosdieren te zoeken in het patroon van de tafel.

'Waarom gaan jullie eigenlijk scheiden? Wie van jullie gaat er met een ander vandoor? Of doen jullie dat allebei? Krijgen we stiefbroers en stiefzussen? O god, ik hoop echt dat ze cooler zijn dan wat ik al heb.'

'Bryony,' zegt mijn moeder, die haar kalmerende stem opzet. 'We gaan er geen van beiden met iemand anders vandoor. We geloven gewoon dat we elk gelukkiger zullen zijn zonder de ander. Dat is alles.'

'Is dat alles? Jezus, kunnen jullie niet op zijn minst scheiden om een GOEDE REDEN? Hoe moet ik iedereen vertellen dat jullie "zomaar" gaan scheiden, alsof dat iets is om te doen tijdens een regenachtig weekend? Kunnen jullie niet net als iedereen ongelukkig bij elkaar blijven?'

'Bryony,' zegt mijn vader, maar ik ben de keuken alweer uit.

Kort daarna verhuist hij, naar een flat om de hoek. Binnen enkele maanden heeft hij een ander, een blonde vrouw die vijfentwintig jaar jonger is dan hij en die mijn zus en ik Heather Mills noemen – hoewel we haar nooit hebben ontmoet en pap, in tegenstelling tot Paul McCartney, geen geld heeft en nooit een plaat van na 1955 heeft gekocht, laat staan dat hij er een heeft uitgebracht. 'Ze is heel aardig,' legt mijn vader uit. 'Ze is zelf gescheiden, dus ze weet hoe het is. Ze helpt me om weer overeind te krabbelen.'

'Dit is walgelijk, pap,' zegt mijn zus. 'Dit willen we echt niet weten.'

Het verbaast me hoe snel mannen het leven weer oppakken. Vijfentwintig jaar hebben mijn vader en moeder samen doorgebracht en binnen vier maanden is het alsof mijn moeder nooit heeft bestaan. Ik kom er niet achter of ik dat bewonder of ronduit afschuwelijk vind. Sam is alweer tijden geleden uit mijn leven verdwenen en we zijn nog geen jaar bij elkaar geweest, maar ik kan me niet voorstellen dat ik over hem heen kom voor ik veertig ben. 'Ben je gekwetst?' vraag ik mijn moeder op een avond. Ze schudt haar hoofd. 'Eerlijk gezegd ben ik opgelucht, Bryony. Het is zo fijn om voor het eerst in tientallen jaren weer alleen te zijn. Ik weet dat je dit nu moeilijk zult kunnen geloven, maar een relatie is niet altijd zo mooi als wordt voorgesteld. Soms wil je gewoon alleen zijn.'

Ik ben verdrietig. Ik wil niet alleen zijn. Ik denk aan Sam. Als mijn vader zo snel de draad weer oppakt, zal Sam inmiddels wel drie vriendinnen hebben afgewerkt sinds hij mij de bons heeft gegeven, zal hij nauwelijks meer weten hoe ik heet. Het leven ziet er ineens nogal deprimerend uit: zelfs als je denkt dat je de ware hebt gevonden, zelfs als je vijfentwintig jaar getrouwd bent, kan alles alsnog eindigen in een gigantisch fiasco.

Ik zeg nooit dat wat er de volgende tien jaar met mij gebeurt door de scheiding van mijn ouders is gekomen. Dat zou dom, onvolwassen zijn. Maar ik kan hun wel verwijten dat ze hun genen aan me hebben doorgegeven, dat ze die in één egoïstische daad hebben vermengd, wat er slechts toe kan leiden dat ze een ongelooflijke klojo op de wereld zetten. Ja, dat kan ik wel doen. Zoals ik vroeger zei, toen ik een jaar of dertien was: ik haat mijn leven.

3

Mijn huisgenoten,
de zilvervisjes

'Denk je dat we moeten gaan samenwonen?'

Ik heb er altijd naar verlangd deze woorden te horen. Alleen niet van mijn zus. Ik wil niet met mijn zus samenwonen. We wonen verdorie al ons hele leven samen, terwijl we eerst de beestjes van Sylvanian Families en later de kleren van Topshop van elkaar pikten. 'Ik wil niet met jou samenwonen,' zeg ik minachtend. 'Je bent irritant en je rookt altijd al mijn sigaretten op. Bovendien heb je geen werk. Je bent al drie maanden geleden afgestudeerd en je doet niet eens moeite om voor twaalf uur uit je bed te komen, laat staan naar een baan te zoeken. Het is al erg genoeg dat ik met je moet samenwonen onder het dak van pap en mam. Of alleen van mam. Of wat onze verpeste gezinssituatie tegenwoordig maar is. Ik moet er niet aan denken hoe je zult zijn als je de vrije teugel krijgt.'

Wanneer je voor het eerst overweegt het huis uit te gaan, is het om te gaan studeren, of om bij een vriendje in te trekken of op zijn allerminst bij een onbekende die je hebt leren kennen via een website waarop mensen huisgenoten zoeken (ik tel mijn korte periode in de studentenflat niet mee, aangezien dat eerder was alsof je naar een tuchtschool werd verbannen dan dat je het huis uit ging). Maar goed, dan denk je toch zeker niet aan een gezínslid? Je kunt toch net zo goed thuisblijven als je wilt gaan samenwonen met je zus? Dan wordt er tenminste voor je gekookt en wordt je was gedaan en zijn er genoeg kamers om je in te verstoppen als je gek van haar wordt. Ik blijf niet met mijn zusje samenwonen. Geen moment langer. Nu ik in de twintig ben, heb ik er recht op NOOIT MEER MET HAAR TE HOEVEN SAMENWONEN.

Bovendien mag ik mijn zus niet. Nou ja, natuurlijk mag ik mijn zus – ik houd heel veel van haar – maar ik vind het maar niks dat ze alles is wat ik niet ben. Ze kan keurig schrijven – zelfs ik kan mijn eigen handschrift niet lezen – en ze is sportief. Op school blonk ze uit in gymnastiek en was ze duikkampioen, terwijl ik telkens deed of ik ongesteld was als iemand me weer eens probeerde te laten zwemmen, tot de gymlerares op een gegeven moment mijn moeder belde om te vragen of me soms iets mankeerde en om te suggereren dat ik eens naar de dokter moest. 'Het is gewoon niet normaal dat een jong meisje zo vaak menstrueert,' zei ze niet al te kies tegen mijn moeder, die ogenblikkelijk een afspraak voor me maakte bij een gynaecoloog. 'Maar mam, ik menstrueer maar één keer per maand!' was het gesprek dat mijn vader op een dag opving. 'Ik zeg alleen dat ik ongesteld ben om de vlinderslag niet te hoeven doen. Als je me de vlinderslag zag doen, zou je het begrijpen. Ik lijk op een walvis die een epileptische aanval heeft!'

Zulke dingen overkomen mijn zus nooit. Ze is slank met een leuk mopsneusje, terwijl ik de gok van mijn Joodse voorouders heb geërfd, een gegeven dat ik misschien net had kunnen verdragen als ik ook echt Joods was geweest. Maar nee, het Jodendom zit aan mijn vaders kant, waardoor mij zelfs dat exotische vleugje in mijn erfgoed is ontzegd. Mijn zus – ach, het enige Joodse aan haar is haar naam. Fysiek is ze zo arisch als maar kan. Ze heeft grote blauwe ogen (de mijne zijn saai grijs) en van nature blond haar, terwijl ik honderd pond, die ik niet heb, moet betalen om het elke drie maanden te laten verven. Ze is niet neurotisch zoals ik, ze tobt niet doorlopend. Ze is emotioneel beheerst en gooit er niet elke verderfelijke gedachte uit die in haar opkomt. Dat is wat ik het meest in haar haat en bewonder.

'Nee,' zeg ik bot. 'Ik steek liever mijn ogen uit met een roestige lepel dan dat ik met jou ga samenwonen.'

Zodra ik dat heb gezegd, moet ik het huis uit. Het is net een uitdaging. Als ik niet vertrek, heeft zij gewonnen. Zonder ook maar iets te doen heeft ze bewezen dat ik gedoemd ben voor eeuwig en altijd met haar samen te wonen. Het is net een geniaal plan om mij het huis uit te krijgen. God, wat haat ik haar.

Ik ga aan de slag om woonruimte te zoeken. Dat is zonder enige twijfel het ergste wat me ooit is overkomen, nog erger dan het uitmaken met Sam (of Sam die het uitmaakt met mij). Doordat ik ben opgegroeid in een rijtjeshuis met vier slaapkamers dat mijn ouders voor een appel en een ei hebben gekocht toen ze gingen trouwen, ben ik gewend aan een zeker niveau van comfort en ruimte. Ik ben me vaag bewust van nieuwsberichten over huizenprijzen, maar ik voel me te jong en te zorgeloos om er enige aandacht aan te besteden. In plaats daarvan kijk ik naar *Friends*, en ik neem de loft in Manhattan waarin zij wonen in me op alsof dat de norm is. Ik kom er al snel achter dat dit niet klopt.

Het is hopeloos om met makelaars te praten. Het is erger dan hopeloos; het is uitermate deprimerend. Ik vertel wat mijn budget is – vijfhonderd pond per maand – en zij doen of ze me niet hebben gehoord. Ik denk dat het gemakkelijker voor hen is om te doen of ze me niet hebben gehoord, zo zielig is het idee om werkelijk woonruimte te kunnen vinden voor vijfhonderd pond per maand. Ze maken afspraken voor me om huizen van twaalfhonderd of veertienhonderd pond te bekijken, flats met entresols, wenteltrappen, minimalistische, schone, witte oppervlakken en een ondergrondse parkeerplaats, hoewel ik niet eens kan autorijden. Het is de kwintessens van iemand met zijn neus op de feiten drukken.

'Je weet toch dat kopen een betere investering van je geld zou kunnen zijn?' zegt een makelaar, die me van de ene flat waarin ik nooit zal wonen naar de volgende rijdt. 'Heb je wel eens overwogen iets te kopen?'

Ik staar hem aan. Heb ik wel eens overwogen iets te kopen? Heb ik dat gedaan? Ja, het is eens in me opgekomen, maar toen heb ik besloten het nóóit meer te overwegen, omdat ik daardoor verviel tot zo'n staat van apathische wanhoop dat ik twee dagen niet uit bed ben gekomen. Sindsdien heb ik vaker overwogen Chinees te gaan leren dan een flatje te kopen.

Ik kijk in het advertentieblad *Loot*. Bij alle advertenties staat: 'GEEN WERKZOEKENDEN', waardoor ik het gevoel krijg dat ik er zelf een ben. Ik voel me smerig, beschaamd, als een verachtelijke zwerver die iets wil kraken. Ik ga naar de advertentiewebsite Gumtree en maak afspraken om wat woningen te bekijken waarvoor mensen een huisgenoot zoeken. Het zal net de serie *This Life* zijn, houd ik mezelf voor, over die samenwonende, pas afgestudeerde rechtenstudenten. Ik zal ook samenwonen met jonge, hippe mensen, misschien zelfs met een mogelijke vriend (óveral zit een mogelijke vriend in). Als we allemaal uit ons werk komen, koken we samen chili con carne en spaghetti bolognese terwijl we rode wijn drinken (ik drink geen rode wijn, ik ben niet verfijnd genoeg om de volle smaak aan te kunnen en ik krijg er altijd donkerrode tanden van, maar dat maakt niet uit). We hangen rond en hebben plezier; 's morgens staan we absoluut niet in de rij voor de badkamer, en niemand zal meer rommel maken dan iemand anders of de cornflakes van een huisgenoot opeten.

Nooit van ons leven.

Ik ga 'op gesprek' bij een huis in Hammersmith. De verf bladdert van de voorgevel af en er ligt een matras in de tuin (als je die zo kunt noemen), maar ach, wat maakt een vergeeld matras nou uit onder vrienden? Ik loop de afbrokkelende hoge stoep op en bel aan. Ik wacht. Ik bel opnieuw. Ik wacht nog even. Ik weet niet of de deurbel, die ik natuurlijk nog een keer indruk, het wel doet. Ik vraag me af wat ik moet doen. Is het te brutaal om te roepen? Is kloppen te agressief? 'Ben je hier voor de kamer?' zegt een norse stem achter me. Ik draai me vlug om. Onder aan de stoep staat een man van een jaar of veertig, ongeschoren, in een vuile kakibroek en een donkergroen shirt met verfvlekken. In zijn hand heeft hij een blauwe plastic zak vol bierblikjes. Het is halftwaalf 's morgens.

'Eh,' zeg ik, 'ja.'

'Gaaf,' zegt hij, terwijl hij langs me heen dringt. 'Kom binnen.'

De deur zit niet eens op slot. Hij was de hele tijd open. Ik volg de man de gang in en stap over een berg folders voor pizza's en plaatselijke schoonmakers – dat die laatsten hier in huis dringend nodig zijn, zie ik nu al. Er staan drie fietsen in de gang, twee volle zakken voor oud papier met nog meer folders, en boven mijn hoofd knippert een kale gloeilamp onheilspellend. Ik kan me omdraaien en nu weggaan, doen of ik een Jehova's getuige ben, maar het burgermeisje in me zegt dat het onbeleefd zou zijn en dat ik deze mensen een kans moet geven. Dus sta ik in de gang op instructies te wachten, terwijl de man in zijn plastic zak rommelt en er twee blikjes uithaalt. 'Wil je er een?' zegt hij met een glimlach, waarbij hij een mond vol halve tanden onthult.

'Nee, bedankt,' zeg ik glimlachend terug.

Hij schudt zijn hoofd en brengt me naar de woonkamer.

Die wordt gedomineerd door een grote salontafel. Al lijkt die eerder in een kroeg dan in een salon thuis te horen. Hij staat vol lege bierflesjes, een driekwart lege fles goedkope wodka en een lege tweeliterfles Sprite. Twee asbakken lopen over op het tafelblad, dat bezaaid is met tabak en Rizlavloeitjes. Daaronder liggen oude nummers van het mannenblad *Loaded* en folders van afhaalrestaurants waar hoekjes uit zijn gescheurd (ik heb lang genoeg een relatie met Sam gehad om te weten waarom iemand dát zou doen).

Er zijn planten die al de geest hebben gegeven toen Margaret Thatcher nog aan de macht was. De haard is alleen gebruikt voor kaarsen die al tijden geleden zijn weggesmolten. Op de televisie is het slot te zien van iemands ambitie om in snelle auto's door een verzonnen stad te rijden, waarbij hij vermoedelijk en passant sletten neerschiet. 'OPNIEUW INSTELLEN? START?' staat er. De Xbox valt het meest op in deze woonkamer, als je die zo zou kunnen noemen. De veertiger heeft zich geïnstalleerd op een sofa – dat is het zonder meer en geen bank – waarop smoezelige grands foulards liggen om kussens te verhullen die nog smoezeliger zijn. Hij trekt zijn biertje open, drinkt met volle teugen en slaakt een zucht van voldoening.

Het is nog geen tien over halftwaalf.

Hij zegt dat ik moet gaan zitten, maar op dat aanbod durf ik niet in te gaan. Ik zou vlooien of luizen kunnen oplopen, of kunnen vertrekken met een stuk kauwgum op mijn achterste. Ik ben niet afkerig van een huisfeest, van lol trappen, maar als het er zo uitziet wanneer ze hun best hebben gedaan voor toekomstige huisgenoten, moet ik er niet aan denken hoe het op een slechte dag zal zijn. Dit is zo'n flat waarvoor Jesse uit *Breaking Bad* zijn neus zou ophalen. Het is zo'n flat waar krakers niets van moeten hebben, want krakers geven tegenwoordig de voorkeur aan panden aan Park Lane die leeg zijn achtergelaten door Russische oligarchen. (Moet ik soms toch overwegen te gaan kraken?) Deze flat zou geen gekke indruk maken in *How Clean is Your House?*

'Is Kate er?' vraag ik de veertiger beleefd. Kate is het meisje dat de advertentie heeft gezet, de persoon die ik per mail heb gesproken. 'Grote, gezellige gemeenschappelijke woning zoekt nieuwe huisgenoot. Twee kamers, eigen badkamer, inclusief internet, gas en licht. Op 5 minuten lopen van de metro. £500 p.m.' Het had heel redelijk geleken, wellicht te mooi om waar te zijn. Inderdaad, weet ik nu.

'Kate is vorige week verhuisd,' kreunt de veertiger. 'Ze moest weg uit Londen omdat ze wat problemen had gekregen met,' hij begint als een gek te snuiven, 'je weet wel...'

Ik weet het niet.

'Je weet wel...' Meer gesnuif. Is Kate vertrokken omdat ze verkouden was? Vast niet. 'Maar goed, ze is teruggegaan naar haar ouders, dus hebben we nu twee kamers leegstaan, als je soms iemand weet die woonruimte zoekt.'

Ik kan niemand bedenken die hier woonruimte zou zoeken. Het is zo'n huis dat je in documentaires over ongediertebestrijding ziet, heel veel ongedierte en weinig bestrijding.

'Je kunt er intrekken wanneer je wilt,' vervolgt de veertiger. 'De kamer ligt op de eerste verdieping als je soms even wilt kijken. We vragen een borg, maar alleen om die uit te geven aan een groot feest om te vieren dat je hier komt wonen.'

Ik kijk geschrokken. Ik heb nauwelijks een woord gezegd, heb de kamer nog niet eens gezien en ineens kom ik hier wónen?

'O, maar ik moet nog wat andere huizen bekijken.' Ik glimlach zo lief mogelijk. 'Is het goed als ik terugbel wanneer ik alles heb gezien? Het huis is FANT...' Waarom probeer ik eigenlijk indruk te maken op deze tandeloze pummel? WAAR-

OM? 'Maar op dit moment wil ik nog even alle opties open-houden, als je begrijpt wat ik bedoel.'

Hij kijkt me perplex aan. Hij heeft geen idee wat ik bedoel.

'Ja, ach, best,' zegt hij, waarop hij een teug uit zijn blikje neemt. 'Je vindt het vast niet erg als ik je niet uitlaat. Je weet waar de deur is.'

Dat klopt en ik ren eropaf. En terwijl ik daaropaf ren, wil ik ook terugrennen naar mijn burgerlijke leventje en ja zeggen tegen mijn zus, ik zou het ENIG vinden om bij haar in te trek-ken. Maar dan zou zij hebben gewonnen en dat kan ik niet toestaan. Dus keer ik maar weer terug naar de makelaars, naar de financieel gezien minst haalbare optie.

'Ik ga op mezelf wonen,' deel ik mijn zus nogal hooghartig mee. 'Ik heb gewoon echt een eigen huis nodig, weet je.'

'Bedoel je dat niemand met je wil samenwonen?'

'Nee!' mopper ik. 'Ik bedoel dat ik alleen wil zijn nadat ik al die jaren met JOU heb moeten samenwonen. Ik wil mijn ei-gen rúímte hebben.'

Maar als ik mijn eigen ruimte wilde hebben, zou ik thuis zijn gebleven, waar mijn slaapkamer weliswaar niet enorm is, maar wel aanzienlijk groter dan alle 'studio's' die ik te zien krijg. Als ik denk aan een studio, denk ik aan een soort ruim-te in een pakhuis in het centrum van de stad. Misschien in Soho. Maar deze liggen drie kwartier met de metro van iets wat in de buurt van het centrum komt, in Zones 4, 5 en zelfs 6. 'Misschien zou het goedkoper zijn als ik naar Hull zou ver-huizen en ging pendelen,' tier ik op een dag tijdens een lunch in de kantine van de *Telegraph* tegen mijn collega Chloe. Chloe woont in een zit-slaapkamer in Oost-Londen met haar vriend, een 'leidinggevende' bij de televisie, wiens leidingge-vende rol schijnt in te houden dat hij de onkostenrekening van het bedrijf gebruikt om gigantische hoeveelheden drugs te kopen. Maar dat is een totaal andere kwestie.

'Je moet bij ons in Oost komen wonen,' zegt ze. 'Daar wonen alle coole mensen. Ik weet dat je dolgraag een vorstelijke eenkamerflat met uitzicht op Hyde Park had willen hebben, maar gezien de kans daarop kun je net zo goed huizen gaan bekijken in Beverly Hills. Je moet realístisch worden, Bryony.'

Ik vind het vreselijk dat de plek waar je in een stad woont op de een of andere manier iets over jou als mens zegt. Dus als je in het zuidwesten van Londen woont, laten we zeggen in Fulham of Chelsea, ben je rijk en chic en even saai als de ribbroek en dure instappers die je draagt, maar als je in het westen van Londen woont, ben je rijk en een beetje trendy, alleen omdat daar toevallig onder een Tescosupermarkt op Portobello Road een illegale disco zit die de hele nacht doorgaat, en omdat er twee dagen per jaar een festival is.

Maar Oost-Londen... dat is wel een heel ander verhaal. Zodra je daarheen verhuist, maakt het niet meer uit of je bent opgegroeid in een landhuis, lid bent geweest van een geheim genootschap in Oxford of Cambridge of in het begin van je puberteit van je ouders van die dure Hacketttruien moest dragen. Nu woon je in Oost-Londen – Dalston, Hackney, Stoke Newington, of 'Stokie' zoals de echt coole mensen het noemen – en je hebt een totaal nieuw imago. Je kunt je haar in een 'hippe' coupe laten knippen (iemand een hoop geld betalen om je lokken te verzieken en je het uiterlijk van een legoblokje te geven) en je strakke spijkerbroek nooit wassen omdat de versleten look zo in is. Je kunt vreselijk lelijke kleren dragen die je hebt gekocht bij een zaak met 'vintage' kleding (vertaling: een omhooggevallen tweedehandswinkel waar je twee keer zoveel betaalt als voor iets nieuws voor het voorrecht om er geschift en cool uit te zien doordat je niet winkelt bij Topshop). Je kunt shag gaan roken, hoewel je daar niets van terechtbrengt en alle tabak eruit valt en op je lip blijft

57

plakken doordat je het sigarettenvloeitje niet strak genoeg hebt vastgeplakt.

Het is duidelijk dat ik naar Oost-Londen moet verhuizen. Maar als ik er naar flatjes ga kijken, snap ik er niets van. Waarom moet ik om sociaal mobiel te zijn verhuizen naar een deel van de stad dat in zo'n néérwaartse spiraal zit? Als ik flatjes bekijk die boven Indiase eettentjes liggen of diep zijn weggestopt in enorme woonwijken in Hackney, begint me iets te dagen over Oost-Londen. En dat is dit: het is een rotplek. Een volledige en absolute rotplek. Daar valt niet over te twisten. Dat kan zelfs niet worden weggemoffeld door makelaars, al doen ze hun uiterste best. 'In de lift' betekent dat het op dit moment niks is; 'cool' betekent dat niemand met wat geld er wil komen wonen; 'levendig' betekent dat als je enige waarde hecht aan je veiligheid, je een andere plek zou bedenken om te gaan wonen. Mijn opa en oma van vaderskant hebben het grootste deel van hun leven in Oost-Londen gewoond en popelden van verlangen om er weg te komen. Ik vraag me af wat ze nu van me zouden vinden, terwijl ik op de deur van een piepklein zit-slaapkamertje aan Bethnal Green Road bons in een wanhopige poging om te ontsnappen aan mijn gênante burgerlijke leventje.

De flat – sorry, kamer – waarvan ik besluit dat hij voor mij bestemd is, ligt boven een kippenrestaurantje en een winkel in rookwaren. Die tabakszaak heet de Ashtray. Ik woon daadwerkelijk boven een asbak. Ik vind de flat – sorry, kamer – via een advertentie op Facebook, en hij is weliswaar niet perfect, maar wel perfect aanvaardbaar. Het is niet helemaal iets uit een IKEA-catalogus – eerder uit een IKEA-catalogus vol ezelsoren en koffievlekken van tien jaar geleden. De huisbaas is aardig, een Ierse man met een vrouw en een klein kind, en hij vraagt 'slechts' zeshonderd pond per maand voor deze kamer met een bank die je kunt uitklappen tot een bed, een tafeltje, een piepklein keukenhoekje en een 'natte cel' naast de voordeur (niet echt een badkamer, aangezien de wc en de wasbak zich gevaarlijk dicht bij de douche bevinden, er wellicht zelfs onder staan).

Maar dat kan me niet schelen. Hij is van mij. Of in elk geval min of meer van mij, voorlopig, tot ik een lekkere vent tegenkom bij wie ik ergens anders kan intrekken, waarop de kamer ogenblikkelijk van een ander zal zijn. Ik koop een plant om in de hoek te zetten, maar dan besef ik dat er geen hoeken zijn – in elk geval geen vrije hoeken – dus zet ik hem maar in de gang, in de hoop dat de buren het niet erg zullen vinden. Ik probeer al mijn boeken op de planken boven de bedbank te zetten, maar besef dat de planken daar niet groot genoeg voor zijn, waardoor ik drie uur bezig ben titels uit te zoeken waarmee ik een goede indruk zal maken – *The Canterbury Tales* van Chaucer, *The Blind Assassin* van Margaret Atwood, *Corrections* van Jonathan Franzen – terwijl ik de boeken waarvoor dat niet geldt weer inpak: *Bridget Jones*, een dieetboek, een jaarboek van Take That dat sinds het begin van de jaren negentig is blijven liggen.

Ik heb geen televisie, aangezien ik me die niet kan veroorloven en ik weet dat ik er nooit toe zal komen een abonnement te nemen, maar dat kan me niet schelen, want ik ben van plan er nooit te zijn, en bovendien zal het ontbreken ervan me helpen bij mijn streven om als mens serieus te worden genomen. Ik koop een knalroze vergiet, waar ik verliefd op word als ik loop te snuffelen in Selfridges. Zo iemand ben ik nou: vijfentwintig pond uitgeven voor een vergiet dat ik nooit zal gebruiken omdat ik de kleur mooi vind, waarna ik tegen mijn ouders klaag dat ik geen geld heb om te kunnen eten. Ik koop wat goedkoop bestek en twee borden, gewoon voor het geval ik ooit iets zal eten wat niet uit een bakje komt. Meer borden hoef ik niet te kopen. Het is sowieso niet aannemelijk dat je hier meer dan tweeënhalve mens in kunt stoppen.

Maar ik probeer het toch. Ik nodig Chloe en haar vriend en een paar vrienden van hen uit voor een housewarmingparty, of eigenlijk een zit-slaapkamerwarmingparty. Ik overweeg Sally en Andy ook uit te nodigen, maar ik weet niet of ik bestand ben tegen hun afkeuring, of tegen de medelijdende blik die beslist op hun gezicht gegrift zal staan. Nee, deze lijst met gasten is beter, cooler.

We luisteren naar Justin Timberlake door een klein iPod-speakertje en iedereen staat als haringen in een ton blikjes warm bier te drinken en zich suf te roken. Het is een wonder dat we de boel niet laten afbranden. Al Chloe's vrienden zijn homo – iedereen in Oost-Londen is homo, begin ik van lieverlee te beseffen – en ze vertellen me allemaal dat ik 'een beeldig, een snoezig' appartementje heb, en iedereen verdwijnt doorlopend in mijn 'natte cel', getweeën of gedrieën. Eerst denk ik dat ze er seks hebben, maar dan valt me op dat ze veel snuiven en een loopneus hebben (het is juni), en ik besef ik dat ze waarschijnlijk cocaïne gebruiken.

Ik gebruik geen cocaïne, ik ben te laf om cocaïne te gebruiken. Ik heb gelezen dat je geestelijke gezondheid al door één lijntje in een neerwaartse spiraal kan komen waardoor je voorgoed in een inrichting zult belanden (of is dat ecstasy?), maar ik voel me heerlijk volwassen en cool dat ándere mensen hier in mijn flatje cocaïne gebruiken. Het is net of ik in een film zit, een fantastische film uit de jaren tachtig. Het is net of Michael Douglas met zijn maat Rob Lowe op mijn feestje is verschenen, en ik voel me alleen daardoor al zo stoned als een garnaal. Ik ben cool! Het is me eindelijk gelukt, ook al is het in een piepklein kamertje dat inmiddels ook als asbak fungeert!

'Ik vind dat we naar de Joiners moeten gaan,' zegt Chloe als de buren een tijdje na middernacht op de flinterdunne muren beginnen te bonzen.

'O man, we móéten naar de Joiners gaan,' zegt James, een vriend van haar.

'Ik vind dat we naar de Joiners moeten gaan!' Ik straal, hoewel ik geen idee heb wat de Joiners is, of waar het is, en of het eigenlijk wel een plek is in plaats van bijvoorbeeld een onder invloed van drugs ontstaan denkbeeld.

'Naar de Joiners!' zegt iedereen.

De Joiners blijkt een plek te zijn, hoewel het ook wel degelijk een denkbeeld is, en niet van het hoogste niveau. Het is een grote pub aan Hackney Road die denkt dat hij een disco is. Het staat er stampvol mannen die van mannen houden, maar mij ook graag schijnen te mogen, want ze zeggen dat ik 'FANTASTISCH' ben, 'EEN SPETTER', 'VET GAAF'. Dat vind ik natuurlijk prachtig. Het kan me niet schelen dat ik als ik naar de wc moet een halfuur in de rij moet staan voor het ene hokje naast de vijftien urinoirs, dat het hokje smerig is, dat er nauwelijks nog toiletpapier is en dat ik tijdens het wachten moet zien hoe mannen hun blaas legen. Het kan me niet schelen dat het er honderdtachtig graden is, dat de dj inmiddels vier keer een nummer van Dolly Parton heeft gedraaid of dat er geen schijn van kans is dat ik hier iemand oppik. Ik krijg zo'n warm, behaaglijk gevoel door alle complimentjes die deze mannen me maken terwijl ze onder invloed zijn en alles door een homobril bekijken dat ik ter plekke besluit een flikkervriendin te worden.

Later, veel later, waarschijnlijk pas over een jaar of tien, zal ik beseffen dat verliefd worden op homoseksuele mannen niet veel verschilt van hunkeren naar Sam, of een man die je het slipje van een ander overhandigt, aangezien ze allemaal onbereikbaar zijn. Man, ik ben gek op een onbereikbare vent.

De volgende ochtend word ik wakker op mijn bank, die ik

niet heb uitgetrokken tot een bed. Ik heb mijn lenzen nog in. Je lenzen nog in hebben is volgens mij een teken van een goeie avond uit. Of, op zijn allerminst, van een buitensporige avond uit. Je komt weer bij, doet je ogen open en denkt dat acht grote glazen bier, een halve fles wijn en twee wodka-tonics op een magische manier je gezichtsvermogen hebben hersteld, en dan voel je dat unieke, plakkerige gevoel rond je hoornvlies, waardoor je weet dat je domweg te teut was om je lenzen uit te doen. Je zult de hele dag de bril met het schildpadmontuur moeten dragen die je al hebt sinds je vijftiende.

Toch zie ik doordat ik mijn lenzen nog in heb ogenblikkelijk wat een troep mijn kleine zit-slaapkamerwarming heeft achtergelaten. Het feestje heeft mijn flatje absoluut niet 'verwarmd', maar laat een opmerkelijk koud gevoel achter in mijn bloed. Of in de alcohol die op dit moment voor mijn bloed doorgaat. De vloer van goedkoop nephout ziet zwart van de peuken die erin zijn getrapt. Halflege bierblikjes – gisteravond mogen ze halfvol zijn geweest, maar vanochtend zijn ze beslist halfleeg – zwerven overal rond. In de gootsteen staat een eenzame wijnfles, waarvan de inhoud is vervangen door nog meer peuken. Ik haal aarzelend een been van de bank en mijn voet plakt aan de vloer vast.

Ik ren naar de wc om over te geven. Ik besef vol schrik dat iemand me de vorige avond voor is geweest.

Voor mijn gevoel had de schoonmaakoperatie moeten worden uitgevoerd door beroepsmensen in witte pakken. Het is net of ik het wrakhout van mijn leven tot nu toe doorneem. Ik denk aan Sam, ver weg in Schotland, die waarschijnlijk wakker wordt in zijn nieuwe tweepersoonsbed – uiteraard heeft hij een tweepersoonsbed nu hij niet meer bij mij is; hij heeft waarschijnlijk een supergroot kingsize bed, de schoft – met de vijfde of zesde vriendin aan wie hij inmiddels toe is sinds hij afscheid heeft genomen van mij. O god, ik wilde dat hij nu hier was. Als hij nu hier was, zou dit er allemaal niet toe doen. Alles zou binnen een halfuur gepiept zijn, zodat we naar een snackbar konden gaan, om daarna een wandeling te maken over de Columbia Flower Market, gevolgd door een middagwip om van onze kater af te komen voordat we ons voor de televisie nestelden om *The X Factor* af te kraken.

Maar ik kan niet naar *The X Factor* kijken omdat ik niet eens een televisie heb.

In plaats daarvan ben ik drie uur bezig met boenen en overgeven, boenen en overgeven, met de ramen wijd open om de lucht van oude rook en drank te verdrijven, waardoor buiten de hele straat me kan horen boenen en overgeven. 'Geweldige avond!' sms't Chloe. 'Probeer net de reuzenkater kwijt te raken door over de bloemenmarkt te lopen!' Ik kan wel in tranen uitbarsten. Dat doe ik trouwens ook, waardoor de mascara van de vorige avond langs een gezicht biggelt dat is uitgedroogd door de inname van te veel alcohol.

Als de operatie is voltooid, arriveert mijn zus om te zien wat voor heerlijk onafhankelijk leven ik voor mezelf heb geregeld. Ze werpt één blik op mijn nieuwe verblijf en begint te lachen. 'Ik weet dat het thuis door mam en pap niet leuk was,' zegt ze, 'maar zó erg was het nu ook weer niet. Je kunt hier in je eentje je kont al niet keren. Laat staan met zijn tweeën, maar daar heb jij natuurlijk weinig last van, want een vriendje zit er toch niet in.'

Als ik niet zo kapot was geweest, had ik haar een stomp verkocht.

'Ik heb post voor je meegebracht,' zegt ze, terwijl ze op de uitgeklapte bank gaat zitten en er bijna doorheen zakt. Ze geeft me een briefje. Tijdens het lezen draait mijn maag zich om. 'Alleen om je te laten weten dat je ons de HELE NACHT hebt wakker gehouden.' Hele nacht is diverse keren onderstreept. 'Het is domweg ONAANVAARDBAAR om muziek zo hard aan te hebben als je vannacht hebt gedaan. Als dit nog een keer gebeurt, zullen we je HUISBAAS moeten informeren.' Huisbaas is eveneens een paar keer onderstreept. 'Staak dit gedrag s.v.p. In de twintig jaar die we inmiddels in dit pand wonen, hebben we nog NOOIT' – nooit natuurlijk onderstreept – 'zo'n overlast gehad als jij met je feestje hebt veroorzaakt. Groet, nummer 7. PS Haal alsjeblieft die plant weg. Hij blokkeert de gang.'

'Je hebt de buren dus leren kennen,' meesmuilt mijn zus.

Ik ga de plant halen en zet hem in mijn 'natte cel' onder de douche, op dit moment de enige plek waar hij kan staan.

'Ik moet zeggen,' vervolgt mijn zus, 'dat ik diep onder de indruk ben. Je woont boven een asbak en een kippentent die tot drie uur 's nachts open zijn. Je zit aan een van de lawaaiigste wegen van Londen. En desondanks lukt het je de buren binnen een week nadat je er bent komen wonen pissig te maken. Mooi werk, zus!'

Misschien, peins ik, zou die plant met pot goed staan op haar mooie hoofdje.

Ik heb zo'n hekel aan mijn kamer dat ik er zo weinig mogelijk ben. Het is mijn eigen schuld. Ik heb hem bedorven door een feestje te geven, door de buren pissig te maken. Als ik 's morgens vertrek, ren ik mijn deur uit en de trap af, als de dood dat ik hen zal tegenkomen. Als ik 's avonds thuiskom, meestal na sluitingstijd van de pubs, schiet ik als een kakkerlak weer de trap op. Ik had net zo goed in een stapelbed in een jeugdherberg kunnen slapen, gezien de tijd die ik in mijn donkere, bedompte zit-slaapkamer doorbreng.

Ik woon er drie maanden als ik er niet meer tegen kan. Mijn moeder belt wanneer ik net als gewoonlijk het pand uit ren, als altijd aan de late kant voor mijn werk. Ze wil alleen even weten hoe het met me gaat en of ik het komende weekend thuis wil komen voor de zondagse lunch. O ja, ja, JA, maar ik mag haar niet laten merken hoe vreselijk ik verlang naar het burgerlijke gerief van thuis. Het zou treurig zijn als ik op de stoep stond met een IKEA-tas vol wasgoed en een grauw uiterlijk door mijn dieet van hummus en Kettle Chips. 'Ik heb het druk,' lieg ik, omdat ik net als de meeste zielige singles geen andere plannen voor het weekend heb dan me in bed te wentelen in mijn eigen zweet en zelfverachting tot het vier uur 's middags is en het alweer donker begint te worden. 'Ik ga met een paar vrienden naar een kunsttentoonstelling en dan een hapje eten.' Hé, Bryony, niet te veel overdrijven.

'Een kunsttentoonstelling!' roept ze uit. 'Wat voor kunst-tentoonstelling?'

'Over kunst,' zeg ik uitermate geïrriteerd. 'Die is tentoonge-steld.'

'Nou, zo te horen heb je het helemaal naar je zin in je nieu-we flatje.'

'Dat klopt. Het is geweldig...'

Ik maak de zin niet af doordat ik een klap op mijn hoofd krijg. Ik laat mijn greep op mijn mobiel automatisch verslap-pen en zie er een jonge jongen mee door de straat wegrennen. Het is halftien 's morgens. Het is klaarlichte dag. Links van me is een bushalte, waar allemaal mensen op de 388 staan te wachten. Terwijl ik over mijn achterhoofd wrijf en met knip-perende ogen in de richting kijk van de jongen die zojuist mijn telefoon heeft gestolen, begint vaag tot me door te drin-gen dat ik ben beroofd. En dat er bij de bushalte kennelijk niemand is die dat heeft opgemerkt.

'Ik, ik...' Ik kan geen woord uitbrengen. Is het echt ge-beurd? Hallucineer ik? Waarom helpt niemand me? 'Ik geloof dat ik zojuist het slachtoffer ben geworden van een MIS-DAAD,' jammer ik ten slotte, waardoor ik klink als een oudere dame uit de jaren twintig.

'Is alles in orde?' zegt een man op een steiger boven me. De 388 arriveert. Alle andere getuigen van de beroving stappen in, alsof er niets bijzonders is gebeurd – wat, wanneer ik er later over nadenk, vermoedelijk ook zo is. 'Ik dacht dat hij je vriend was!' lacht de man van de steiger terwijl hij langs een ladder afdaalt naar straatniveau.

Zelfs in mijn ontdane, zojuist-op-het-hoofd-geslagen toestand begrijp ik dat vrienden elkaar niet slaan en evenmin elkaars bezittingen stelen. 'Dacht je dat hij mijn VRIEND was?' praat ik hem na. 'Het was een joch van vijftien en in een hoody en op Reebok Classics! ZIE IK ERUIT als iemand die bevriend is met jongens van vijftien in een hoody en op Reebok Classics?'

O god, als ik niet uitkijk, word ik opnieuw aangerand omdat ik gevaarlijk burgerlijk ben.

'Goed, dame,' zegt de man van de steiger. Dame? Dame? Ik ben geen dame! Dames zijn OUD! Ik ben een MEISJE! Dit is de ergste dag van mijn leven en het is nog geen kwart voor tien. 'Laten we de politie bellen om dit op te lossen.'

'Ik moet mijn moeder bellen,' begin ik te huilen. 'Mijn moeder moet weten dat me niets mankeert!' O verdorie. Wat ben ik? Een werkende vrouw van in de twintig die zojuist is beroofd, of een scout die tijdens een dagje uit de andere welpen is kwijtgeraakt tijdens het spelen bij de rivier de Avon?

'Stil maar, stil maar,' zegt de aardige man van de steiger. 'Laten we de politie bellen en dan kunnen we je moeder bellen.'

De politie geeft me een aangiftenummer en bedankt me dat ik heb gebeld op een toon waaruit blijkt dat niet helemaal duidelijk is waarom ik zoveel moeite heb gedaan.

'Ging je met de metro een tunnel in?' vraagt mijn moeder. Ik leg uit wat er is gebeurd. 'Ik bel je baas om te zeggen dat je vandaag niet komt,' zegt ze helemaal over haar toeren. 'Je moet lekker een dagje bij mama THUIS blijven.'

Dus nu ben ik een meisje met een moeder die belt om te zeggen dat ze niet komt werken, alsof ik een ziek kind van acht ben dat niet naar school kan omdat het last heeft van zijn buikje.

Maar het is fijn om bij mam te zijn. Zelfs mijn zus is aardig voor me, wat wel in de krant mag. Er is een bad waar kaarsen omheen staan en er zijn grote zachte handdoeken die over warme radiatoren hangen en er is een koelkast vol heerlijk eten waar je echte mááltijden van kunt maken.

'Mag ik blijven slapen?' smeek ik.

'Natuurlijk, lieverd.'

En die avond, terwijl we gebraden kip met aardappelen en broccoli eten, wordt besloten dat mijn zus en ik samen een flatje gaan zoeken. Ze heeft gewonnen; ik ben verslagen, maar dat kan me niet meer schelen. Ik wil me alleen maar veilig en behaaglijk voelen, en niet bang hoeven zijn dat ik op klaarlichte dag voor mijn deur zal worden overvallen, in het volle zicht van mensen die er geen snars om geven. Is dat te veel gevraagd? Echt?

Ik zeg mijn kamer op bij de aardige Ier, die zegt dat mijn vertrek een opluchting is, gezien de klachten die hij van de buren heeft gekregen. 'De luidruchtigste buurvrouw die ze in dertig jaar hebben gehad!'

'Twintig jaar geleden hebben ze voor het laatst geklaagd,' snauw ik terug.

De ontmoedigende speurtocht naar woonruimte begint opnieuw, hoewel ik het deze keer in elk geval samen met mijn zus doe, die voor het eerst van ons leven een zweem van respect voor me begint te krijgen omdat ik überhaupt ooit een kamer heb gevonden, ook al had die het formaat van een postzegel en was de douche een emmer onder een slang naast de plee.

De aardige Ier belt terug, een week nadat ik weer thuis ben gaan wonen, als ik net begin te geloven dat ik er zonder al te veel kleerscheuren ben afgekomen... 'Helaas kan ik je de borg niet teruggeven,' deelt hij mee. 'Het bestek lag niet in de la waarin ik het had achtergelaten toen je er kwam wonen.'

'Maar het ligt in de la eronder,' breng ik te berde.

'Dat weet ik, maar als de voorwerpen op de inventarislijst niet worden achtergelaten op de plek waar ze waren toen de inventarislijst werd opgesteld, houdt dat in dat ik je borg niet kan terugbetalen. Ik heb geen tijd om de hele flat af te zoeken waar je de dingen hebt neergelegd, dus staat er in het contract dat je hebt ondertekend: als ze niet liggen waar ze oorspronkelijk zijn achtergelaten, zijn ze zoek of beschadigd.'

'De flat heeft niet bepaald een oost- en een westvleugel,' zeg ik, waarmee ik een open deur intrap. 'Het kost je waarschijnlijk ongeveer dertig seconden om de hele ruimte in kaart te brengen. En daarvoor ga je serieus zeshonderd pond van me afpakken?'

'In feite,' zegt de steeds minder aardige Ier, 'gaat het niet alleen om het ontbrekende bestek.'

'Het bestek ontbreekt niet. Het ligt domweg in een andere la.'

'Als u me even laat uitpraten, mevrouw Gordon.'

Mevrouw Gordon!

'Ik heb ook een lek in een leiding in de badkamer gevonden. Dat lek heeft behoorlijk wat waterschade veroorzaakt in de badkamer. Als u me ervan op de hoogte had gebracht toen het was gebeurd, wat te oordelen naar de waterschade enige tijd geleden is geweest, had ik het zonder veel kosten kunnen herstellen. Nu word ik geconfronteerd met een aanzienlijke rekening.'

'U pakt zeshonderd pond van me af vanwege een lek in een leiding achter een muur in een kamer waarin de douche eigenlijk niet meer is dan een slang boven een emmer die gevaarlijk dicht bij de wc staat. Ik zal u een hint met een koevoet geven: die kamer zou ook ZONDER een lekke leiding grote waterschade hebben opgelopen.'

Dat had ik graag willen zeggen.

Maar in plaats daarvan zeg ik dit: 'O. Goed dan.'

Ik ben te jong, te naïef, weet te weinig van het beheer van een huis om terug te vechten. Ik neem gewoon aan dat iemand die ouder is wel gelijk zal hebben, wat hij ook zegt. Ik wil gewoon dat hij verdwijnt en mij mijn zielige leven als boemerang laat leiden. Ik wil in bed kruipen en daarin blijven liggen tot ik een jaar of vijfenvijftig ben. Dus ga ik niet tegen hem in en krijg ik mijn borg niet terug.

'Bovendien is er nog een plant die u hebt achtergelaten en die ik nu moet weggooien, wat me kostbare tijd kost. Ik kan niet zeggen dat ik niet teleurgesteld ben, mevrouw Gordon.'

Dus ik krijg niet eens mijn plant terug.

Die opmonterende plant.

Mijn zus en ik blijven zoeken naar een betaalbaar, aardig flatje (het hoeft niet eens leuk te zijn, gewoon aardig) dat binnen de M25, de grote ringweg rond Londen ligt, dat geen grote gezondheids- en veiligheidsrisico's vormt, waar de verwarmingsketel de afgelopen vijftien jaar een onderhoudsbeurt heeft gekregen en dat er niet uitziet alsof Charlie Bucket en zijn familie er hebben gewoond voor hij een van Willy Wonka's gouden wikkels vond.

'Het is of je een naald in een hooiberg zoekt,' zegt mijn zus.

'Misschien moeten we in een hooiberg gaan wonen,' opper ik.

Mijn vriend Steve is de reddende engel. Steve is iemand met wie ik werk, iemand met wie ik naar de pub ga, een soort oudere broer die bijna even hopeloos is in zijn omgang met het andere geslacht als ik. Hij is op een leuke manier knap, zoals mensen uit de graafschappen rond Londen dat zijn, met een aardige voorkeur voor hippe brillen en mooie pakken. Toen we elkaar vorig jaar op de kerstparty leerden kenden, eindigden we zoenend in een hoek, want zo bén ik nu eenmaal, iemand die zo dronken wordt dat ze op de dichtstbijzijnde beschikbare man afspringt en zichzelf voor het hele kantoor voor schut zet. Ik zat het hele weekend in de rats over de vraag wat de maandagochtend zou brengen. Had ik iets afschuwelijks tegen mijn baas gezegd? Had ik geprobeerd mijn baas te zoenen, hoewel mijn baas een vrouw is? (Misschien VOORAL omdat mijn baas een vrouw is en ik de indruk wilde wekken dat ik wist wat de rigueur was.) Had ik overgegeven, mijn kleren uitgetrokken, geprobeerd seks met een stoel te imiteren terwijl ik danste op Madonna? Als ik me niets kan herinneren, zijn mijn hersenen graag bereid wat te bedenken.

Toen ik Steve op maandag zag, flapte ik er de vaste na-katerse clichés uit. 'Ogodikwasstomdronkenikvindhetvreselijkdatikmetjehebgezoend.' Tijdens het zoenen was al duidelijk dat Steve en ik nooit een stel zouden worden, dat ik alleen maar met hem knuffelde als een plichtsgetrouwe zoenzuster.

'Een zoenzuster?' zegt Steve verward.

'Een zoenzuster,' knik ik.

'Wat is een zoenzuster?'

'Als ik dat moet uitleggen, kunnen we beter koffie gaan drinken.'

Dus doen we dat, en terwijl we in de ijzige kou bij Starbucks buiten onze latte drinken en aan een stuk door Marlboro Lights roken, vertel ik hem wat een zoenzuster is. 'Dat is als je ziet dat een man duidelijk een oppepper voor zijn ego nodig heeft. Je weet wel, als hij net de bons heeft gekregen of zo, wat bij jou onmiskenbaar het geval is. En dan heb je medelijden met hem. En je bent dronken, en eerlijk gezegd is het ook een soort oppepper voor je eigen ego om met hem te zoenen, want de man ziet er goed uit en tijdens het zoenen zie je dat hij heel blij is dat je je hebt verwaardigd je tong in zijn keel te steken. Als je eenmaal bent uitgezoend, heb je je medicijn toegediend. Dus ben je een zoenzuster.'

'Bedoel je dat je medelijden met me had?' zegt Steve ongelovig. 'Wil je zeggen dat je de SAMENLEVING een soort altruïstische dienst hebt bewezen door met mij te zoenen?'

Ik knik. We krijgen ruzie.

Maar we hebben ook de basis gelegd voor een goede vriendschap. Ik ben Steves onhandelbare jongere zusje, hij is mijn verknipte oudere broer. We zijn onafscheidelijk. Mam zegt: 'Waarom krijgen Steve en jij geen verkering?' en Steves moeder zegt: 'Waarom probeer je het niet met Bryony?' Maar we gedragen ons al als een oud getrouwd stel, kibbelen voortdurend, maar altijd zij aan zij, waardoor er weinig kans is dat we echt één worden. Dit is geen film. Het is geen roman. Het is het echte leven, en in het echte leven eindig je nooit met iemand die je doorlopend vlak voor je neus hebt, ook al zegt iedereen dat het wel zal gebeuren. Dat zou gewoon te gemakkelijk zijn. Er wordt echt nooit iemand op een ochtend wakker met de gedachte: goeie god, de man met wie ik al jarenlang bevriend ben, is eigenlijk uitermate neukbaar en dat heb ik nooit geweten! IK MOET METEEN NAAR HEM TOE! Je beste vriend is niet Harry en jij bent niet Sally. Punt uit.

Dus zijn Steve en ik goede vrienden en meer niet, en op een dag vertelt hij dat de flat onder hem te huur is. Dat is in Ladbroke Grove, en hoewel het aan de verkeerde kant van Ladbroke Grove is, in het stuk bij Kensal Rise en niet in het stuk bij Notting Hill, is het toch Ladbroke Grove, wat beter is dan bijvoorbeeld Morden of Woodford Green of een van de andere plekken die op dit moment binnen ons budget vallen.

We gaan de flat bekijken. Het gebouw is bedekt met graffiti. 'Typisch Banksy,' knik ik. Als we naar binnen gaan, hangt er ontegenzeggelijk een sombere sfeer, maar het is dan ook een souterrain. 'Er is een echte badkamer,' gil ik opgetogen. 'Met een bad en alles! En twee slaapkamers, die zijn gescheiden van de keuken en de woonkamer! Dit is een PALEIS!'

Mijn zus staat in de deuropening, met een bleek gezicht. 'Het plafond,' zegt ze. 'Het plafond.' Ik kijk omhoog. Het is donkerbruin met barsten. Het ziet eruit alsof het elk moment naar beneden kan vallen. 'O dat.' De makelaar wuift het weg. 'De mensen boven hebben de kraan van het bad open laten staan en toen is er wat overgelopen. Maak je geen zorgen, daar zal de huisbazin wat aan doen voor jullie erintrekken.'

'Trekken we erin?' informeert mijn zus.

'Ja, we trekken erin!' zeg ik, terwijl ik vergeet dat de 'mensen' boven in werkelijkheid één man is die Steve heet en dat hij zijn bad alleen heeft gebruikt om het met ijs en bier te vullen toen hij een feestje gaf.

Ik ben er zo opgewonden over dat we in een echte flat gaan wonen, niet in een hok boven een kippententje, dat ik het feit negeer dat ik in de eerste week een slak in de badkamer vind (hoe heeft een slak daar vanaf buiten helemaal naartoe kunnen kruipen? Buiten is ruim dertig meter weg als je rekening houdt met de gang), en dat er in onze derde week op de gemeenschappelijke stoep een hondenhoop ligt waar ik bijna in trap. Mijn zus gelooft dat we het huis – want dit is een huis, geen rotzit-slaapkamertje – wel eens zouden kunnen delen met zogenaamde zilvervisjes, die eruitzien als een soort kruising tussen een pissebed en een duizendpoot en erom bekendstaan dat ze op vocht afkomen. Ik zie ze ook – ach, ze zijn niet mooi – maar ik geloof dat mijn zus er gewoon aan moet wennen dat ze niet meer thuis woont. 'Je bent niet meer in Kansas, Toto,' zeg ik tegen haar als ze op een ochtend zeurt dat er geen warm water is en of we de verwarming trouwens niet moeten aanzetten, aangezien het december is. 'De verwarming ís aan,' val ik uit. 'Die heb ik een halfuur geleden aangezet!' We inspecteren de ketel, in een smerige kast achter stofzuigers en bezems, en het valt ons op dat hij wel eens honderdvijftig jaar oud kan zijn. Het is een antiek geval met een boiler, die bedekt is met raar plakkerig, donzig spul dat eruitziet alsof het giftig asbest zou kunnen zijn. Ik raak het spul aan dat op giftig asbest lijkt. Het is ijskoud.

'Volgens mij is de ketel kapot,' deel ik mee.

'Jeetje,' zegt mijn zus sarcastisch. 'Het is net of ik samenwoon met mijn eigen Super Mario.'

De huisbazin zegt dat ze hem binnen een week zal laten repareren. 'Een WEEK?' brult mijn zus, waarop ze prompt weer thuis gaat wonen tot het probleem is opgelost. Maar ik laat me niet zo gauw klein krijgen. Ik besluit te blijven en het vol te houden. 'Anders gaan de zilvervisjes zich eenzaam voelen,' hoon ik, heimelijk voldaan dat ik haar kast met jurken van Topshop kan plunderen zonder dat ik mijn kleding onder een dikke jas hoef te verbergen in de ijdele hoop dat ze niet zal zien wat ik aanheb. Maar het probleem is dat haar jurken van Topshop gewoon te koud zijn om onder iets anders dan DRIE winterjassen te dragen. 's Avonds trek ik twee truien en drie paar sokken aan voor ik naar bed ga. Ik zie mijn adem in de lucht. Ik begin whisky te drinken in een poging mijn eigen centrale verwarming te creëren. Als ik in slaap val, denk ik aan Sam, wens ik dat hij er was om me warm te houden. 's Morgens sjok ik de trap op naar Steves flat, waar ik mag douchen in zijn avocadokleurige badkamer.

'Mag ik vanavond wat was brengen?' vraag ik.

'Wat ben ik?' antwoordt hij. 'Je VADER?'

'Nee,' snauw ik. 'Eerder mijn MOEDER.'

Er verstrijkt een week zonder dat er zelfs maar een verwarmingsreparateur aanbelt. De huisbazin, die in het buitenland blijkt te wonen, zegt dat er een probleem is met haar 'opstalverzekering'. Maar het zal beslist binnen een maand gebeuren. 'EEN MAAND?! Bedoelt u dat ik KERST moet doorbrengen in een ijskoude flat zonder warm water? Ook gelukkig kerstfeest!'

Ik stel me voor dat ze lui op een Spaans strand ligt, met een cocktail in de hand.

Ik besluit ook een tijdje naar huis te gaan.

Terug in de troostende schoot van mijn gebroken gezin verval ik tot een foetale staat. Ik slaap dag en nacht, word alleen wakker om te eten en naar de wc te gaan. Ik communiceer voornamelijk met gekreun en de vaak herhaalde woorden 'ik haat mijn leven'. Ik ben een volwassen vrouw van in de twintig en toch zou je dat niet zeggen als je me zag.

'Maar het is kerst, Bryony, een tijd van vreugde en blijdschap!' Door de strakke grijns op haar gezicht weet ik dat mijn moeder zich dwingt om opgewekt te zijn tijdens deze eerste feestdagen sinds haar scheiding. Eerste kerstdag zullen we bij haar zijn, tweede kerstdag bij pap en zijn nieuwe vriendin. Als ik niet zo'n klojo, niet zo'n warhoofd was, had ik mijn zaakjes op orde gehad en bracht ik kerst door bij een vriend, wellicht ergens in de warmte op een strand, maar in plaats daarvan moet ik buigen voor de wil van mijn ouders. Ik voel me net een klein kind, wat nog wordt versterkt door de cadeaus die mam mijn zus en mij geeft. Bij elkaar passende pyjama's van Hello Kitty, zachte roze truien, pantoffels met konijnengezichtjes. Ik verschuif overgare kalkoen over mijn bord en speel met mijn telefoon, terwijl we allemaal doen of we naar de toespraak van de koningin kijken. Ik staar het grootste deel van de dag naar mijn mobieltje in een poging een soort gelukkig-kerstfeest-sms'je van Sam tevoorschijn te toveren. Ik besluit hem er eentje te sturen dat eruitziet alsof ik het zojuist nonchalant naar mijn hele adresboek heb verzonden. 'Gelukkig kerstfeest! Maak er een mooie dag van! Bxxx'.

'Ja, jij ook,' antwoordt hij op tweede kerstdag.

'We zijn verloofd!!! :-)' sms't een oude schoolvriendin ogenblikkelijk daarna. 'Heel, heel gelukkig, beste kerst ooit!'

Ik wil mezelf met de bedruipspuit voor de kalkoen in mijn oog steken.

De vriendin van mijn vader is best aardig, voor een vrouw van ongeveer mijn eigen leeftijd die heeft besloten met een ouwe vent te gaan samenwonen. Ze wil dolgraag indruk op ons maken, kwinkeleert met een hoge stem over 'de hitlijsten' en 'de keer dat ze naar Topshop is geweest', maar ik heb het te druk met het analyseren van dat sms'je van drie woorden (geen kusjes, niet één; op deze manier was het nog beter geweest als hij helemaal niet had geantwoord) om enige aandacht te besteden aan wat ze zegt. Ik besef dat ik vreselijk onbeschoft ben, maar ik geloof ook dat ik als kind van gescheiden ouders het volste recht heb om vreselijk onbeschoft te zijn. Ze mag blij zijn dat ik er überhaupt ben en niet heb geweigerd haar te leren kennen, omdat het waarschijnlijk weer goed was gekomen tussen mijn ouders als zij, de geldgeile sloerie, niet ten tonele was verschenen. Dat is niet waar, daar klopt geen snars van, maar dat hoeft die Heather Mills daar niet te weten.

'Vind je het leuk om te clubben?' zegt ze zonder enige aanleiding tijdens het wachten op onze tweede maaltijd van overgare kalkoen in evenveel dagen.

'Niet echt,' weet ik uit te brengen.

'Ik was voortdurend aan het clubben toen ik jouw leeftijd had,' houdt ze vol.

'Je hébt bijna mijn leeftijd,' kan ik alleen maar bedenken om te zeggen.

'De Ministry of Sound. The Fridge.' O god, zo meteen gaat ze doen of ze in Manchester was ten tijde van de Hacienda. 'Dat waren gekke tijden! Nachtbraken tot drie uur 's morgens!' Oooo, te gek. 'Dansen op, tja, dansmuziek. Wat een lol!'

Ik heb te doen met Heather Mills. Ze is eigenlijk heel aardig. Ze kan allebei haar benen gebruiken, ze is niet geldgeil en ze is niet geschift, of je moet het feit dat ze gek is op mijn vader als een bewijs van waanzin beschouwen. Ze probeert alleen maar aardig te zijn tegen de ondankbare, verschrikkelijke nakomelingen van de man van wie ze houdt.

'Heb je heel veel drugs gebruikt?' zegt mijn zus.

'Wat?' zegt de nieuwe vriendin van mijn vader.

'Je weet wel, drugs.' Mijn zus bladert snel de televisiegids voor de kerstdagen door, zonder onze mogelijk nieuwe stiefmoeder zelfs maar aan te kijken. 'Xtc. Lsd. Wat dan ook.'

'Lieverd!' komt mijn vader tussenbeide. 'Stel niet van die onbeleefde vragen.'

'Ik ben niet onbeleefd. Ik probeer een GE-SPREK te voeren.'

'Waarom ben je bij mijn vader?' vraagt mijn broertje, opkijkend van de Xbox, die hij in mijn vaders televisie heeft gestoken. 'Je bent nog heel jong en knap, en hij is heel oud en rimpelig.'

Dat is precies wat iedereen denkt.

Als we die avond weer thuis zijn, broeden mijn zus en ik een plan uit. We hunkeren ernaar onze vrienden te zien, bij normale mensen te zijn, dus besluiten we dat we op oudejaarsavond een feest zullen geven in onze nieuwe flat. De herinnering aan de kater na mijn laatste feest is al uit mijn geest gewist, wat volgens mij door net zo'n proces gebeurt als waardoor elke herinnering aan een geboorte uit je hersenen wordt verwijderd (als je ziet hoe het met me gaat, zal ik wel nooit dichter in de buurt komen van een bevalling). We verzenden sms'jes, kopen ballonnen en slingers en Kettle Chips en plastic kopjes. Het zal geweldig worden.

In mijn achterhoofd ben ik ervan overtuigd dat ik iemand

zal worden die oudejaarsavond doorbrengt in een huisje in Suffolk, dat lang van tevoren met vrienden is geboekt, waar marshmallows worden geroosterd boven een open vuur en we een glas rode wijn in de hand hebben. Het punt is alleen dat ik niet van marshmallows houd en nog altijd niet verfijnd genoeg ben om een kleur te drinken die donkerder is dan rosé, en dat de enige vrienden van mij die over de noodzakelijke vaardigheden beschikken om zoiets te organiseren, stellen zijn, en wie wil het nieuwe jaar nou beginnen met een stel smoorverliefde idioten die onvermijdelijk om twee over twaalf naar bed zullen gaan om vroeg te kunnen opstaan en hand in hand een lange wandeling door de natuur te gaan maken?

Ik niet.

Dus bestaat onze gastenlijst volledig uit het uitschot van de maatschappij, uit mensen die te veel onder invloed of te ongemotiveerd zijn om plannen te maken voor een avond die al het hele jaar op de agenda staat. 'Ja, ik kom als ik niks anders heb' is de niet bijster enthousiaste reactie die we van de meesten krijgen. 'Moeten we nog wat meebrengen?' Dat, weet ik nu, nadat ik jarenlang feestjes heb gegeven, is een volstrekt retorische vraag. Je kunt zeggen: 'Ja, zou je soms alle drank willen meebrengen die je van plan bent die avond te gaan drinken, zodat ik geen fortuin hoef uit te geven in de supermarkt om voorraden vieze wijn en slechte wodka in te slaan en blikjes bier die zo zwaar zijn dat ik ze niet naar huis kan dragen?' Dat is geen feestje waar ik naartoe zou willen gaan. Je zou geen goede gastvrouw zijn als je dat deed.

En dus blijken we in een poging vrienden te maken en mensen te beïnvloeden een fortuin uit te geven in de supermarkt, waar we voorraden vieze wijn en slechte wodka inslaan en blikjes bier die zo zwaar zijn dat we ze niet naar huis kunnen dragen, waardoor we een taxi moeten nemen, wat nog eens tien pond aan de rekening toevoegt. En laten we de sigaretten niet vergeten, die, hoewel we zouden stoppen als ze zes pond per pakje waren, echt heel verslavend blijken te zijn, waardoor je nu acht pond voor twintig peuken betaalt, en voor een goed feestje heb je minstens twee pakjes nodig, waardoor er nog eens zestien pond bij komt...

En je weet wat er daarna gebeurt, want dat is al eerder gebeurd, tijdens het feestje om mijn zit-slaapkamer in te wijden. Wanneer je waanzin definieert als telkens en telkens weer hetzelfde doen in de hoop op een ander resultaat, tja, dan heb je ons als twintigers. De meeste sigaretten vallen uiteindelijk uit onze provisorische asbakken van kommen op de grond. Het tapijt is nat van de drank. We zijn de hele nieuwjaarsdag aan het schrobben nadat mensen die we niet eens echt aardig vinden onze flat vrolijk hebben veranderd in een puinzooi, die wij mogen opruimen.

En zo begint een volgend chaotisch jaar voor mij als twintiger.

4

Instappen voor de cocaïne-expres

Ik ben nooit van plan geweest aan de cocaïne te gaan. Dat heb ik helemaal niet nodig. Ik ben van nature al spraakzaam, zo iemand die voor haar gevoel elke stilte moet opvullen omdat ze zich anders slecht op haar gemak voelt, zenuwachtig wordt en uitslag en een opgeblazen gezicht krijgt, en goeie god, mijn gezicht is toch al vreselijk opgeblazen door alle onderkinnen die mijn verlammend lage gevoel van eigenwaarde onder mijn gezicht heeft gefantaseerd. Maar waar was ik? O ja! Cocaïne! Wittig poeder dat je opsnuift of op je tandvlees wrijft als je, zoals iemand die ik eens op een feestje ben tegengekomen, zoveel gebruikt dat er voortdurend krijtwit snot over je gezicht loopt.

Dus ja, cocaïne. Ik ben nooit van plan geweest aan de coke te gaan. Dat was niet nodig. Ik geef ogenblikkelijk toe dat ik er altijd een beetje bang voor ben geweest. Kort na de inwijding van mijn zit-slaapkamer nam Chloe me mee naar een ander thuisfeestje. Coole Chloe, zoals ik haar inmiddels in gedachten noemde, vergeleken met Serieuze Sally, die niets zou moeten hebben van zo'n feestje als dit, waar de gasten openlijk coke snoven van alle horizontale vlakken in de keuken en krassen maakten op cd-doosjes van The Stone Roses, en waar ik gedwee in een hoekje zat en doorlopend mijn hand op mijn blikje Fosters hield uit angst dat er een miniem kruimeltje in mijn bier zou vallen en me voorgoed zou vergiftigen. Ik kon niet geloven dat er voor mijn ogen zo open en bloot harddrugs werden gebruikt door vrijwel iedereen behalve mij. Dat was veel te gewaagd, veel te gek. Het leek wel of ik was beland in een coole New Yorkse undergroundclub, waar ik per ongeluk was toegelaten toen de vrouw met het klembord even de andere kant op had gekeken.

Alleen was het niet New York. Het was Archway, in Noord-Londen. En deze mensen behoorden niet tot de underground, maar waren volkomen normaal. Het waren grafisch ontwerpers en journalisten en aankomend advocaten en accountants. Het waren docenten en verpleegkundigen en er was zelfs een boomchirurg. 'Dat was ruig,' merkte ik de volgende dag op tegen Chloe, die me uitlachte vanwege mijn onschuld. Het was duidelijk ongeveer even ruig als een kat die in zijn kattenbak piest.

Toen ik meer uitging, werd me duidelijker dat een lijntje coke snuiven voor veel mensen gewoon bij de vrijdagavond hoorde, even gangbaar bij een drankje in een pub was als een bakje zoute pinda's. Er hingen toch zeker alleen bordjes met een waarschuwing voor een ZEROTOLERANCEBELEID ten aanzien van drugsgebruik in de toiletten van elke kroeg in het centrum van Londen, omdat al hun klanten er precies het tegenovergestelde beleid op nahielden? Waarom waren anders alle stortbakken in de muur verwerkt, alle brillen van de toiletten gehaald en alle resterende beschikbare horizontale vlakken bedekt met een vette substantie, het kryptoniet van cocaïne? 'Als je ziet hoeveel meer je erdoor kunt drinken, hoeveel langer je erdoor kunt uitgaan, besef je dat hun winst er alleen maar door kan toenemen,' legt Chloe me op een avond uit. 'Het is een verstandig zakelijk besluit om de mensen in je pub actief aan te moedigen cocaïne te gebruiken.'

'Tot de politie je sluit,' zeg ik minachtend.

Dit is geen poging om mijn drugsgebruik goed te praten. Ik beweer niet dat het kwam door de druk van leeftijdgenoten, hoewel ik altijd zo slap als een nat vloeitje ben geweest wanneer ik me moest proberen te verzetten tegen de verleiding om als een lemming met de meute mee te lopen. Ik probeer alleen uit te leggen – voornamelijk aan mijn moeder – dat het overal normaal is en dat het, als je het geduld hebt om onbepaalde tijd te wachten op een onbetrouwbare drugshandelaar die niet wordt gereguleerd door overheidswaakhonden (hoe zouden ze die noemen? De Geencoke Autoriteit? De Geencrack Autoriteit?), ook heel gemakkelijk is om eraan te komen.

Op een zondagavond verloor ik eindelijk mijn onschuld op het gebied van de harddrugs. Op zondag! Wie gebruikt er nou drugs op zondag? Waarom lag ik niet op de bank de krantenbijlagen te lezen en te wachten op *Downton Abbey* of wat we in die tijd hadden? Ik was vijfentwintig, en dat lijkt me op zich al oerstom. Wachten tot je vijfentwintig bent voor je aan de harddrugs gaat. Het is net zoiets als ineens gaan roken als je halverwege de dertig bent terwijl je daarvoor nooit een sigaret hebt aangeraakt. Wat heeft het in hemelsnaam voor zin? Waarom kom je zo ver om te bezwijken wanneer al je leeftijdgenoten al een hele tijd geleden zijn overgegaan op iets waar je veel meer van kunt genieten, zoals het huwelijk en een goede dvd-verzamelbox? Het is typisch iets voor mij om mijn cokefase niet te hebben afgewerkt tijdens mijn korte tijd op de universiteit, maar om mijn coole, krankzinnige, geschifte fase zes jaar na alle anderen te hebben.

Ik was op dat moment bij Chloe. Het was net uit met haar vriend, wiens 'leidinggevende' functie bij de televisie was geeindigd toen was ontdekt dat hij de rekening voor de auto van de zaak had gebruikt om narcotica te betalen, die hij voornamelijk in zijn bureaula bewaarde. Het was ironisch dat Chloe altijd onverstoorbaar ongeïnteresseerd was geweest in drugs tot haar verslaafde vriend in het stof beet, waarna ze vier maanden aan de boemel ging en mij een heel stuk meenam, maar ach, nadat ze drie jaar had toegekeken hoe hij stoned raakte, zal ze wel hebben gevonden dat het tijd werd het zelf ook eens te proberen. Nu was het haar beurt.

Ik was naar haar toe gegaan voor zondags gebraad, zoals ze het noemde. Dat zondagse gebraad bleek in werkelijkheid te bestaan uit wat pizza en enkele flessen wijn met een paar van haar homoseksuele vrienden. Mijn zus had net verkering gekregen, waardoor mijn datinghostess helemaal opging in haar eigen datinghost, en zodoende had ik het weekend grotendeels alleen doorgebracht in de flat, waar ik naar onzin op tv had zitten kijken en met Steve een afhaalmaaltijd had gegeten. Toen Chloe's sms'je zondagochtend in alle vroegte arriveerde (om zes uur, hoewel ik het pas kreeg toen ik een paar uur later, even voor twaalven, wakker werd), was ik zo dolgelukkig dat ik zowaar een vreugdekreet slaakte en zelfs mijn moeder belde om haar te laten weten dat die coole meid van mijn werk me had uitgenodigd voor de lunch. Eindelijk zou ik ook een coole meid worden.

Ik hunkerde naar Chloe's gezelschap. Ik wilde dolgraag haar vriendin zijn. Ze zag eruit alsof ze zo van een platenhoes van Roxy Music was gestapt, louter jukbeenderen, glad naar achteren gekamd haar en kleding met lovertjes (soms zelfs op haar werk!). Ze was bijna precies tien jaar ouder dan ik, en het leek me ongelooflijk interessant om bevriend te zijn met iemand van in de dertig. Ze trad wel eens op als dj wanneer de travestieten onder haar vrienden een clubavond gaven. Er ging een gerucht dat ze ooit de beste vriendin van Kate Moss was geweest, maar gedoe met haar had gekregen toen Kate een van Chloe's vintage jurken had geleend en er al rokend diverse gaatjes in had gebrand. Ik wist niet of dit waar was. Ik was te bang om ernaar te vragen, te benauwd dat ik zou worden beschouwd als een groentje dat nog niet droog was achter de oren en dolgraag indirect wat glamour wilde oppikken.

Ze was supercool, Chloe. Als ik naar haar keek, wist ik dat zij zich nooit zo door Sam zou hebben laten behandelen, dat ze nooit zo stom zou zijn geweest om ooit met Sam uit te gaan. Er was weinig bekend over haar achtergrond, alleen dat ze op haar zeventiende haar ouderlijk huis in Belfast had verlaten en naar Londen was verhuisd om daar haar geluk te zoeken, waarbij ze en passant elke zweem van een accent was kwijtgeraakt. Ze was zo mysterieus dat ze in een mum elk bewijs van jou uit haar leven kon wissen.

Ze zei nooit alsjeblieft of dankjewel. Ze had geen tijd voor zulke pathetische praktijken. De mensen kwamen vanzelf naar haar toe en werden verliefd op haar door haar intelligentie en wijsheid. Ik raakte in zo'n uitgelaten stemming door het feit dat ze mij in haar leven wilde hebben, al was het maar voor twee uur op een zondagmiddag, in plaats van alleen als lunchmaatje op de krant, dat ik tijdens de hele rit naar haar huis in Oost-Londen met een glimlach van oor tot oor in de Circle Line zat.

Sam kon barsten. Ik had gave vriendinnen als Chloe!

Haar flat was een loft – een echte loft, net zoiets als in *Friends* – met kale stenen muren en een entresol naar de slaapkamer met badkamer. Ik had geen idee hoe ze zich dat kon veroorloven – dat was een mysterie, net als al het andere in Chloe's leven. Ik wist alleen dat er een inloopkast moest zijn en dat haar uitgebreide verzameling hoge hakken keurig naast elkaar zou staan in schoenendozen waarop een polaroidfoto van de schoen was geplakt. Aan de muren hingen prenten uit beperkte oplagen van bevriende kunstenaars en een gesigneerd werk van Gilbert en George. Het was net of het mode- en cultuurtijdschrift *Dazed* tot leven was gekomen. In de 'open living' zonder tussenmuren was een keuken met een ontbijtbar en al het moderne comfort, dat zo te zien nog nooit was gebruikt. Ik bloosde van schaamte en gêne over de zit-slaapkamer waar ik haar had uitgenodigd.

In het midden van dat alles stond een reusachtige salontafel, glas, kennelijk duur en van onderen verlicht. Later ontdekte ik dat het een ontwerp was van Daft Punk – uiteraard! – en dat Chloe dit exemplaar uit een beperkte serie had weten af te troggelen van de pr-functionaris van Habitat. Op de tafel lagen enkele oude nummers van *Jane*, een gaaf vrouwenblad uit New York dat onlangs ter ziele was gegaan omdat het voor een te kleine niche bestemd was, te buitenissig was. Dat was precies het type tijdschrift waar Chloe voor zou hebben gewerkt als ze in de Verenigde Staten had gewoond, en nu ik erover nadacht, had ze dat waarschijnlijk ook gedaan (maar niet op zo'n voor de hand liggende plek als New York of Los Angeles. Chloe zou hebben gekozen voor een ongebruikelijkere standplaats als Nashville of New Orleans). En dan was er nog een maxisingel van een album van Chic, waarop diverse perfect gehakte lijntjes coke lagen.

Chloe's homoseksuele vriend James zat eroverheen gebogen en snoof een lijntje door een rietje. Ik voelde een golf van ongerustheid opwellen. Ik hoorde hier niet te zijn, had hier niets te zoeken, zou zo door de mand vallen als bedrieger, als zo'n mislukkeling die nog nooit van haar leven coke had gesnoven en had moeten overgeven na de paar keer dat ze hasj had gerookt. 'Lieverd!' riep James uit, die zijn hoofd achterovergooide en diep snoof. 'Laten we een borrel voor deze meid halen!' Hij liep parmantig naar de ontbijtbar, waar hij prompt in een martiniglas een cocktail voor me maakte die leek te bestaan uit 99 procent wodka en 1 procent gecrusht ijs.

Ik ging op een van de parelgrijze banken zitten, klopte een felroze kussen plat en probeerde het brouwsel te drinken zonder zichtbaar te kokhalzen. Chloe zette muziek op die ik niet herkende, zo te horen disco uit de jaren tachtig, waar ze vast de hele tijd naar luistert als ze in 'de scene' is (o man, ik zal nooit tot 'de scene' behoren), en ze kwam over de dure houten vloer aan wankelen op vintage schoenen van Louboutin. 'James en ik hebben ons in een decadent weekend gestort om te vieren dat ik van die loser af ben,' riep Chloe uit terwijl ze naast me ging zitten. 'Ik zal hem niet meer in elkaar gezakt in de natte cel aantreffen' – zij heeft vast een echt natte cel met alles erop en eraan, geen emmer onder een douche, wat je eerder op een camping zou kunnen vinden – 'hoef me 's avonds niet meer af te vragen of hij soms is vermoord door een drugshandelaar. Ik ben VRIJJJ, SCHAT!' Ze wierp een hoofd vol warrig haar over het album, snoof een lijntje coke op en werkte haar pony met een hoofdbeweging uit haar ogen toen ze weer rechtop ging zitten. 'En ik ben heel blij dat jij het met me kunt vieren. James, het is ook net uit tussen Bryony en haar vriend. Hij heeft haar verlaten om naar SCHOTLAND te verhuizen.'

'Arme schat,' zegt James die zijn hand uitsteekt om een klopje op de mijne te geven. 'Dat is vast nog erger dan worden verlaten voor een andere vrouw. Of een andere man!'

We lachen allemaal, Chloe en James misschien iets meer dan ik.

'Je hebt een lijntje nodig, lieverd,' zegt James, die de albumhoes naar me toe duwt. Mijn maag verkrampt. Mijn wangen krijgen een kleur, hoewel dat ook kan komen van het glas wodka dat ik net achterover heb geslagen om me moed in te drinken. Hij gooit me een rietje toe dat doormidden is geknipt, en ik vraag me af hoe ik de restjes snot eraf kan vegen

85

zonder een onbeleefde indruk te maken.

'Ik, ik...' Ik weet niet wat ik moet zeggen. Ik wil heel graag bevriend zijn met Chloe en James. Ik denk dat ik de sensatie van cocaïne best leuk zal vinden, en hoewel ik het waarschijnlijk niet zou moeten doen vanwege mijn mentale voorgeschiedenis van onzekerheid, zal dat vermoedelijk precies de reden zijn waardoor ik uiteindelijk wagonladingen van het spul zal gebruiken. Ik ben bang dat ik het helemaal verkeerd zal doen, dat ik het zal uitblazen in plaats van inhaleren en dat ik er ogenblikkelijk van zal doordraaien, waardoor ik al mijn kleren zal uittrekken en naakt over straat zal rennen. Ik haal diep adem. 'Ik heb nog nooit coke gebruikt.' Zodra ik de woorden uit mijn mond hoor tuimelen, wens ik dat ik ze weer naar binnen kan schuiven.

'Dat geeft niet,' zegt Chloe kalm, bijna moederlijk, als je moeder tenminste high van de coke naast je zou zitten. 'Dat vermoedde ik al door je reactie toen we laatst naar dat feestje gingen. Je hoeft niet iets te doen wat je niet wilt doen.'

'Nee, nee, ik heb het altijd willen proberen,' lieg ik, terwijl ik het rietje afveeg aan de onderkant van het kussen. Ik ben bang dat Chloe teleurgesteld is omdat ze een vreselijke spelbreker heeft uitgenodigd. Ik moet nú indruk op haar maken. 'Ik ben er gewoon nog nooit toe gekomen, heb altijd gewacht op de juiste gelegenheid, en dat is nu, denk ik. Carpe diem!'

Ze kijken me aan alsof Harry Potter ongevraagd op hun feestje is komen binnenvallen.

'Pluk de dag,' mompel ik. 'Maar één ding...'

'Aha,' zegt James, zijn ogen gericht op zijn telefoon.

'Krijg ik er een hartaanval van?'

Ze lachen.

'Nee, serieus. Draai ik ervan door? Ik wil niet dat jullie met me opgescheept zitten als ik doordraai...'

'Ontspan je,' zegt Chloe, die de platenhoes bij me weghaalt

en haar creditcard gebruikt om een grote lijn in twee kleinere te delen. 'Neem een van deze. Je hebt gewoon minder last van de alcohol. Het werkt hooguit een minuut of twintig. Het is geen xtc.' Ik knik alsof ik weet hoe het is om xtc te gebruiken.

'Je hebt toch xtc geslikt?' vraagt James.

Mijn pijnlijk stilte vertelt hun alles wat ze moeten weten.

'Probeer het gewoon,' zegt James, alsof het een oester of een olijf is. (Die heb ik ook pas voor het eerst gegeten toen ik vierentwintig was; dát bewijst hoe volstrekt onvoorbereid ik was op het leven.) 'Als je het niks vindt, hoef je het nooit meer te doen.'

Chloe geeft de hoes weer aan mij. Ik leg hem op de Daft Punktafel voor me, houd het rietje boven een van de halve lijntjes en snuif. Ik snuif, en de gewaarwording is zo schokkend en nieuw voor mijn lichaam dat ik ogenblikkelijk begin te hoesten, waardoor de resterende lijntjes over de hoes vliegen. Mijn ogen beginnen te tranen, mijn neus begint te lopen en mijn wangen worden nog roder.

Ik voel me geweldig.

'Wow.' Ik glimlach terwijl Chloe en James lachen om mijn onbeholpen eerste poging om harddrugs te gebruiken. 'Dat is vet gaaf.' Ik kijk naar het witte poeder dat over de hele hoes is geblazen. 'Ogodhetspijtmedatikzo'nidiootbenikmoetallesnatuurlijkweerverpesten!'

'Maak je geen zorgen,' zegt Chloe, die tegelijkertijd mij op mijn rug klopt en weer nette lijntjes van de verspreide cocaine maakt, waarop ze er nog een snuift. 'Je leert het wel.' En dat is zo. Dat is echt waar.

Die dag gaat de middag over in de nacht en de nacht in de ochtend. Eén half lijntje gaat over in een volgende grote, die overgaat in meer en meer en meer. Om tien uur 's avonds verdwijnt James voor... hoe lang? Tien minuten? Vijftien? Een uur? Ik weet het niet. Maar als hij terugkomt, heeft hij een volgende lading coke bij zich, keurig verpakt in een loterijlot.

Het maakt niet uit dat we morgen allemaal moeten werken. Ik ontdek al vlug dat ik niet iemand ben die zich van een late avond laat weerhouden doordat ik 's morgens vroeg op moet. 'Als we om een uur of drie naar bed gaan,' zegt Chloe, 'kunnen we toch nog vijf uur slapen, en vijf uur slaap is meer dan genoeg voor een dag op kantoor. Bovendien worden we dan BETAALD om een kater te hebben!' Als je het zo bekijkt, klinkt het geweldig. Maar drie uur gaat voorbij zonder dat we het zelfs maar merken, doordat we helemaal opgaan in ons gesprek over Chloe's ex en mijn ex en James' talloze huidige geliefden. 'Het punt is dat hij het ene moment zegt dat hij met me wil trouwen en even later naar Edinburgh verhuist! Waarom in vredesnaam? Ik weet dat hij er op een dag spijt van zal krijgen.'

'Ik durf te wedden dat hij zich daar nu al zit af te vragen wat hij verdomme heeft gedaan, terwijl hij jou verschrikkelijk mist,' leutert James, hoewel Sam waarschijnlijk slaapt als een os, net als alle normale mensen op aarde. 'Hij heeft toch maar de beste tieten van Londen laten schieten.'

'Ha ha ha! Ha! De beste tieten van Londen!' Ik schud ze op en neer in mijn truitje. 'Weet je dat ze 70G zijn? Ik ging naar die zaak en daar namen ze met een enkele blik mijn maat en ze zeiden je hebt 70G en ik zei nooitvanzijnrotleven ik dacht dat ik 80D had en toen trokken ze me een nieuwe beha aan die bijna even duur was als een borstvergroting en ik had ineens iets van JEETJE DAT IS TE GEK WAT ZIEN ZE ER GAAF UIT maar de beha is MEGAOUDERWETS en ziet eruit als iets wat een OMA zou dragen.'

'Hoe is het gesprek op jouw borsten gekomen?' vraagt Chloe tijdens het mixen van nog meer drankjes op de ontbijt-bar, die inmiddels is bezaaid met het residu van ruim twaalf uur drugs- en alcoholmisbruik. 'Wisten jullie dat ik mijn ex altijd onder handen moest nemen omdat hij naar de tieten van andere vrouwen staarde? ALWEER een reden om hem te lozen.'

'Ik zou het vreselijk vinden om tieten te hebben,' komt James tussenbeide. 'Twee bulten vet die aan je borst vastzitten. Zo ONHANDIG. Het verbaast me dat jullie niet allemaal rondwaggelen als Weebles.'

'WEEBLES!' gilt Chloe. 'Weten jullie nog?'

En zo begint een gesprek van een uur over het speelgoed dat we als kind hebben gehad.

Daardoor komen we niet om drie uur in bed. Vier uur halen we evenmin, evenals vijf uur en zes uur. Om zeven uur stelt Chloe voor over te gaan op koffie en te overwegen te gaan douchen. Ik kan wat kleren van haar lenen, zegt ze. Van pure opwinding over dit vooruitzicht zeg ik dat ik geen koffie nodig heb, en in plaats daarvan schenk ik mezelf nog een glas wijn in. Om kwart voor acht is de cocaïne op, vijf kwartier voordat we op ons werk moeten zijn.

James besluit zich ziek te melden, maar dat kunnen Chloe en ik absoluut niet maken, want we herinneren ons dat we de vorige avond omstreeks negen uur allebei op Facebook hebben gemeld dat we samen een wilde avond met veel martinicocktails hadden. Ik douche in Chloe's natte cel – een echte natte cel, precies zoals ik vermoedde – en ik veeg mijn make-up weg met haar dure lotions en crèmes. Ik poets mijn tanden met mijn vinger en gorgel met Listerine. Inwendig voel ik me leeg, maar merkwaardig genoeg, heel plezierig, niet hongerig. Volgens mij is het heel goed mogelijk dat ik nooit meer zal eten.

Chloe leent me een legging en een trui met lovertjes op de schouders, en ik zie er belachelijk uit omdat zij 1 meter 77 is en maat 36 heeft, terwijl ik 1 meter 65 ben en tegen maat 44 aan zit. Als we haar flat verlaten en buiten het zonlicht in lopen, word ik ineens overvallen door pure paniek. Vogels zitten te kwetteren in de bomen, gezinnen brengen kinderen naar school en forenzen gaan naar hun werk alsof er niets is gebeurd. En toch is de hele wereld ineens overal om me heen veranderd. Ik raak ervan overtuigd dat iedereen weet dat ik de hele nacht heb doorgehaald en drugs heb gebruikt. Dat moeten ze wel weten, door de wilde blik in mijn ogen en de stank van martinicocktails die mijn huid nu uitwasemt, doordat het maandagmorgen is en ik eruitzie alsof ik vermomd als discobal naar een gekostumeerd feest ga. En ondertussen is dit er ook nog, dat in de lucht om me heen hangt: ik zal nog twaalf uur moeten wachten voor ik kan gaan slapen, en ik heb al vierentwintig uur mijn bed niet meer gezien.

Dit wordt de ergste dag van mijn leven.

'Ontspan je,' zegt Chloe, niet voor het eerst. 'Ik dek je.'

Hoewel ik die maandag besluit dat ik helemaal nooit meer iets van drugs moet hebben, gebruik ik ze binnen twee weken opnieuw. In feite ben ik volkomen in mijn element als ik af en toe coke gebruik. Ik pas me aan Chloe's groep onwijs hippe vrienden aan, die allemaal bij de televisie werken, clubavonden organiseren en managers van komieken zijn, en elke vrijdagavond wordt er eerst zwaar gedronken, meestal ergens in Soho, en brengen we vervolgens twaalf uur door in iemands flat, waar op de achtergrond een muziekzender uit de televisie blèrt en mensen bergen cocaïne gebruiken terwijl ze Boggle en Scrabble en Trivial Pursuit spelen. Die spelletjes gaan zo lang door dat we meer dan eens merken dat we een serie vragen van Trivial Pursuit diverse keren afwerken, zo stoned dat we ons nooit kunnen herinneren wie tijdens de staatsgreep van 1953 de sjah van Iran was, hoewel die vraag al twee keer is gesteld.

Als ik high ben van de coke denk ik niet aan Sam. Nee, dat is niet waar. Ik denk wel aan Sam en ik praat over Sam – heel veel – maar als ik onder de coke aan Sam denk en over hem praat, heb ik in elk geval het gevoel dat ik op de een of andere manier grondig uitzoek waardoor het allemaal zo is misgegaan. Cocaïne geeft me alle antwoorden. Het is gewoon zonde dat er daardoor de volgende dag, wanneer ik me ellendig voel en worstel met gebrek aan slaap en zo'n laag serotoninegehalte dat ik denk dat de lucht elk moment kan neervallen, weer meer vragen opkomen.

En als ik over Sam praat – heel veel – wil dat niet zeggen dat ik alle mannen schuw. Integendeel. Na het debacle van het slipje van een ander, het margarine-incident, zoals Chloe het noemt, besluit ik me weer in de strijd te storten en met mannen te zoenen alsof mijn leven ervan afhangt. Als ik aan de coke ben, lijkt het heel gemakkelijk om te zoenen. Coke maakt mijn tong op meer dan één manier los. Hoewel ik vroeger een zielige mengeling van onzekerheid en naïviteit was, ben ik nu dapper, onbeschaamd, eigenzinnig en geestig (al zeg ik het zelf).

In korte tijd verzamel ik een indrukwekkende waslijst minnaars. Ik heb liaisons met een bankier, een wetenschapper, iemand die beweert dat hij buikspreker is (geen grappen daar achterin), met een edelman, bedelman, dokter, pastoor. Naarmate ik meer minnaars heb, redeneer ik, moet ik ook aantrekkelijker zijn. Hoewel ik in geen van allen toekomst zie, overtuigt elke verovering me ervan dat ik Sam verder en verder achter me laat. Ik houd mezelf natuurlijk voor de gek, verwar emotionele afstandelijkheid met emotionele vervulling, maar die vergissing is snel gemaakt als je in de twintig bent, en bij mij werkt het in die tijd.

Met coke ben ik tot alles in staat, van de problemen in het Midden-Oosten oplossen in een gesprek van een uur met een onbekende tot meedoen aan een triootje met een stel dat ik net op een feest heb leren kennen. Om eerlijk tegenover mezelf te blijven: het is wel een knap stel, hij heel ruig en ongeschoren, zij een beweeglijke blondine met bijna evenveel donkere oogmake-up als ik. Eerst denk ik dat hun belangstelling voor mij voortkomt uit oprechte fascinatie voor de journalistiek, maar ondanks alle coke besef ik dat ze me nauwelijks kunnen horen boven het lawaai van het feest uit, dat ze glazig uit hun ogen kijken terwijl hun pupillen zich verwijden en dat ze onophoudelijk snuiven. 'Dit is een waardeloos feest,' zegt het meisje. 'Weet je wat, laten we teruggaan naar onze flat, waar we massa's champagne en veel meer drugs hebben, en het feestje daar voortzetten.'

Haar vriend stompt triomfantelijk in de lucht. 'Geweldig idee! Kom mee, Bryony!'

Als ik in hun flat een lijntje coke voor algemeen gebruik van hun salontafel snuif, word ik me bewust van een hand op mijn borst. Een vrouwelijke hand. Ik voel me niet nerveus of raar – ik ben zo stoned als een garnaal. Alles lijkt mogelijk. Coke maakt me zo almachtig, brengt me zo hoog in de zevende hemel dat het me dan altijd zonde lijkt om mijn ongeëvenaarde zoentalent alleen te beperken tot het mannelijke geslacht. Hoewel ik nog nooit een zweem van belangstelling voor vrouwen heb gehad, lijkt het met coke volkomen normaal, volkomen júíst. Zoen, zoen, zoen. Iedereen die tijdens een avondje uit bij me in de buurt komt, dreigt uiteindelijk mijn tong in zijn of haar keel te krijgen.

'Denk je dat je zou kunnen besluiten om lesbisch te worden?' vraagt Chloe, als ik haar vertel van het triootje, hoe raar het was, en dat ik me uiteindelijk buitengesloten voelde, waarop ik mijn kleren heb verzameld en hun flat uit ben geslopen, de aanbrekende dag in, terwijl zij maar bleven doorneuken, zonder zich van mij bewust te zijn (hoe lukt het me in vredesnaam om tijdens een triootje te worden afgewezen?).

'Waarom zeg je dat?' Mijn lichaam bevat restjes toxines die mijn hoofd vullen met paranoia. 'Denk je dat iedereen zal geloven dat ik lesbisch ben omdat ik aan een triootje heb meegedaan? O god, iedereen zal me een nymfomane pot vinden! Iedereen!'

'Volgens mij is er niks mis mee om een nymfomane pot te zijn,' zegt Chloe. 'Ironisch genoeg zou je kunnen merken dat je daardoor aantrekkelijker wordt voor mannen.'

'Daar zit iets in, maar ik weet niet of dat wel de aangewezen weg is. Het lijkt me knap beledigend voor echt homoseksuele mensen als ik uit wanhoop lesbisch werd. Bovendien geloof ik dat ik alleen zou kunnen uitgaan met een vrouw als ze blond was en grote tieten had en op mij leek, en ik geloof niet dat je dan lesbisch bent – ik denk dat je dan eerder narcistisch bent. Dus ik denk dat ik de vrouwenliefde maar aan echte potten overlaat.'

Niemand noemt me een nymfomane pot, maar Chloe's club begint me wel – vol genegenheid, geloof ik – de hoer, hun 'sletje' te noemen. Bizar genoeg, en volstrekt strijdig met alle feministische principes die tijdens mijn opvoeding in me zijn gecultiveerd, ben ik niet beledigd door die bijnamen. Ik vat ze op als een compliment. Volgens mij moeten mensen die heel veel geluk hebben met leden van het andere geslacht (en hetzelfde geslacht) heel aantrekkelijk zijn. Ik heb ergens gelezen dat promiscue mensen ook vreselijk onzeker zijn en denken dat ze door talloze partners te hebben recht van bestaan krijgen, maar dat schuif ik terzijde als saaie huis-tuin-en-keukenpsychologie. Geouwehoer. Iedereen is onzeker. Alleen psychopaten zijn niet onzeker. Het gaat erom dat ik een leuke meid ben, dat ik erbij ben, en ik ben vrijwel altijd de vrouw die het op een feestje het langst volhoudt. Als ik doorlopend opborrelende vrolijkheid uitstraal, zal niemand ooit weten dat ik diep vanbinnen eigenlijk een borrelend vat neuroses ben. Dat zal niemand in de smiezen hebben. Toch? Ze zullen gewoon denken dat het fantastisch en geweldig is om mij erbij te hebben, toch?

Toch?

In de chaos van mijn leven begint een patroon te ontstaan. Op woensdag, donderdag en vrijdag ga ik 's avonds uit en blijf ik tot in de kleine uurtjes van de ochtend drinken. Op zaterdag en zondag houd ik mezelf voor dat ik stop met de alcohol, ga ontgiften en alleen nog tarwegrassap drink en zo. Op maandag en dinsdag ben ik 's avonds in de sportschool, stamp ik op de loopband waarop ik kan wegrennen zonder echt ergens naartoe te hoeven gaan, en trek ik baantjes in een overvol zwembad, maar hoewel ik al sinds zaterdag geen druppel meer heb gedronken, voel ik me nog steeds vreselijk, paranoïde en doodongelukkig door gedrag dat ik me niet eens meer kan herinneren doordat ik te ver heen was.

Op woensdag, als ik mezelf een biologische, cafeïnevrije fair trade-latte met sojamelk toesta – omdat dit uiteraard een compensatie zal zijn voor alle ellende van de drugshandel die ik op mijn eigen kleine manier in stand heb helpen houden – begin ik me beter te voelen. Ik krijg weer veerkracht in mijn tred, herwin mijn opgewektheid. Eén drankje kan geen kwaad, maak ik mezelf wijs.

Die avond begint de hele vervloekte, afschuwelijke cyclus weer van voren af aan.

Ik kom regelmatig te laat op mijn werk. Maar ik maak mezelf wijs dat het niet geeft, vanwege de eerste regel van de journalistiek die ik heb geleerd: bij kranten is tijd een rekbaar begrip. Alleen is dat niet echt zo. Er moeten desondanks deadlines worden gehaald, vergaderingen worden bijgewoond en kranten worden gemaakt. Als tijd echt een rekbaar begrip was, zouden er geen kranten zijn. Ik doe stiekem over mijn late verschijning. Na een nacht stappen was ik nooit mijn haar, want gewassen haar is een onmiskenbaar teken dat je de hele nacht uit bent geweest en de ochtend hebt gebruikt om je uitspattingen weg te boenen. Ik investeer enorm in droogshampoo, smeer mijn huid dik in met zoetgeurende dagcrème en sla grote voorraden Smint in, om altijd een mintfrisse adem te hebben. 'Steve,' fluister ik, waarbij ik op hem uitadem.

'Jezus! Waarom adem je op me?' Hij fluistert niet.

'Sst, ik wil controleren of ik niet naar drank stink.'

'Bah. Nee. Je stinkt naar koffie, wat je zwaar hebt geprobeerd te verhullen door kauwgum te kauwen of zo.'

In mijn bureaula bewaar ik: een reservepanty, voor het geval ik na een nacht uit regelrecht naar mijn werk moet, een tandenborstel, tandpasta en Listerine om dezelfde redenen, een schoon truitje en een schoon slipje. Het komt nooit in me op daar opschrijfboekjes of dossiers in op te bergen, zoals verder iedereen doet. Die balanceren vervaarlijk op mijn bureau, kunnen elk moment neerstorten op de man naast me. Dat heeft wel wat van mijn leven.

Ik word gehaaid in smoezen. Ze worden steeds fantastischer. Ik begin ze zelf ook te geloven. Mocht je ze soms willen gebruiken, hier volgen er een paar.

Doen alsof je al bijna bij het metrostation was voor tot je doordrong dat je je portemonnee thuis had laten liggen. 'Ik ben zo ongelooflijk stom geweest,' zeg je als je eindelijk op kantoor komt, maaiend met je armen, met een rood hoofd en buiten adem (je moet de laatste paar honderd meter naar je werk rennen om dit authentiek te laten lijken). 'Sodeju zeg, wat ben ik toch een rund.' Collega's houden van dit excuus, omdat ze je hierdoor kunnen uitlachen.

Doen of je naar de dokter moest voor een vrouwenkwaal. 'Ik weet dat ik dit van tevoren had moeten zeggen,' zeg je tegen je baas, 'maar ik geneerde me gewoon te veel. Tot vanochtend bleef ik maar hopen dat het vanzelf zou overgaan, maar dat is dus niet gebeurd, en toen ik wakker werd, leek het me het best om maar door de zure appel heen te bijten en een afspraak te maken. Het spijt me echt heel erg.' Je baas zal te ontzet zijn om aan dit excuus te twijfelen.

Je bus ging kapot. Ik bedoel maar, wat kunnen ze doen? De busmaatschappij bellen om het te controleren? Dat lijkt me sterk.

Je hebt je oog geschaafd aan een tak van je kerstboom. Deze smoes heb ik zelf nooit gebruikt, maar Chloe wel. Dat vond ik grappig, vooral omdat Chloe te veel gevoel voor stijl heeft om ooit te overwegen haar loft te verzieken met een felverlichte kerstboom vol ballen. Bovendien weet ik niet eens of Chloe wel kerst viert. Ze heeft me eens verteld dat ze het ordinair vond en dat ze geen cadeaus nodig had – als ze iets wilde hebben, kocht ze het zelf wel. 'Ik heb geen nieuwe rommel nodig om een warboel van mijn leven te maken,' zei ze eens tegen me. 'Dat gebeurt al genoeg doordat jij het hele jaar in de buurt bent.' Maar ik vind dit een prachtexcuus, omdat het zo volstrekt willekeurig is dat je het eigenlijk wel moet geloven, want zoiets verzín je toch niet? Chloe had die dag zelfs een ooglapje voor, van donkerpaarse zijde. Volgens mij is ze dat in een van haar winkels met vintage kleren tegengekomen, móést ze het gewoon hebben en heeft ze besloten het excuus louter en alleen te verzinnen om het te kunnen dragen. Ze was vast alleen te laat doordat ze twee uur bezig is geweest exact de juiste kleding uit te kiezen die bij het ooglapje paste. Ik zou deze smoes alleen proberen als je alle andere al hebt gehad. En dan in geen geval als het bijvoorbeeld hoogzomer is.

Door mijn smoezen en door te laat te komen creëer ik een rol voor mezelf binnen de organisatie, en wel die van het malle warhoofd. Daardoor lijk ik me heel veel ongestraft te kunnen permitteren. Mijn baas besluit mijn gedrag zelfs volkomen te aanvaarden. 'We willen je een column geven in de bijlage,' zegt ze als ze me in haar kamer roept. 'Een column over het leven van een ongebonden meid van de wereld.' Ik kan mijn geluk niet op, dat zal ik niet ontkennen. Ik had gedacht dat ze me de les zou lezen omdat ik te laat was, maar in plaats daarvan feliciteert ze me ermee. Ik ben vijfentwintig en ik word ervoor betaald om uit te gaan en teut te worden en daarover te schrijven. Mijn leven kon niet beter zijn, ook al zou ik met Jake Gyllenhaal mogen wippen op een kingsize bed in een zessterrenhotel en zou hij me na afloop vissticks met patat voeren.

'Dit is verschrikkelijk nieuws,' zegt Chloe als ik haar vertel wat er is gebeurd.

'Hoe kun je dat in vredesnaam zeggen?'

'Omdat we er, als we zo doorgaan, binnen een jaar zullen uitzien als Courtney Love. En dan boffen we nog. Als we pech hebben, zien we eruit als Kurt Cobain nadat hij is opgesnord. We zullen foto's van onszelf bekijken van voordat we alle remmen losgooiden en van daarna, en we zullen ons afvragen of we niet kijken naar politiekiekjes van verslaafden die door antidrugscampagnes worden verspreid om te waarschuwen voor de gevaren van crystal meth.'

'Crystal meth ga ik nooit gebruiken,' zeg ik, bijna trots op mijn zelfbeheersing.

'O god, je maakt er echt een lolletje van. Snap je het dan niet? Werk weerhoudt mensen ervan te veranderen in regelrechte, absolute wrakken. De wetenschap dat je, als je te laat blijft komen, wordt ontslagen en de rekeningen niet kunt betalen – nou, dat weerhoudt iemand ervan volledig te ontsporen. Maar jij hebt zojuist toestemming gekregen om door te draaien. Want laten we wel eerlijk blijven, ze willen dat je totaal geschift wordt, omdat dat betere kopij oplevert. Ze willen dat je het volledig verpest – je relaties, je vriendschappen, alles – zodat ze pikantere columns kunnen publiceren.'

'Wil je zeggen dat mijn carrière meer succes zal hebben naarmate ik een grotere puinhoop van mijn leven maak?' Ik glimlach.

'Precies,' zegt Chloe met een frons.

'Goeie god, ik ben de grootste bofkont ter wereld.'

Al dat ongeregelde drugsgebruik en al dat comazuipen beginnen hun tol van me te eisen. Ik slaap slecht, en als ik wakker word, heb ik hartkloppingen. Mijn onderrug doet doorlopend pijn, wat volgens mij met de nieren te maken heeft. Ik lijk doorlopend te tobben zonder dat daar een speciale reden voor is. Ik zit achter mijn bureau te proberen meer grip te krijgen op de ongerustheid die vrij om me heen zweeft. Dat lukt nooit.

Het zou het best zijn om eens even heel gezond te gaan leven. Een sapdieet misschien. Alleen om geen drugs meer te gebruiken en niet meer zoveel te drinken. Maar dat lukt me niet. Ik ben er niet aan verslaafd, ik ben eraan gewénd. Het idee om uit te gaan voor een paar onschadelijke glaasjes wijn slaat gewoon nergens op – dat is iets wat andere mensen doen, mensen met een stabiel leven. 'Stel nu eens dat we een OVERDOSIS nodig hebben om ons te laten stoppen?' jammer ik dramatisch tegen Chloe. Ze zucht geïrriteerd. 'De enige overdosis waar jij voor moet uitkijken, is te veel drama, Bryony.'

Dus blijven we uitgaan. Mijn dieptepunt, van zo'n laag niveau dat ik me er nooit toe heb kunnen brengen er in een van mijn columns over te schrijven, is volgens mij als Chloe me voorstelt aan een redelijk geslaagde schrijver. 'Jullie kunnen de hele nacht praten over boeeeeeken,' luidt Chloe's gapende openingszin. De man is wat ouder dan ik en niet veel langer, maar hij heeft een ruwe arrogantie waardoor hij me vanzelf binnenhaalt, met haak, lijn, dobber en al. Hij vertelt me dat hij net een bibliotheek in zijn huis heeft laten installeren en dat hij oude exemplaren is gaan verzamelen van een boek dat *Donkey Oatey* heet. 'Het is een prachtige roman,' zegt hij, met zijn handje op mijn knie. Ik knik met hem mee, al heb ik geen idee waar hij het over heeft en ik snap evenmin dat deze onverholen literator zo opgaat in een boek over een ezel die Oatey heet. Misschien, denk ik bij mezelf, was het zijn lievelingsboek toen hij klein was, want het klinkt toch niet erg volwassen, hè? Het klinkt nauwelijks literáír.

'Wie heeft dat boek *Donkey Oatey* geschreven?' zeg ik ten slotte, nadat ik moed heb geput uit een lijn coke die ik met hem heb gesnoven in het invalidentoilet van de bar.

'Heb je nog nooit van *Donkey Oatey* gehoord?' zegt hij, terwijl hij ongelovig met zijn bruine ogen knippert en vlokjes wit poeder boven zijn lip wegveegt.

'Had dat gemoeten?' stamel ik. 'Mijn ouders moeten me dit specifieke klassieke kinderboek hebben onthouden!'

Hij kijkt me aan met een blik die ik overal zou herkennen, met gefronste wenkbrauwen en een opgetrokken neus. De 'lach je me uit'-blik.

'Heb je nog nooit van *Donkey Oatey* gehoord?' herhaalt hij. 'Het toonaangevende werk van de zeventiende eeuw, van de Spaanse gouden eeuw? De pil die vaak wordt omschreven als HET BESTE BOEK DAT OOIT IS GESCHREVEN?'

'O!' zeg ik, terwijl mijn lichaam zich ogenblikkelijk ontspant. 'Je bedoelt *Don Quichot*!'

Ik spreek het fonetisch uit.

Hij begint te lachen. Hij denkt dat ik een grapje heb gemaakt.

'Gewoon een literair spelletje dat ik graag speel!' zeg ik omdat ik dolgraag mijn gezicht wil redden. Hij gelooft me. Hij blijft lachen. Hij slaat zijn armen om me heen en zoent me wezenloos. 'Zodra ik hier naar binnen liep,' fluistert hij, 'viel jij me ogenblikkelijk op. Je bent het mooiste meisje in de pub.'

Tja, ik ga natuurlijk met hem mee naar huis.

We zoenen tijdens de hele rit naar zijn huis – een huis! – in een chique wijk van Londen. Voor de ramen zitten dure luiken en de voordeur is feloranje geschilderd. Zijn buren spelen vast in rockbands en cultfilms en zitten in de jury van de Booker Prize. Hij loopt vast acteurs als David Walliams tegen het lijf wanneer hij een fles wijn gaat halen bij de slijterij in de buurt. Als hij een hond had (hij heeft geen hond, maar laten we dat even aannemen), zou die hond vast bevriend zijn met Geri Halliwells hond, en tijdens lange lunches op zondag aan de massieve, eikenhouten eettafel in zijn keuken in het souterrain zou iedereen er grappen over maken dat ze Bello's vriendin waren tegengekomen op Primrose Hill, 'en haar chihuahua was er ook!'

Die arme Geri Halliwell. Ik vereenzelvig me volledig met Geri Halliwell. Ik weet gewoon dat als ik ooit miljardair zou worden doordat ik deel had uitgemaakt van een meidengroep die miljoenen platen had verkocht, ik net Geri Halliwell zou zijn, de boulimieleider met het gebroken hart, tegenover zeg maar de spriet met de spetter van een man of de idiote sexy meid met diverse spetters van mannen.

Hij draait de voordeur van het slot en we staan in een hal vol kalksteen en prachtige belichting, met twee fietsen (twee?) die tegen een radiator leunen. 'Wacht hier even!' zegt hij, waarna hij de woonkamer in rent en vervolgens de trap op voor hij weer naar de hal beneden draaft, buiten adem en hijgend als de hond die hij niet heeft. 'Sorry,' zegt hij als hij mijn hand pakt en me de 'ontvangkamer' (woonkamer) in voert. 'Ik wilde alleen even zeker weten dat het geen grote rommel was voordat jij binnenkwam!'

Ik kijk om me heen naar de minimalistische meubelen, de witte vloeren en de boekenplanken met een enkele vreemde avant-gardistische vaas en, volslagen geschift, fotolijstjes die kennelijk voorover zijn gevallen. Dat zijn de enige dingen die hier niet lijken te passen. Dit huis is duidelijk niet meer rommelig geweest sinds de aannemers van de dure architecten zijn vertrokken.

'Dat had je niet hoeven doen,' zeg ik beleefd. 'Je hebt een prachtig huis!'

In gedachten ben ik er al ingetrokken.

Hij zet me neer op een bank die niet is bedekt met grands foulards omdat er geen biervlekken of brandgaatjes te verbergen zijn. Hij is smetteloos, crèmekleurig, waarschijnlijk heel duur en op bestelling gemaakt. 'Wil je wat drinken?' zegt hij, zonder op antwoord te wachten. 'Wijn? Bier? Een likeurtje?' Hij verlaat de kamer, en ik hoor hem de trap af lopen, vermoedelijk naar de keuken, waarna de echo's van glasgerinkel weer naar boven drijven.

Uiteraard gluur ik even naar de neergelegde fotolijstjes.

Op een ervan heeft hij zijn armen om een knappe brunette geslagen, terwijl ze allebei lachend in een boot zitten, met op de achtergrond de Golden Gate Bridge. Op een andere staat dezelfde vrouw met haar duimen omhoog op de top van een soort heuvel, of misschien wel een berg. De moed zinkt me in de schoenen. Er zal nooit een foto van mij na een trektocht in het huis van een man staan. Zo'n vrouw zal ik nooit zijn. Ik zal nooit de onberispelijke, beeldschone, Everest bedwingende vriendin zijn, die op dit moment vast vrijwilligerswerk doet in een Indiaas weeshuis. Heel even voel ik me leeg en terneergeslagen. Dan doe ik wat alle hoerige, aan coke verslaafde sletten met heel weinig zelfvertrouwen doen wanneer ze in zo'n situatie verzeild raken: ik zeg tegen mezelf dat er vast relatieproblemen zijn, alsof het daardoor niet erg is wat ik doe – wat hij doet.

Ik doe niet wat me tijdens mijn opvoeding is geleerd, wat alle vrouwenbladen in de wereld me hebben geleerd. Ik laat de fotolijstjes niet met de foto's omhoog liggen om dat overspelige stuk tuig te laten weten dat ik hem doorheb en dat ik zijn spelletje niet meespeel. Nee. Weet je wat ik doe? Ja. Ik leg alle lijstjes weer neer zoals hij ze heeft achtergelaten en houd mezelf de mantra van het liefje voor: het is zijn probleem, niet dat van mij. Ik ben hier nu toch, dus wat zou het. Hij komt de kamer weer in met champagneflûtes en een fles Veuve Clicquot, en alles is ogenblikkelijk vergeven. Ik glimlach zo verleidelijk mogelijk, pak een glas en sla het in één keer achterover. 'Je bent me er een,' zegt hij, waardoor hij ineens iets heeft van Alan Partridge, wat minder sexy lijkt dan tien minuten geleden (ik ben hier nu toch, zeg ik opnieuw tegen mezelf, dus wat zou het). Hij haalt een pakje coke uit de zak van zijn spijkerbroek en legt het op de glazen salontafel. 'Vind je het erg,' zegt hij, 'als ik een lijntje neem van je tieten?'

Vind ik dat erg? Dat zou waarschijnlijk wel moeten. Nee, vergeet dat. Dat zou absoluut moeten. Maar dat zou de stemming bederven, houd ik mezelf voor (alsof het feit dat hij een vriendin voor me probeert te verbergen niet de grootste domper is). Ik ben hier nu toch, zeg ik opnieuw tegen mezelf, dus WAT ZOU HET. 'Waarom niet?' zeg ik heel achteloos, alsof zulke dingen me doorlopend overkomen. 'Zet hem op.'

Ik heb een hekel aan vrijwel elk deel van mijn lichaam, maar ik ben me ervan bewust dat ik een mooi stel borsten heb, een beste voorgevel, zoals kerels als hij zouden brallen. Ze hebben natuurlijk de nobele functie mijn nakomelingen te voeden, maar op dit moment lijkt het steeds minder aannemelijk dat ik die ooit zal krijgen, dus ach, waarom zou ik ze niet gebruiken als oppervlak om verdovende middelen van te gebruiken? Elk meisje droomt er toch zeker van dat dit haar zal overkomen als ze groot is?

Ja toch?

Het probleem met tieten, als oppervlak om verdovende middelen van te gebruiken, is echter dat ze van nature rond zijn, niet plat, wat betekent – zoals ik al vlug ontdek – dat als je niet bijzonder voorzichtig bent, heel wat verdovende middelen ten slotte in je beha zullen belanden. Dit zou een krankzinnige, coole, sexy situatie moeten zijn, maar als ik op de vloer neerkniel en voorzichtig mijn beha probeer te verwijderen zodat ik zijn drugs kan terugvinden, waarbij ik ervoor zorg dat mijn borsten er niet te snel uit rollen en het poeder tegen dat zweterige stukje huid tussen borst en maag persen, besef ik dat het alleen maar krankzinnig is.

'Als je nou eens gewoon plat op de grond gaat liggen,' oppert de auteur, die de positie waarin ik moet liggen voor me demonstreert, 'en je handen om je boezem houdt' – heeft hij heus het woord 'boezem' gebruikt? – 'dan zou het een stabielere omgeving voor me zijn om de drugs te nemen.' Zou het ook waardiger zijn dan mijn huidige knielende houding? Nee, ik geloof dat er van waardigheid geen sprake meer is, aangezien hij me op dit moment rondcommandeert alsof ik een bouwpakket van IKEA ben. Dit, denk ik als ik op de vloer lig en naar het plafond met complexe kroonlijsten kijk, is het leven.

Hij begint me weer te kussen, lebbert me helemaal af en probeert de rest van mijn kleren uit te trekken. 'Mag ik een lijn?' vraag ik als hij zich kronkelend op me werkt. 'Wil je niet meteen verdergaan?' antwoordt hij met nog wat meer gekronkel.

Nee, denk ik. Ik wil alleen heel veel van je drugs gebruiken en massa's van je lekkere drank drinken en dan een taxi bellen om naar huis te gaan.

'Kunnen we niet eerst nog wat drinken?' zeg ik, met een nieuwe poging tot een verleidelijk lachje terwijl ik tegelijkertijd probeer mijn handen om mijn borsten te houden en de weinige eerbaarheid te bewaren die ik misschien nog heb. Hij staat op en gaat op de bank zitten. Zijn humeur is in een oogwenk omgeslagen, was net nog dartel en speels en is nu geïrriteerd en ongeduldig. 'Als je dat echt wilt,' moppert hij, onze glazen vullend zonder me zelfs maar aan te kijken. 'Maar het is al over tweeën en ik moet morgen heel veel doen, dus misschien is het beter als je gewoon naar huis gaat.'

Ik voel me zowaar ongerust en schuldig, alsof ik hem heb verleid. Deze man die een vriendin heeft, bezorgt mij het gevoel dat ik iets verkeerd heb gedaan. 'Sorry,' zeg ik warempel als ik naast hem op de bank ga zitten en mijn handen van mijn borsten haal in een poging de stemming op te fleuren. 'Het zou veel leuker zijn om verder te gaan.'

En dus vrijen we ongerieflijk, plichtmatig en vlug met elkaar, niet op zijn bank – goeie god, we willen toch zeker geen vlek op de kussens achterlaten? – maar op de vloer, waar mijn heupen tegen het hout stoten als hij op me ligt te kreunen. En wanneer het voorbij is, gelukkig al heel snel, zegt hij dat het waarschijnlijk het best is als ik niet blijf, aangezien hij goed moet slapen, en bovendien wil ik vast naar huis, naar mijn eigen bed. Hij belt een taxi voor me. De tien minuten die we daarop moeten wachten, zijn de langste van mijn leven.

In de taxi naar huis ben ik alleen maar blij dat hij een condoom heeft gebruikt, die hij uit zijn portefeuille heeft gehaald, de verwaande, arrogante klootzak. Maar ik haat hem niet zo erg als ik mezelf haat, omdat ik mijn lichaam heb laten gebruiken als een drugs- en spermabak, waarna ik werd afgedankt. De taxichauffeur heeft de radio op Magic FM staan, waar treurige liefdesliedjes te horen zijn. Ik huil de hele weg naar huis. Dit is het moment van mijn overdosis. Nu weet ik dat drugs niet werken en dat ik ermee moet ophouden. Ik kan niet doorgaan met deze eeuwige cyclus van zelfmedicatie. Ik wil me gewoon weer gezond voelen. Ik wil gewoon weer mezelf zijn.

5

'Ik leef indirect via jou...' en andere zinnen die je als single niet wilt horen

Niet dat al mijn vrienden eikels zijn. Sommigen, zoals Sally en Andy, hebben een gelukkige, tevreden relatie, een enkeling heeft zelfs een huis en weer anderen beginnen zowaar báby's te krijgen. De eerste keer dat een vriendin me vertelde dat ze met haar partner een kind verwachtte, moest ik mezelf eraan herinneren dat ik geacht werd dolblij voor hen te zijn, zo ontzet was ik voor hen, omdat dit duidelijk het einde betekende van het leven dat ze tot dan toe hadden geleid. Het was bijna alsof ze me net hadden verteld dat ze een dodelijke ziekte hadden, en niet dat ze op het punt stonden nieuw leven ter wereld te brengen.

Deze vriendinnen, die ik al ken sinds school en die op precies dezelfde manier zijn begonnen als ik, zijn op de een of andere manier een totaal ander leven gaan leiden. We zijn nu zulke tegenpolen dat ik net zo goed in de supermarkt hun boodschappen zou kunnen scannen. Mijn moeder vraagt hoe het met Jessica gaat, hoewel ze heel goed weet dat Jessica getrouwd is en een baby van vier maanden en een huis in Islington heeft, en ik zie een floers voor haar ogen komen bij het idee hoe het had kunnen zijn; ik zie hoe ze probeert te bedenken wat zij onmiskenbaar verkeerd heeft gedaan.

Hoewel trouwen en kinderen krijgen als ik rond de dertig ben me een voor de hand liggende weg leek, de vaste regel, gewoon iets wat zou gebeuren, besef ik nu, aangezien dat al over vijf jaar is, dat dit wel eens een hele opgave zou kunnen zijn, alsof ik astronaut wil worden bij het Chinese ruimtevaartprogramma. De waarheid luidt dat ik op dit ogenblik niet eens weet of ik wel kinderen wil hebben – of, beter gezegd, ik weet niet of kinderen mij wel zouden willen hebben. Ik lijk nauwelijks in staat mezelf van dag tot dag in leven te houden, laat staan een ander.

Chloe zegt dat mensen door kinderen veranderen in slome sullen, en hoewel ik besef dat daar iets in zit, droom ik er heimelijk van een slome sul te worden. Ik weet dat het niet echt comme il faut is om dat toe te geven, maar daar staat het, zwart-op-wit. Ik verlang ernaar dat mijn leven weer even saai en alledaags wordt als het was voordat mijn ouders gingen scheiden en mijn zus en ik introkken bij een familie zilvervisjes, voordat ik naar bed ging met mannen die van boter houden en graag cocaïne van mijn borsten willen snuiven. Op de krant hoor ik moeders en vaders praten over weekends in de dierentuin, recepten die ze gaan klaarmaken en dvd-verzamelboxen waarnaar ze kijken, en ik vind het zalig klinken, zo'n doodnormaal, saai leven. Het lijkt me heerlijk als weekends gevuld zijn met vervelende karweitjes en ik niet meer de uren hoef te tellen tot het weer maandag is en ik naar mijn werk kan en mensen kan zien. Mijn meeste vriendinnen zijn aan de man of hebben het druk: ze plannen elk weekend tot op de minuut. Ik hang daarentegen uren op de bank om naar *Keeping Up with the Kardashians* te kijken, terwijl ik me dom voel, omdat ik weliswaar weet wat ik wil, maar geen idee heb hoe ik eraan moet komen. Als ik er nu op terugkijk, moet ik lachen. Hoe kan ik toch zo'n hekel hebben gehad aan die luie weekends van lang uitslapen?

Ik laat natuurlijk nooit merken dat ik er zo over denk. 'Gaap, dvd-verzamelboxen, saai!' treiter ik, om vervolgens vol valse trots te melden dat ik nooit naar *The Wire* of *The West Wing* heb gekeken. 'Wie heeft er nou behoefte aan nepdrama als er zoveel gebeurt in je eigen leven?!' zeg ik met veel bombarie. De werkelijke reden waarom ik doordeweeks al ruim drie maanden geen televisie heb gekeken, is wat prozaïscher. Ik ben nooit thuis omdat ik het er vreselijk vind. Mijn flatje is piepklein en koud en vochtig, en de zilvervisjes zijn geen gezellige praters. Mijn zus gaat helemaal op in haar nieuwe vriend, is altijd bij hem – als je nagaat hoe weinig ik haar zie, lijkt het wel of ik weer alleen woon. Het idee om als normale huisgenoten samen te koken en naar *Coronation Street* te kijken, is ons kennelijk vreemd. Toen ik op een doordeweekse avond eens thuisbleef, vroeg ik me af hoe het kwam dat de mensen niet gek werden van verveling, hoe het hun lukte de tijd tussen halfacht en elf uur te vullen zonder naar de fles te grijpen. En over de fles gesproken, hoe konden ze in vredesnaam zonder drank in slaap komen?

Mijn vrienden en collega's met een geliefde in hun leven gaan nooit uit, en als ze dat wel doen, gaan ze naar iets als het theáter. Dat is waarschijnlijk een van de redenen waarom mijn leven is afgeweken van de traditionele weg: de enige cultuur in mijn leven is de magere yoghurt die de laatste twee maanden in mijn koelkast staat. Ik ben in de bovenbouw van de middelbare school voor het laatst naar het theater geweest, naar een amateurvoorstelling van *King Lear*, en aan het eind daarvan was ik geneigd mijn eigen ogen uit te steken.

Ze maken ook een uitzondering om uit eten te gaan. Het spijt me, maar uit eten gaan, vind ik ongeveer even aantrekkelijk als dat moment waarop je wat braaksel in je mond hebt en beseft dat je het weer moet inslikken zodat niemand om je heen het merkt. Het maakt niet uit hoe lekker het eten is, het stoort gewoon bij het drinken en roken, en je belandt altijd naast een of andere lul die je wil vertellen over zijn verleden als revolutionaire student, of over zijn heden als – ha! – bedrijfsjurist, en bovendien is het uiteindelijk een rib uit je lijf en je geneert je wanneer je erop moet wijzen dat het aanvankelijk weliswaar verstandig had geleken om de rekening door zeven te delen, maar dat je geen voorafje en evenmin een dessert hebt genomen en dat je al helemaal geen koffie hebt gehad, en dan pakken alle anderen hun portefeuille vol bankpassen om te betalen met de British Airways Air Milescreditcard ('Dankzij dit schatje hebben we businessclass naar New York kunnen vliegen!'), terwijl jij je Visakaart van de bank opscharrelt tussen je maandabonnement voor het openbaar vervoer en je klantenkaart van de drogisterij en ondertussen bidt dat hij niet wordt geweigerd.

Dus als ik wat meer om chique etentjes en theateravondjes had gegeven en wat minder om pubs en Justin Timberlake, woonde ik nu misschien wel in een huis met vier slaapkamers in Notting Hill met mijn man de bankier en onze jonge kinderen. Maar dan zou ik diep in mijn hart waarschijnlijk ongelukkig zijn door het gevoel dat ik in de val zat en tegenover niemand meer mezelf kon zijn.

'Ho even,' zegt Chloe. 'Je bent sowieso ongelukkig. Dan kun je net zo goed ongelukkig zijn in een leuk huis in plaats van een nagenoeg onbewoonbare flat.'

Dat deed me denken aan de keer dat ik een broodje voor een dakloze had gekocht, waarna ik tegen Chloe zei dat als ik hem geld had gegeven hij er alleen maar drank en drugs van zou hebben gekocht. 'Nou en?' vroeg ze ongelovig. 'Waar moet je je geld ANDERS aan uitgeven?'

Maar goed. Ik maak mezelf wijs dat de achtbaan van mijn leven veel te leuk is om er nu al uit te stappen, en dat vriendinnen die een partner hebben gevonden in de eerste de beste man die ze tijdens de introductieweek hebben leren kennen, waarschijnlijk alleen gelukkig zullen zijn tot ze tegen de vijftig lopen, wanneer ze zullen ontdekken dat ze meer gemeen blijken te hebben dan ze hadden gedacht, namelijk ook de plaatselijke yogalerares Dinah. Maar dat is bitter, getikt, niet echt eerlijk van me. Ik ben gewoon jaloers op hen, dat weet ik maar al te goed. We zien elkaar natuurlijk nog een à twee keer per jaar. En dan herinner ik me telkens weer waarom we elkaar zo zelden zien. Ik besef wat het probleem is. Dat is niet dat zij uiteindelijk van hun man kunnen vervreemden, maar dat ik van hen ben vervreemd. Dat is het geval met Sally, die ik al ken vanaf mijn elfde en met wie ik heel veel heb meegemaakt en die nu niets meer met me gemeen heeft, of beter gezegd, ik heb niets meer gemeen met haar. Het zijn de dingen die ze zegt, het vocabulaire van het knusse huwelijksleven, het feit dat ik me telkens wanneer ik haar en Andy zie een soort goedkope versie van Bridget Jones voel, tien jaar nadat het aanvaardbaar was om iemand als Bridget Jones te zijn. Het komt doordat ik telkens wanneer ik Sally en Andy zie, moet luisteren naar opmerkingen als deze: 'We leven indirect via jou.'

Sally en Andy – Sandy, zoals ze nu graag willen heten – nodigen je uit bij 'hen' thuis – alles is nu van hen, van ons, of wij – voor een 'diner'. Door het feit op zich dat ze een diner in plaats van een etentje geven, zouden alle alarmbellen al moeten gaan rinkelen, maar je aanvaardt de uitnodiging toch, omdat je de vorige zes keer al op het laatst bent teruggekrabbeld (je moest, eh, overwerken, zei je tegen hen, hoewel je er in werkelijkheid niet aan moest denken dat je naar Putney moest afreizen om de hele avond verteerd te worden door jaloezie en het gevoel dat je tekortschiet omdat je geen pensioen opbouwt en je je nooit een schoenendoos zult kunnen veroorloven – nee, heus, het enige schoeisel dat jij je op dit moment kunt veroorloven zijn de goedkope 'balletpumps' of flatjes die Primark zonder doos verkoopt, schoenen waar een echte danseres waarschijnlijk kreupel van zou worden en die uit elkaar zullen vallen zodra ze worden blootgesteld aan regen).

Je staat een kwartier te laat bij hen op de stoep, met een bos slappe chrysanthemums – 'krisanthemimums', zoals je het later zult uitspreken – die je hebt gekocht bij de kleine Tescosupermarkt ('Het is zo jammer', zullen Sandy later zeggen, 'dat de opmars van de grote supermarkten het eind betekent van onze buurtwinkels') en een fles Jacob's Creek. Jacob's Creek is toch chic? 'Het spijt me vreselijk', stamel je, 'had een krankzinnige dag', waarbij je verzuimt te vertellen dat de genoemde dag alleen heeft bestaan uit het opruimen van je bureau, omdat de collega rechts naast je dreigde te worden bedolven onder al jouw dossiers en persberichten. Sandy glimlachen, halen je binnen met veel gedoe van 'maak je niet druk, we hadden van jou niet anders verwacht'. Ze vragen of je het niet erg vindt om je schoenen uit te trekken, want ze hebben net nieuw tapijt laten leggen. 'We zijn zo dom geweest een kleur te kiezen die "as" heet', zeggen ze met een gebaar naar hun smetteloze koolzwarte vloer. 'Toen het tapijt er eenmaal lag, beseften we pas dat het vast onder de modder komt te zitten als mams en paps langskomen met de labrador, maar tegen die tijd was het te laat!' Je besluit een grapje te maken. 'O, ik weet hoe het is', giechel je ingehouden. 'Ik heb thuis ook as op de vloer liggen!'

HA HA HA HA HA.

Je doet je flatjes uit en wordt ogenblikkelijk overweldigd door paranoia, omdat het al de hele dag regent en je voeten door een combinatie van een doorweekte panty van vijftig denier en goedkope schoenen ongetwijfeld ogenblikkelijk zijn veranderd in een soort broedplaats voor stinkende bacteriën. Je vraagt je af hoe je ongemerkt je parfum uit je tas kunt halen om je voeten ermee te bespuiten. Bovendien zal niemand zich erdoor laten misleiden dat je 'ATMOSPHERE' in je schoenen hebt geschreven in een poging het merk Primark een wat chiquer cachet te geven. Bij de onberispelijke schoenen met kleine hakjes van Hobbs, LK Bennett en Russell & Bromley wens je dat het askleurige tapijt opensplijt om je geheel te verzwelgen.

'Kom mee naar de salon,' zeggen Sandy. 'De wat?' wil je zeggen. 'Bedoelen jullie de zitkamer? De woonkamer?' Nee, ze bedoelen niet de woonkamer, want die is aan de andere kant van de gang. Dit is de salon, de pronkkamer, waarin ze het aperitief schenken, in echte wijnglazen, niet die dingen van IKEA die rond de rand schilferen, met als gevolg dat je telkens wanneer je een slokje neemt (of een teug, zoals ik) het risico loopt je mond open te halen. 'Nu Bryony er is,' zegt je gastvrouw, die je de 'salon' in voert, 'kan de pret beginnen!'

Het hart zakt je in je schoenen.

Je kijkt de salon rond naar de andere gasten voor het diner, allemaal in het pak en in kokerrokjes en panty's zonder ladders. De vrouwen hebben een glinsterende diamant aan hun linkerringvinger en zulk glanzend haar dat ze volgens jou al 's morgens om vijf uur opstaan om het te föhnen. De mannen zien er allemaal verzorgd uit, in een overhemd dat is gestreken door de werkster die ze twee keer per week laten komen.

'Bryony is journalist,' zegt je gastvrouw op een toon die duidelijk verwacht dat de kamer als één man een kreetje zal slaken.

'Als je artikeltjes over jongensgroepen en erfgenamen van hotelketens journalistiek kunt noemen,' mompel ik tegen mijn smoezelige voeten.

'Niet zo bescheiden!' vervolgt de gastvrouw, waarop je

graag zou willen antwoorden dat het geen bescheidenheid is, gewoon de waarheid.

Volgens mij komt het voornamelijk door mijn carrièrekeuze dat mijn leven zo'n bandeloze, chaotische weg is ingeslagen. Toen ik besloot dat ik 'schrijfster' wilde worden (wat verheven!), was ik naïef en gedroeg ik me behoorlijk snobistisch ten opzichte van vriendinnen die hun zinnen hadden gezet op een carrière als jurist, of bij de bank, of als bedrijfsconsultant, wat dat ook mocht wezen. Ze verkochten hun ziel, dacht ik, maar nu zie ik dat ze hun ziel verkochten om een leuk huis te kunnen kopen. Door de carrière die ze hadden gekozen, kwamen ze in aanraking met verstandige mensen, begerenswaardige mensen, terwijl ik door die van mij in vliegende vaart het pad kruiste van alcoholisten en warhoofden die het woord 'binden' associëren met sm. Wie is er nu echt gelukkiger, hè?

'Bryony,' zegt iemand, 'ik hoor dat je nogal een feestbeest bent...'

O god, spaar me.

'We voerden net een volstrekt slaapverwekkend gesprek over de politiek,' zegt iemand anders, 'maar nu jij er bent, kunnen we misschien praten over iets prikkelenders...'

'Bryony,' zeggen Sandy met een knipoogje en een duwtje, 'vertel iedereen eens dat verhaal over Russell Brand!'

O nee. Niet dat verhaal over Russell Brand. Alles behalve dat verhaal over Russell Brand. Ik trek een gezicht, schud mijn hoofd. De verwachtingsvolle blik in alle ogen zegt me dat ze het verhaal over Russell Brand al hebben gehoord. Doordat ik een kwartier te laat was, hebben Sandy hun gasten kunnen inlichten over de grote idioot die onderweg was, en nu willen ze het beslist uit de eerste hand horen. En omdat ik deze wildvreemde mensen niet wil teleurstellen, vertel ik ten slotte over de keer dat ik naar bed ben geweest met een komiek die me vervolgens aan de kant heeft gezet voor een supermodel.

Ik vertel dat ik een paar maanden geleden een interview heb gehad met een komiek die op het punt stond door te breken en die op dat moment een spin-off van *Big Brother* presenteerde. Op dat moment was hij nog niet zo beroemd als nu, dus wist ik niets van zijn reputatie, of dat er, zoals hij zelf heeft toegegeven, honderden vrouwen zijn met een verhaal over Russell Brand, die het waarschijnlijk ook allemaal tijdens etentjes van stal moeten halen. Ik vertel dat die komiek die weldra zou doorbreken, ons hele interview gebruikte om te vragen of hij me mocht kussen, en als ik nee zei, vroeg hij het gewoon opnieuw, en omdat hij er niet uitzag als een rokkenjager – hij was gekleed als een schurk uit Dickens en had zulk lang haar dat er spontaan dreadlocks waren ontstaan – duurde het even voor ik doorhad dat hij me probeerde te verleiden; dat hij na afloop van het interview mijn telefoonnummer had gekregen van zijn pr-functionaris en me vervolgens had bestookt met sms'jes en telefoontjes, waarbij hij 'You're beautiful' van James Blunt over de lijn zong terwijl ik in de kantine koffie haalde, en dat ik er na een paar van zulke weken uiteindelijk mee had ingestemd iets met hem af te spreken.

Ik vertelde alles over het afspraakje, dat het zo merkwaardig traditioneel was geweest. Die voormalige heroïnejunkie was eerst met me gaan lunchen en had me toen meegenomen naar de bioscoop om een film over wiskunde te zien die *Proof* heette, en daarna had hij voorgesteld naar zijn huis te gaan om wat te drinken. Ik vertelde hoe grappig het was dat hij weliswaar niet dronk, maar er wel voor had gezorgd dat zijn koelkast vol alcohol voor mij stond, en dat ik na een paar glazen wijn bij een wedstrijd van Chelsea met hem naar bed was gegaan.

Ik vertelde dat we elkaar nog een paar keer hadden gezien en dat hij er vervolgens even plotsklaps mee was gestopt om me te sms'en en te bellen als hij ermee was begonnen. Ik vertelde dat ik dat raar had gevonden en dat ik me had afgevraagd of hij soms dood was, en dat die vraag voor me was beantwoord toen ik een paar dagen later de *Sun* opensloeg en hem hand in hand zag met Kate Moss. Kort daarna werd hij wereldberoemd. 'Dus als je een Hollywoodster wilt worden en met supermodellen naar bed wilt gaan,' grapte ik, 'moet je eerst met mij naar bed gaan.'

De kamer grinnikte. 'Dat is nou Bryony,' deelde Sally mee, die op de armleuning van Andy's stoel zat en haar armen om hem heen sloeg. We zeggen altijd dat *we indirect via jou leven!*'

Bestaan er vijf woorden die nog neerbuigender zijn? We leven indirect via jou, waarmee we willen zeggen: we proberen je te helpen om je minder schuldig te voelen over de volstrekte en complete chaos van je leven door te doen of we het leuk en opwindend vinden, terwijl dat van ons daarbij vergeleken oersaai is. Maar dat is niet zo! Je hoeft maar naar je gastheer en gastvrouw te kijken om te weten dat ze het verdraaid nog aan toe héérlijk vinden om op zondagmorgen naar het tuincentrum te gaan. Ze zouden liever slakken eten dan de liefde bedrijven met Russell Brand. Als ze zeggen dat ze indirect via jou leven, bedoelen ze eigenlijk dat ze vreselijk opgelucht zijn dat jij en niet zij plichtmatig het leven van een single in Londen in het begin van de eenentwintigste eeuw moet leiden.

Wat ben ik voor deze mensen? Een aap die een kunstje vertoont? Een clown die ze uitnodigen om hen te onthalen op anekdotes over onenightstands, ongeregeld drugsgebruik en een onvermogen om de gemeentebelasting op tijd te betalen? Iemand over wie ze hun vrienden thuis kunnen vertellen, een vrouw die ze eens hebben ontmoet en die het zich NIET

EENS KAN VEROORLOVEN OM HAAR BOODSCHAPPEN TE DOEN BIJ EEN GOEDE SUPERMARKT ALS WAITROSE? Doe ik ongemerkt mee aan een soort opvoedkundig programma om deze mensen te laten zien hoe hun leven zou kunnen zijn als ze het echt verknalden, zodat ze thuis in hun eigen bed behaaglijk onder hun lakens van Egyptische katoen kunnen kruipen en hun zegeningen kunnen tellen (om nog maar te zwijgen van het aantal draden in hun linnengoed)? Waarom kan ik niet over politiek praten? Ik weet wie de minister van Financiën is, wil ik schreeuwen. Ik ken mijn Miliband van HAVER TOT GORT. Als die paljassen niet ver in de meerderheid waren geweest, was ik vermoedelijk blini's met gerookte zalm naar hen gaan gooien.

'Bryony,' zegt onze gastvrouw als we aan tafel gaan, 'vertel iedereen eens dat verhaal over het slipje van een ander...'

En zal ik je eens wat zeggen? In plaats van mijn gastvrouw toe te voegen dat ze kan OPROTTEN, zet ik het mutsje van de kunstjes vertonende aap op, schiet ik in mijn clownspak, en terwijl we ons te goed doen aan onze avocado met een vinaigrette met warm spek, begin ik iedereen het verhaal te vertellen over het slipje van een ander. Ik voeg dramatische pauzes toe, gebaar met mijn handen en meet me zelfs een komisch accent aan als ik doe of ik Josh ben, want – en dit is de onvermijdelijke waarheid – ik geniet er echt van om mijn vrienden aan het lachen te maken. Hoewel hun gelach me zou moeten ergeren, zwel ik ervan op, vult het de plek waar mijn gevoel van eigenwaarde zou moeten zitten. In de loop van de tijd raak ik verslaafd aan dit scenario om gênante seksverhalen te vertellen aan een kamer vol nagenoeg vreemde mensen, die het nog nooit op een meer exotische plek hebben gedaan dan het voeteneind van hun bed, waarna ik in elk geval terugga naar mijn groezelige flat met het gevoel dat ik de lolligste meid ter wereld ben. Ik ga nog idiotere dingen doen om men-

sen tijdens etentjes of gewoon in de pub op nog idiotere verhalen te kunnen onthalen: ik laat mannen bijvoorbeeld coke
snuiven van mijn tieten, of doe mee aan een triootje. Ik heb
mezelf genoeg misleid om te geloven dat iedereen met me
méélacht. Ik laat nooit de mogelijkheid in me opkomen dat ze
me misschien úítlachen. En ook als ze dat wel doen, kan het
me nog niet schelen, want eindelijk ben ik iets: ik ben de
grappige meid die iedereen aan het lachen maakt.

'We vinden het enig om tante Bryony te zien, hè dotje?'

In mijn kindertijd wilde ik van alles worden. Eenhoorn, dol-
fijn, mariene bioloog. Op zeker moment voetballer bij Arsenal, hoewel mijn onvermogen om zelfs maar vaag iets spor-
tiefs te doen daar al snel een eind aan maakte. Maar ik zal je
zeggen wat ik absoluut niet wilde worden: tante. Niet dat ik
mijn broer en zus ooit onvruchtbaarheid heb toegewenst. Het
is eerder dat het woord 'tante' zo oudevrijsterachtig klinkt.
Tante, als in ongetrouwd. Ongetrouwd, en dan niet als een
jonge deerne in een keurs die op het punt staat smoorverliefd
te worden op Robin Hood.

En toch ben ik, dankzij de paar vriendinnen met een baby
die ik heb, tante geworden. Als ik hen zie, is het 'tante Bryony'
voor en 'tante Bryony' na, alsof hun kind van twee maanden
enig idee heeft wie ik ben. In werkelijkheid wordt deze weinig
vleiende benaming echter niet gebruikt ten behoeve van de
baby. Dat gebeurt alleen zodat zijn of haar ouders zich minder schuldig voelen dat ze me niet als peetmoeder hebben gevraagd.

Hoewel sommige mensen petekinderen verzamelen als
punten op een bonuskaart, wacht ik nog altijd op een uitnodiging om meter te zijn bij de doop van een kind. Dat is zonde. Het idee om peetmoeder te zijn spreekt me echt aan. En

dan zo'n petemoei als in sprookjes. Ik weet gewoon dat ik daar heel goed in zou zijn. Het maakt niet uit dat mijn vrome toewijding alleen gericht is op sigaretten roken en wijn drinken – het lijkt me niet meer dan natuurlijk dat mijn vriendinnen minstens één feestbeest in hun portefeuille met peters en meters willen hebben, iemand door wie zij zich indirect cool kunnen voelen. In gedachten heb ik de cadeautjes al gekocht die ik mijn nieuwe petekind zou geven: kleine sportschoentjes van Converse, mini-t-shirtjes van de Rolling Stones, malle mutsjes waardoor hij of zij eruit zou zien als een teddybeer. Ik heb me uitstapjes voorgesteld naar de schommels, waar ik het kind telkens snoep zou geven dat het anders niet mocht hebben, want ik was de gave peetmoeder, bij wie het altijd wilde zijn. En toch lukt het me nog altijd niet om van dat etiket 'tante' af te komen.

Ik weet niet of dit iets te maken heeft met de keer dat ik moest oppassen op de zes maanden oude zoon van Melissa en Tim. Ze gingen voor het eerst uit sinds ze de baby hadden gekregen en dus was het een belangrijke gebeurtenis. Ik voelde me gevleid dat ze mij hadden gevraagd, vatte het op als onmiskenbaar bewijs dat ze me binnenkort ook zouden vragen om zijn peetmoeder te worden. Toen ze zich klaarmaakten om te vertrekken, vertelde Melissa dat de kleine Miles die week had geleerd om rechtop te zitten. 'Ga gewoon achter hem zitten, zodat hij niet achterover kan vallen,' riep ze vanuit de slaapkamer, waar ze haar gezicht voor het eerst in tijden weer opmaakte. Ik deed wat me was gezegd. Waar ik echter niet op had gerekend, was dat de kleine Miles voorover zou kukelen, regelrecht tegen de scherpe poot van de salontafel.

Miles zette ogenblikkelijk een keel op, en ik bijna ook. Melissa kwam de woonkamer in gesneld terwijl ze uitriep: 'Wat heb je gedaan?' waarna ze haar huilende zoon uit mijn armen griste en tegen zich aan drukte. 'Hij heeft alleen maar zijn hoofd gestoten tegen de poot van de salontafel,' probeerde ik uit te leggen en ik kon ogenblikkelijk mijn tong wel afbijten dat ik de woorden 'alleen maar' had gebruikt. Er was al een enorme paarse bult op Miles' voorhoofd verschenen. Hij had het op diverse verschillende tonen tegelijk op een brullen gezet.

'O god, o god.' Ik probeerde de dosis bijtende schaamte die me net was toegediend weg te slikken. Ik begon me telkens opnieuw te verontschuldigen.

'We moeten met hem naar het ziekenhuis,' zei Melissa tegen Tim, die ook de woonkamer in was komen rennen. 'We moeten er NU met hem naartoe!' Hij knikte instemmend en probeerde ondertussen zijn zoontje te sussen. Ik was een en al ontzetting en schuldgevoelens.

'Jij blijft hier, Bryony,' beval Melissa. 'In het onaannemelijke geval dat Miles snel wordt geholpen en hem niets mankeert, zouden we deze avond misschien nog net kunnen redden.' Ze verlieten de flat en sloegen de deur achter zich dicht. Ik zat de volgende drie uur beschaamd op de bank naar mijn telefoon te kijken of er al nieuws was.

Toen ze eindelijk terugkwamen, lachte Miles, die een rammelaar vasthad. Ik slaakte een zucht van verlichting. 'Hij mankeert niets,' zei Melissa. 'Maar onze avond is verpest.'

'Hou op,' wees Tim haar terecht. 'Bryony kan er niets aan doen. Baby's stoten zich altijd aan van alles; ze heeft hem niet geduwd.'

Hij had gelijk. Dat had ik niet gedaan.

'Dat weet ik, dat weet ik,' zei Melissa, die haar arm om me heen sloeg. 'Het spijt me dat ik snauwde. Je kon niet weten dat hij naar voren zou vallen. Je hebt geen baby. Bij jou ontbreekt dat ingebouwde moederinstinct.' Ik deed mijn ogen even dicht. Het was dus in orde. Ik mishandelde geen kinderen; ik was alleen single. Ik liet hen samen achter. Daarna was het verder tante Bryony.

'Ik wilde dat ik weer single was.'

Een schaamteloze leugen die vriendinnen met een partner vertellen als ze eens een enkele keer zónder hun wederhelft komen. Dat is bijna altijd op zaterdagavond, wanneer hun wederhelft naar een hengstenbal in Wit-Rusland moet. 'Laten we uitgaan en stomdronken worden!' roept Sally uit, en je bent te aardig om haar te vertellen dat je op zaterdag eigenlijk meestal thuisblijft en een afhaalmaaltijd eet, omdat je net als de meeste singles de hele week al bent uitgegaan en nu bekaf en katterig bent. En omdat op zaterdagavond alle bars en pubs vol zitten met mensen als zij, mooiweerstappers die niet tegen alcohol kunnen en om halftien al met hun hoofd boven een toiletpot hangen.

'Kun je me meenemen naar een megaleuke tent met veel glamour?' vraagt Sally, alsof je leven één lange aflevering van *Sex and the City* is tegenover, zeg maar, jaren van *EastEnders*. Dus moet je nu gaan nadenken over een tent waar je naartoe kunt gaan, hoewel je eigenlijk wilt voorstellen om bij je thuis een fles wijn te drinken en samen te lachen over de rare kostuums in *Strictly Come Dancing*.

'Ik ben rond vijf uur bij je, dan kunnen we ons samen klaarmaken met wat prosecco,' oppert Sally. Is ze echt pas vijftien? Ze arriveert klokslag vijf uur met een zak van de stomerij met daarin een cocktailjurk, drie verschillende paren hoge hakken om over te aarzelen, en een tas vol cosmetica die zo groot is dat je je afvraagt of hij niet eigenlijk van een professionele visagiste is.

'Laat de pret beginnen!' zegt Sally stralend als ze over de pizzafolders in de gang heen stapt, waarna ze vraagt of ze haar jurk in je kast mag hangen, en dus moet je uitleggen dat jouw kast bestaat uit een kledingroe van IKEA. Ze zegt dat ze haar kleren en make-uptas zeker wel bij jou kan achterlaten om ze volgende week een keer op te halen – jouw flat is heus groot genoeg om al haar rotzooi naast die van jou te bevatten.

Ten slotte informeert Sally waar jullie die avond naartoe gaan, en je moet toegeven dat je daar nog niet helemaal uit bent: je vond dat zij moest kiezen. 'Oké,' zegt een steeds meer teleurgestelde Sally. 'Waarom gaan we niet naar Clapham?' Daarop voert er een onwillekeurige huivering door je hele lichaam. Alsjeblieft, niet naar Clapham. Alles behalve Clapham. Ik zou Leicester Square verkiezen boven Clapham, het land van de brallende rugbyfanaten, van top tot teen uitgedost in kleren van Hackett, chino's, instappers en rode sokken.

'Goed,' zeg je, want je hersenen zijn te beneveld door de zuippartij van de vorige avond om iets anders te kunnen bedenken, 'laten we naar Clapham gaan.'

Hoewel het hemelsbreed maar een paar kilometer is, doe je er bijna twee uur over om in Clapham te komen. Dat is ook een reden waarom je nooit op zaterdagavond uitgaat: er zijn vaak afsluitingen in het netwerk van het openbaar vervoer vanwege voorgenomen technische werkzaamheden of meer van die onzin. Als je in Clapham arriveert, smacht je naar alcohol, een gewaarwording die nog wordt versterkt door het tafereel dat voor je ligt: slingerende rijen mensen die bars verlaten, kapotte bierflesjes voor stampvolle pubs, mannen gekleed als Vikingen en golfers die brallen in de koude winternacht. 's Morgens zal het lijken of de brave burgers van Clapham een soort zombieapocalyps hebben overleefd.

'Is dit niet GEWELDIG?' vraagt Sally, die je naar een bar loodst waar wordt geadverteerd met een doorlopend happy hour en een entree van maar een tientje. De portier zet op je hand een stempeltje met een onbestemde vorm dat je pas na drie dagen boenen in bad zult kwijtraken. Je gaat op de bar af, waar de rij over de volle breedte vijf mensen dik is. Ook een reden waarom je nooit in het weekend uitgaat. Sally dringt uiteindelijk naar voren en komt twintig minuten later terug met een blad vliegende herten, cocktails van Jägermeister en Red Bull.

De 'pret' begint echt.

Boven het zware gedreun van oude dansmuziek – 'Macarena', 'Saturday Night', 'YMCA' – hoor je Sally net nog doorzeuren dat ze je leven zo benijdt. In zekere zin wens je dat de muziek nog harder was, zodat je deze onoprechte kletskloek helemaal niet hoefde te horen. 'ALS IK NAAR JOU KIJK, DENK IK: GOD, HAAR LEVEN IS ECHT EEN DROOM,' vang je op een gegeven moment zowaar op, evenals: 'JOUW LEVEN IS ZOALS JE ALS TWINTIGER HOORT TE LEVEN.'

Krijg nou wat, ze moet teut zijn.

'BEGRIJP ME NIET VERKEERD,' krijst ze verder, 'WANT IK HOUD VAN ANDY, WE HEBBEN HET SAMEN GEWELDIG EN IK WEET DAT HIJ DE MAN IS MET WIE IK WIL TROUWEN. MAAR SOMS ZOU IK GEWOON WILLEN DAT IK LOL HAD, NET ZO'N LEVEN LEIDDE ALS JIJ.'

Echt? In een ijskoude flat met ongedierte wonen? Naar bed gaan met mannen die je vergeten te vertellen dat ze een vriendin hebben? 'WELK ASPECT ERVAN BENIJD JE MET NAME?' wil je terugschreeuwen, maar in plaats daarvan knik je maar mee. Ze is nog niet klaar. Ze is nog niet eens echt begonnen.

'WEET JE, OP MOMENTEN ZOALS NU ZOU IK GEWOON WILLEN DAT IK SINGLE WAS.'

Heus? Nee, dat geloof ik niet. Niemand wil echt single zijn, of je moet een sociopaat zijn of toevallig verkering hebben met een sociopaat. En Andy mag van alles zijn – een beetje saai, kennelijk alleen vol passie over het lot van de Saracenen, wat al te dol op bootschoenen – maar hij is geen sociopaat. We zijn nu eenmaal biologisch geschapen om niet single te willen zijn. Of we dat nu leuk vinden of niet, in wezen is het enige doel in ons leven om met iemand klaar te komen en kroost te produceren. Wij mensen zijn sociale wezens en het ligt domweg niet in onze genetische aard om ooit werkelijk SINGLE TE WILLEN ZIJN.

'MORGEN KUN JE HEERLIJK UITSLAPEN, DOEN WAAR JE ZIN IN HEBT,' zeurt ze door, alsof dat uitslapen niet inhoudt dat je je wentelt in je eigen zweet en afkeer van jezelf. 'MAAR IK MOET OPSTAAN EN VLEES BRADEN EN DAN MOET IK NAAR STANSTED RIJDEN OM ANDY OP TE HALEN, EN JIJ KUNT AL JE ENERGIE GEBRUIKEN OM EEN FANTASTISCH LEUKE CARRIÈRE TE HEBBEN, TERWIJL ER VOOR MIJ GEEN ONTKOMEN MEER AAN IS OM EEN PLICHTSGETROUWE BANKIERSVROUW TE WORDEN, ZWANGER TE RAKEN EN UIT TE DIJEN EN DE REST VAN MIJN LEVEN EEN BABY AAN MIJN TIETEN TE HEBBEN HANGEN, HOEWEL JIJ ALLEEN MAAR ZULT MOETEN VERDUREN DAT ER SEXY KERELS AAN JE TIE-TEN HANGEN.'

Ze barst in tranen uit. Je slaat je arm om haar heen, zegt haar dat je even naar achteren moet en haalt nog wat drank voor haar. Tijdens het wachten in de rij troost je jezelf met de wetenschap dat het gras bij de buren altijd groener is en dat je misschien niet bijna zesentwintig wilt zijn terwijl de rest van je leven al helemaal vastligt.

'Hoewel ik soms wens dat ik single was, vind ik toch dat je de-ze collega van Andy moet leren kennen...'

Kijk. Laat dit duidelijk zijn. Natuurlijk wil ik een vriend. Ik stel me ongeveer elk kwartier voor hoe het zou zijn om een vriend te hebben. Soms merk ik dat ik zit te dagdromen over het gevoel dat ik mijn status op Facebook kan veranderen in 'Heeft een relatie'. Om mezelf iets geheimzinnigs te geven als een mogelijke minnaar me soms op internet zou stalken – maar ook omdat ik het spuugzat was om te worden gedefinieerd als alleen – heb ik een keer het feit verwijderd dat ik single was. Alleen wist ik niet dat de melding 'Bryony is niet meer single' in het nieuwsoverzicht van al mijn vrienden zou verschijnen, waardoor mijn prikbord werd overladen met berichten als 'WIE IS DE GELUKKIGE MAN:-)'. Dus moest ik uitleggen dat er geen man was, al dan niet gelukkig, waardoor ik ongeveer even geheimzinnig was als een fietser in een veiligheidsvest die een helm met knipperende lampjes opheeft.

Maar hoewel ik onmiskenbaar naar een vriend smacht, vind ik het toch irritant als iemand anders dan ikzelf dat feit onder woorden brengt, vooral als die persoon toevallig zelf gelukkig gesetteld is. En net zoals zij soms liegen over hun verlangen om alleen verder te gaan, blijk ik de waarheid eveneens geweld aan te doen wanneer ik me tussen stellen bevind.

'Ik ben blij dat ik single ben,' lieg ik tegen hen. 'Ik ga ervan genieten zolang het duurt,' lieg ik tegen mezelf, want dit suggereert dat er volgens mij op een dag een eind zal komen aan deze braakliggende periode. In werkelijkheid verbeeld ik me vaak dat ik altijd alleen zal blijven, maar ik wil niet dat zíj dat denken. Zij moeten geloven dat ik een sterke, onafhankelijke vrouw ben, een bonne vivante, zo'n meid die mannen voor het uitzoeken heeft, maar hen allemaal uit de weg gaat omdat ze zich gewoon nog niet wil binden. Als mijn vriendinnen met partner aan me denken, moeten ze denken dat ik de PERSONIFICATIE van een nummer van Beyoncé ben.

'Je weet toch dat Beyoncé getrouwd is, hè?' zegt Chloe als

ik haar dit vertel. 'En zelfs haar eerste kind verwacht. Ik geloof echt niet dat iemand haar ooit met jou zal associëren.'

'Beyoncé,' deel ik hooghartig mee, 'is een ESSENTIE, geen menselijk wezen.'

Maar hoe graag ik ook wil denken dat ik de essentie van Beyoncé belichaam, het is altijd hetzelfde liedje als ik praat met vriendinnen die een partner hebben, zoals Sally. 'Ik ben er zo jaloers op dat jij single bent,' zegt ze, 'maar nu ik je toch aan de lijn heb, geloof ik echt dat we je moeten koppelen aan die en die collega van Andy, die reuzeknap is en een eigen huis en een Audi heeft, en die het ongeveer vier maanden geleden heeft uitgemaakt met zijn vriendin met wie hij al vijf jaar samen was, maar hij zegt dat hij er nu echt aan toe is om het leven weer op te pakken en iemand anders te leren kennen...'

Nogmaals, wat hebben die mannen? Als ik vijf jaar een relatie met iemand had gehad, zou ik er absoluut niet aan toe zijn om binnen vier jaar het leven weer op te pakken, laat staan binnen vier maanden. Die kerel is net als mijn vader. Ik wil niet uitgaan met mijn vader.

'En we hebben hem alles over je verteld, dat je zo'n feestbeest bent...'

O geweldig, in gedachten heeft hij me al geneukt en verlaten.

'En we hebben je profielfoto op Facebook laten zien...'

Op mijn profielfoto op Facebook heb ik een kikkermuts op en rook ik een sigaar. (Zeg maar niks.) 'En hij vindt dat je ontzettend leuk klinkt...'

Zie je wel, ik heb toch gezegd dat hij me al heeft geneukt en verlaten.

'En hij vroeg zich af of we binnenkort eens met zijn allen ergens wat zouden kunnen gaan drinken.'

'Ik heb je toch gezegd,' lieg ik opnieuw, 'dat ik op het moment niet naar iemand op zoek ben. Ik heb gewoon wat meer tijd voor mezelf nodig. Bovendien geloof ik niet dat een man met een Audi en een huis de juiste man voor me is.'

'Waarom niet?' zegt Sally. 'Komt het doordat hij EEN TE GOED VOORUITZICHT HEEFT? Komt het doordat hij GEEN TOTALE MISLUKKELING IS? Als je zo kieskeurig blijft, zul je nooit iemand leren kennen. En het is al weer tijden geleden sinds je het hebt uitgemaakt met Sam.'

'Eigenlijk heeft hij het uitgemaakt met mij. En zei je niet dat je jaloers was op mijn bestaan als single?'

'Maar ongeveer vijf minuten per maand, als Andy onder het dekbed een wind in mijn gezicht laat,' zegt mijn vriendin met vriend in een vlaag van boosheid. 'Ik wil gewoon dat je gelukkig bent.'

Zeg dat nooit, helemaal nooit, tegen een alleenstaande vrouw.

'IK BEN GELUKKIG,' zeg ik, waarna ik de telefoon neergooi en erachter probeer te komen of ik a) een potje wil huilen of b) een sigaret wil roken. In plaats daarvan kruip ik in bed.

'Je zult alleen liefde vinden als je vanbinnen gelukkig bent.'

O lazer op. Ik meen het écht. Lazer op. Wie denk je wel dat je bent? Die kut-Oprah Winfrey? Als je me vertelt dat ik alleen liefde zal vinden wanneer ik vanbinnen gelukkig ben, wil ik je napraten als een jongetje van vijf en er een gekke bek bij trekken. Dit 'advies' – en ik gebruik de term hier in de breedste zin van het woord – is niet alleen bevoogdend maar ook gevaarlijk. Het geeft me het groene licht om nog meer te doen waar ik zelf zin in heb dan ik toch al doe, hoewel mijn genotzucht, zoals je inmiddels wellicht begint te begrijpen, echt ongeëvenaard is. Als ik de koppels onder mijn vrienden alles vertel over die keer dat ik dit deed en het moment dat ik dat deed, besef ik soms dat ik door de mate waarin ik aan al mijn neigingen toegeef aan Lady Gaga doe denken. Maar ik heb geen idee hoe ik het anders moet doen. Ik ben single. De enige met wie ik rekening moet houden, ben ik, ik, ik. Je hoeft me geen toestemming meer te geven om aan mezelf te denken, echt niet.

En wat betekent het trouwens om vanbinnen gelukkig te zijn? Hoe weet je wanneer je vanbinnen gelukkig bent? Ga je dan huppelend door het leven op een soundtrack van 'Zip-a-Dee-Doo-Dah'? Zie je meer regenbogen dan andere mensen? Merk je als je op een ochtend wakker wordt ineens dat je vriendelijk licht uitstraalt, waardoor je fatsoenlijke mannen aantrekt in plaats van figuren die je als een oppervlak zien om drugs van te gebruiken? En hoe pak je dat precies aan, vanbinnen gelukkig worden? Doe je dat met behulp van yoga? Meditatie? Verdraaide antidepressiva? Als je me dat zou laten weten, zou je advies ZOWAAR NOG ENIG NUT KUNNEN HEBBEN.

En sinds wanneer zijn alle stellen die je tegenkomt vanbinnen gelukkig? Ga maar eens wandelen in het park. Accepteer een uitnodiging voor een restaurant als je er echt niet onderuit kunt. Kijk om je heen. Er zijn stellen die zwijgend eten over hun bord schuiven. Als zij vanbinnen gelukkig waren toen ze elkaar leerden kennen, zijn ze dat nu beslist niet meer. Laten we eens aan beroemde stellen denken om te kijken hoe gelukkig zij waren. Elizabeth Taylor en Richard Burton. Niet gelukkig. Eminem en Kim. Echt niet gelukkig – hij heeft er een nummer over geschreven dat hij haar wilde doden. K-Stew en R-Pattz. Verre van gelukkig. Charles en Diana. Nog nooit zo ongelukkig geweest. Ik bedoel maar, je kunt hooguit zeggen dat je eerder iemand zult aantrekken naarmate je ongelukkiger bent. Wie wil nu uitgaan met iemand die irritant dolgelukkig is en daardoor voortdurend zelfvoldaanheid uit-straalt? Ik niet, dat staat vast.

'Je vindt de liefde wanneer je haar het minst verwacht.'

Nou, daar heb je echt helemaal niets aan. Ik wil de liefde niet vinden wanneer ik haar het minst verwacht. Wanneer ik haar het minst verwacht – bijvoorbeeld als ik op de wc zit, mijn bi-kinilijn laat harsen of in de vuilnisbakken buiten rommel omdat ik een belangrijk document lijk kwijt te zijn – komt het mij gewoon niet uit.

Waarom is de liefde toch zo egoïstisch? Waarom moet ze altijd verschijnen wanneer zij wil, vrijwel zonder er rekening mee te houden of het jou gelegen komt – vlak voordat een vriendin gaat trouwen bijvoorbeeld, of kort nadat je van een ander de bons hebt gekregen.

Daar komt nog bij, en dat is het echte punt, dat iemand die heeft gehoord dat de liefde komt wanneer je haar het minst verwacht, haar naar alle waarschijnlijkheid doorlopend zal verwachten. Zo iemand staat voortdurend op de uitkijk, als een havik die een prooi zoekt, is in de bus, in de supermarkt, in de pub en 's morgens tijdens het tandenpoetsen maar van één ding vervuld: het verwachten van de liefde. Zeg tegen mensen dat het zal gebeuren als ze het níét verwachten, en je brengt hen alleen maar in de hoogste staat van paraatheid. Ze houden zichzelf voor dat ze de liefde niet moeten verwach-ten. Daardoor verwachten ze haar des te meer. Ze wachten tot Cupido, elk moment nu, zijn pijl in hun hart schiet. Dat is hem de kneep. We willen de liefde niet vinden wanneer we haar het minst verwachten. We willen haar nú metéén vin-den.

'Het probleem is dat je mannen intimideert.'

Om eerlijk te zijn tegenover mijn vrienden wordt dit voornamelijk tegen me gezegd door mijn moeder, waarop ik wil antwoorden: 'Nee, mannen worden niet geïntimideerd door MIJ, maar door het feit dat ik zo'n gekke MOEDER heb.' Ze zegt het al sinds ik op mijn vijftiende doodongelukkig was omdat Theo alleen maar bevriend met me wilde zijn. 'Je intimideert hem,' deelde mijn moeder mee, maar we wisten allebei dat de wens hierbij de vader van de gedachte was. De waarheid luidde dat hij zijn eigen weg was gegaan nadat hij het had uitgemaakt met Sally, en dat hij meer belangstelling had voor dat blonde stuk met blauwe ogen dat elke zomer bij haar Zweedse familie in Scandinavië doorbracht.

Nu komt ze telkens wanneer mijn relatie stukloopt (of wanneer een man nooit meer iets van zich laat horen – als mijn relatie stukliep zou dat bijna een soort vooruitgang zijn, denk ik graag) met datzelfde zinnetje op de proppen. Ik vraag waardoor mannen dan geïntimideerd zouden moeten worden. 'Je carrière!' verklaart mijn moeder, die het duidelijk is ontgaan dat ik voornamelijk artikeltjes schrijf over de verzameling jurken van Kate Middleton. Maar ik geloof niet dat mannen worden geïntimideerd door een vrouw met een carrière, niet in deze tijd, dat kan ik in elk geval niet geloven zonder mezelf te willen wurgen met mijn werknemerspas. 'Mam, als een kerel zich door mij laat intimideren omdat ik toevallig zo bof dat ik een baan heb, is hij waarschijnlijk sowieso een absolute eikel.'

'Zo moet je niet praten, Bryony. Dat is heel grof en absoluut niet damesachtig.'

'Eikel, eikel, eikel!'

'Het is geen wonder dat je geen vriend kunt krijgen als je zulke taal uitslaat!'

'Heeft je hoge leeftijd soms tot enige verwarring geleid, mam, waardoor je nu denkt dat we in de negentiende eeuw leven?'

'Ik zeg alleen maar dat het je geen kwaad zou doen als je iets traditioneler en gereserveerder was. Mannen houden van dingen die ze niet kunnen krijgen.'

En dat brengt ons bij de kern van de zaak. Als mijn moeder zegt dat ik mannen intimideer, bedoelt ze eigenlijk dat ik volgens hen een excentriekeling ben omdat ik soms als eerste een sms'je stuur. Toegegeven, er zijn momenten geweest waarop mijn gedrag een tikje gestoord was, bijna grensde aan stalken: telkens kijken of er nieuwe berichten op Facebook stonden, me afvragen of het meisje dat op die foto naast hem stond, twintig seconden nadat de foto was genomen met hem op de dansvloer had liggen rampetampen; de Facebookberichten van het meisje op de foto bekijken om te zien of er iets over een relatie werd gezegd, wat inhield dat ik ook iemand stalkte die ik nog nooit had ontmoet, als een soort Glenn Close op een sociaal netwerk. Maar als ze nooit een app ontwikkelen waardoor je kunt zien wie je pagina heeft bekeken, kan niemand toch weten dat je de hele dag naar zijn of haar profiel hebt zitten kijken?

Het is inderdaad eens voorgekomen dat ik een vent sms'te om me te verontschuldigen voor mijn dronken gedrag, en toen ik vervolgens twee uur lang niets van hem hoorde, heb ik hem opnieuw ge-sms't om me te verontschuldigen voor mijn onsamenhangende sms'je, en toen het daarna uren stil bleef, sms'te ik om te vragen of hij mijn sms'jes wel had ontvangen omdat mijn telefoon kuren had (in werkelijkheid was ik de enige die kuren had). Maar kom op, hoe grof is het om met een meid te zoenen en dan de volgende dag niet eens even contact op te nemen om te zeggen: 'Bedankt voor de herinneringen'? En als ik intiem met iemand ben geweest, waarom zou ik hem de volgende dag dan NIET zeven keer mogen sms'en? Nou?

In deze tijd, nu vrouwen president-directeur en staatshoofd zijn, kan ik dat domweg niet rijmen met het feit dat ik iemand vier dagen niet mag sms'en. Ik kan niet geloven dat het nog altijd sletterig wordt gevonden wanneer ik een wip voorstel tijdens een eerste afspraakje. En ik weet zeker dat ik uit woede daarover meestal zo'n uur of vier nadat ik iemand in een bar heb leren kennen een wip voorstel, zonder dat het ooit tot een afspraakje is gekomen.

Ik ken vrouwen die zich aan de regels houden en mannen vertellen dat ze het heel druk hebben om daardoor verleidelijker te lijken, hoewel ze in werkelijkheid thuisblijven om naar zo'n realityprogramma over rijke jonge Britten als *Made in Chelsea* te kijken. Maar ik doe er niet aan mee. Het lijkt zo schijnheilig, zo ouderwets. Ik vind de regels onbillijk en oneerlijk, en als je je eraan houdt, verraad je volgens mij je zusters. 'Ik ga geen spelletjes spelen,' zeg ik tegen mijn moeder, want ik ben een vrouw met eigen ideeën, en elke man die me niet meer hoeft omdat ik hem twee keer in het uur heb gesms't, kan de pot op.

Ik neem aan dat als ik me leerde beheersen, iemand aan het eind van een avond alleen een kusje op de wang gaf, gewoon mijn leven leidde terwijl ik wachtte tot hij mij belde, vervolgens wat geouwehoer verzon als hij dat eindelijk deed (beweren dat ik het de komende twee weken druk had, maar dat ik misschien een gaatje voor hem had met kerst 2030), ik dan, tja, misschien een relatie zou hebben. Maar als ik moet doen of ik totaal iemand anders ben om een vriend te krijgen, wil ik misschien wel geen vriend. Misschien zal ik dan gewoon een leven als ongehuwde vrouw aanvaarden.

Kom maar op.

6

Hoe overleef je het trouwseizoen?

Ik krijg nooit post, in elk geval nooit post die ik wil openmaken. Soms denk ik dat mijn zus en ik voor onze brievenbus een variant moeten kopen op die stickers met 'GEEN RECLAMEDRUKWERK', die we veranderen in: 'GRAAG RECLAMEDRUKWERK – M.N. FOLDERS VAN AFHAALRESTAURANTS – MAAR S.V.P. NIETS WAT ECHT AAN ONS IS GEADRESSEERD'. Uit brieven die aan ons zijn geadresseerd, kan nooit iets goeds komen. Het zijn a) rekeningen, b) aanmaningen van deurwaarders of c) trouwkaarten.

Ik wil geen spelbreker of kniesoor lijken, maar telkens wanneer ik een trouwkaart zie, zakt het hart me in de schoenen. Dat komt door het prachtig dikke papier met gouden randen, zulk duur, dik papier dat je gewoon weet dat het wel moet zijn gemaakt van de zeldzaamste, kostbaarste bomen uit het Amazonegebied. Het komt door dat zwierige handschrift met krullen. 'De heer en mevrouw die en die nodigen u uit voor het huwelijk van hun dochter, Sally, met Andy, blablabla, r.s.v.p. voor puntjepuntjepuntje, rijtuigen om 2 uur 's middags.' Hè, RIJTUIGEN? Heb je me zojuist per postkoets teruggevoerd naar de ACHTTIENDE EEUW? Nee, ik denk dat ik naar huis zal gaan in een pompoen, als er tenminste genoeg bereik is in het kasteel dat jullie hebben afgehuurd om er een te bellen.

Het komt niet alleen doordat ik een bittere, ongetrouwde feeks ben die maar één keer – ÉÉN KEER – een uitnodiging voor twee personen heeft gekregen, en zelfs toen, terwijl ik me de mogelijkheid begon voor te stellen dat ik in de zes maanden tot de bruiloft een vriend zou krijgen, werd mijn hoop wreed de bodem in geslagen door de mededeling dat ik Chloe moest meebrengen. (Dat was volgens mij het bewijs dat ik als duo altijd alleen maar deel zou uitmaken van een komisch nummer dat de mensen moest vermaken met verhalen over dronken losbandigheid.) Nee, daardoor komt het niet alleen – hoewel dat er uiteraard heel veel mee te maken heeft. Het komt door alles, van het vrijgezellenfeest tot het geld dat wordt uitgegeven aan de algemene gekte waaraan een vrouw ten prooi valt die zich net heeft verloofd. Je hoeft maar met een diamant naar haar te flitsen en bingo, ze wil de wereld niet meer redden maar erover oordelen, als de sprookjesprinses die ze meent te zijn. Natuurlijk wordt niet iedereen gek. Er zijn mensen die in stilte op het stadhuis trouwen, gevolgd door een kleine lunch met goede vrienden en familie. Maar hen haat ik nog meer. Bij de sprookjesprinsessen heb ik tenminste iets waardoor ik mijn gevoelens kan verhullen als redelijke afkeer, terwijl bij de verstandige mensen mijn tomeloze jaloezie op iedereen zichtbaar wordt.

Het begint met het vrijgezellenfeest. Eigenlijk begint het al voor het vrijgezellenfeest. Vrijwel zodra je de zware uitnodiging ontvangt, soms zelfs daarvoor, krijg je van het eerste bruidsmeisje een mailtje met de uitnodiging voor het vrijgezellenfeest. Net zoals ik nooit ben gevraagd als peetmoeder, ben ik ook nooit gevraagd als bruidsmeisje, als eerste noch laatste, maar dat kan me niet schelen. Vrijwel alle eerste bruidsmeisjes die ik ooit ben tegengekomen, waren gespannen en vreugdeloze controlfreaks, van die types die oprecht vinden dat nouveautés als penisrietjes onwijs gaaf en 'echt helemaal te gek' zijn, en die dolgraag een stripper willen huren omdat ze inmiddels al bijna in geen drie maanden meer met hun eigen vriend of man naar bed zijn geweest. Het visitekaartje onder hun mail meldt dat ze een assistent van de president-directeur van het een of ander zijn, een baan die heel weinig moet inhouden, redeneer je, gezien de hoeveelheid tijd die ze besteden aan het organiseren van het vrijgezellenfeest van je vriendin, door je epistels te sturen met de vraag of je voorkeur hebt voor optie één (chocola maken, gevolgd door een diner dat wordt opgediend door naakte kelners, gevolgd door karaoke), optie twee (een bezoek aan een kuuroord in Hampshire, wat je een maand huur kost) of optie drie (een weekend weg in Zuid-Frankrijk, wat je drie maanden huur kost).

Als je kiest voor optie één, maar vraagt of je alleen kunt deelnemen aan het diner en de karaoke, omdat je blut bent en echt geen zin hebt om drie uur met onbekenden chocoladebonbons te rollen die eigenlijk meer weg hebben van hondendrollen, krijg je een koel antwoord terug met de mededeling dat je een bedrag van 154,37 pond moet overmaken op de bankrekening van het eerste bruidsmeisje, een bedrag dat om redenen die alleen bekend zijn aan de Patsy Pietlut die de algehele leiding heeft, exclusief drankjes en vervoer is. Dit betekent dat je nog eens 70 pond bij de al betaalde 154,37 pond moet optellen en het bezoekje aan Topshop dat je door de week heen had moeten helpen, wel kunt vergeten. Je vraagt je af hoe iemand in vredesnaam bevriend kan zijn met dat bazige mens zonder enig gevoel voor humor dat bedragen tot op de penny nauwkeurig berekent, en je komt tot de slotsom dat ze een overblijfsel moet zijn uit de kindertijd van je maatje, haar oudste 'vriendin' die ze eigenlijk nooit aardig heeft gevonden, maar die ze niet kwijt kan raken, een vrouw die toevallig naar dezelfde kleuterschool, lagere school en middelbare school is gegaan en aan wie je vriendin eeuwig vastzit, domweg doordat ze in hetzelfde district zijn opgegroeid.

Als je de 154,37 pond hebt overgemaakt naar het eerste bruidsmeisje, denk je dat je even rust zult hebben, even af zult zijn van de ontelbare 'allen beantwoorden'-mailtjes, waardoor je inbox de afgelopen drie weken overvol is geraakt. Maar nu begint het gesprek over de foto's van jou en de aanstaande bruid die je de Patsy Pietlut moet sturen. Er zijn ook verzoeken of je a) een 'korte' hommage van duizend woorden aan de bruid wilt schrijven, die samen met andere wordt verzameld in een groot boek dat op de dag van het vrijgezellenfeest aan haar wordt gegeven, b) een sexy slipje voor de aanstaande bruid wilt kopen, zodat ze het huwelijksleven 'sensationeel' kan beginnen en c) een gênante anekdote over de bruid wilt leveren die kan worden verwerkt in een spel dat tijdens het diner zal worden gespeeld, tussen het hoofdgerecht en het dessert, en nu ze het toch over het eten heeft, zou je alsjeblieft je keus uit het bijgevoegde menu voor vijf uur vanmiddag willen doorgeven – hoewel het vrijgezellenfeest pas over vier maanden is.

Je ziet als een berg op tegen het vrijgezellenfeest. Je vraagt je af of je niet kunt doen of je het ineens zwaar te pakken hebt van ebola. Je vraagt je af of je niet echt liever zo'n afschuwelijke ziekte zou hebben dan meer dan twaalf uur te moeten verkeren in het gezelschap van een meute gillende vrouwen met een knipperende hoofdtooi van twee voelsprieten die, evenals de rietjes, de vorm hebben van een penis. Groepen van hetzelfde geslacht hebben iets waardoor iedereen verandert in de ergste versie van zichzelf, waardoor elke eigenschap van het geslachtsbepalende chromosoom wordt overdreven. Je hoeft tijdens een avondje stappen maar per ongeluk een aanstaande bruidegom met zijn vrienden tegen te komen om te weten dat mannen het niet beter doen, want ze hebben zich moeten verkleden als travestiet, of als Borat in zijn mankini, of, nog erger, ze zijn spiernaakt in cellofaan gewikkeld en aan een lantaarnpaal vastgebonden. Bovendien boffen ze als dit in hun woonplaats gebeurt en niet in een stad ergens in Oost-Europa, waar easyJet toevallig voor vijftig pence naartoe vliegt. Dat specifieke lot blijft ons vrouwen in elk geval bespaard.

Dus arriveer je op het vrijgezellenfeest met het idee dat het nog erger had gekund, wanneer je ineens een zwart T-shirt in handen krijgt gestopt dat je twee maten te klein is en waarop in knalroze de woorden 'SALLY'S VRIJGEZELLENFEEST' staan geschreven. 'Je mag het houden,' meldt het eerste bruidsmeisje zelfverzekerd, alsof ze je zojuist een fles champagne met een rietje heeft gegeven in plaats van een goedkoop T-shirt waar je uitslag van zult krijgen en dat volstrekt nutteloos is, omdat je het niet eens aan een winkel in tweedehandsspullen van een goed doel kunt geven. Sally arriveert en krijgt de vaste onderdelen van haar uitmonstering: een sluier van vitrage en een sjerp met 'aanstaande bruid' van een of ander brandbaar materiaal. Ze ziet er opgelaten uit, zenuwachtig over wat haar die dag te wachten staat. Diep in haar hart was ze liever gewoon een avond naar de pub gegaan, gevolgd door de quiz 'Hoe goed ken ik mijn partner', om tot slot in een afschuwelijke disco een paar uur te dansen op Shania Twain en Steps.

De dag begint met chocola maken of bloemschikken of, nog erger, het opnemen van een hilarische muziekclip, waarvoor iedereen een glitterpruik opzet en een dansje moet leren op 'Just a Little' van Liberty X, en inwendig ga je een beetje dood en wens je dat je maanden geleden de biefstuk in plaats van de salade had gekozen voor het diner 's avonds. Je probeert vriendschap te sluiten met deze vrouwen uit diverse delen van Sally's leven – de vrouw met wie ze werkt, haar studievriendinnen, de reisgenoot met wie ze door Australië is getrokken – maar ze zijn allemaal al bevriend en niemand is er bijster in geïnteresseerd jou op te nemen in hun kliekje, behalve dan om je te beklagen omdat jij waarschijnlijk nooit een vrijgezellenfeest zult hebben en om je om geld te vragen voor de pot, zodat iedereen teut kan worden van zoete, felgekleurde cocktails. Dit is een van de weinige keren dat je er tijdens een stapavond tussenuit knijpt.

Je begint op te zien tegen de trouwdag zelf, dus zet je die van je af tot twee dagen van tevoren, wanneer de huwelijkslijst je te binnen schiet. Je bent het kaartje kwijt dat bij de uitnodiging zat en waarop precies stond waar je de lijst kunt vinden en met welke naam en welk wachtwoord je moet inloggen, dus stuur je Sally een sms'je op het moment dat ze er werkelijk geen enkele behoefte aan heeft om iets van een grillige gast te horen, om naar de details te vragen.

'Geeft niks,' antwoordt Sally. 'Je vergat te bevestigen dat je komt, dus is het nauwelijks een verrassing dat je de informatie over de huwelijkslijst kwijt bent! :-)' Haar passieve agressie straalt je bijna uit de telefoon tegemoet. Dat kun je haar niet echt kwalijk nemen.

Als je de lijst snel doorneemt, zou je niet zeggen dat Sally en Andy al twee jaar samenwonen in een huis in Putney. Ze willen bestekset en massief zilveren fotolijstjes, peper- en zoutmolens van Peugeot en kleden van Brora. Ze willen picknickmanden en fluitketels van Alessi en keukenmachines van Magimix. Ze zouden graag een apparaat willen hebben dat je kleren eerst wast en vervolgens strijkt en daarna de vuilnis buitenzet, en als het niet te veel is, een paar badjassen met his en hers. Ze willen servethouders. Servethouders! Die heeft toch zeker niemand meer gebruikt sinds het kerstdiner bij opa en oma thuis omstreeks 1995? Toch vind ik de hebberigheid van de huwelijkslijst wat beter dan het stel dat vroeg om een bijdrage voor hun luxueuze huwelijksreis van twee weken naar de Seychellen, inclusief eersteklas tickets. Op de 'donatiewebsite' stond zelfs een barometer om mensen te laten weten hoeveel geld ze bijeen hadden gebracht. Het was net of ze patiënten met een dodelijke ziekte waren, die tijdelijk in een verpleeghuis lagen om hun mantelzorgers te ontlasten, in plaats van een pasgetrouwd middenklassestel met een flat in Chiswick.

Het probleem is echter dat je zo lang hebt gewacht dat er nog maar twee dingen niet zijn gekocht: een set bakblikken en een auto, die er voor de grap op is gezet, of voor het geval die rijke oom in Canada een royale bui heeft. De auto kun je je natuurlijk niet veroorloven, maar als je alleen met bakblikken aankomt, maak je een krenterige indruk. Zodoende zit er niets anders op dan de lijst te negeren, wat mensen vreselijk vinden ('Als ik iets had willen hebben, had ik het wel op DE LIJST gezet'), of helemaal geen moeite doen om iets voor hen te kopen, een optie die steeds aantrekkelijker lijkt, aangezien je al a) 154,37 pond hebt uitgegeven aan het vrijgezellenfeest, b) je nog eens 40 pond hebt betaald voor de 'pot', plus 30 pond aan taxi's, c) je net 200 pond hebt verkwist aan een treinkaartje naar een verre uithoek en een plek om te overnachten als je daar bent, en d) je hun überhaupt nooit hebt gevraagd om te gaan trouwen. Ik meen het SERIEUS, jongens. Alleen omdat jullie hebben besloten jezelf in de schulden te steken om een boterbriefje te halen, wil dat nog niet zeggen dat je alle anderen moet meesleuren in je faillissement.

En Sally en Andy zijn niet de enigen uit je kennissenkring die dit jaar gaan trouwen. Toen ik zevenentwintig was – de leeftijd waarop het trouwseizoen een piek bereikt, merkte ik – ging ik niet naar één, niet naar twee, maar naar zes bruiloften in evenveel maanden. Als je het huwelijk van Sally en Andy als norm neemt, heb ik 2366,22 pond uitgegeven aan die bruiloften. Telkens wanneer ik iemand hoor klagen dat het zo duur is om te trouwen, wil ik ogenblikkelijk onze vriendschap opschorten, onze band laten ontbinden. Je hoefde geen drieduizend pond te besteden aan een jurk die je maar één keer draagt, en het was echt niet nodig om een paar honderd pond te verspillen aan gepersonaliseerde potpourri als bruiloftsbedankje. Ik zal die rotpotpourri aan het eind van de avond op tafel laten staan, wat jullie gruwelijk zal beledigen, en als het me door een klein wonder lukt het spul WEL mee naar huis te nemen, blijft het op de plank staan met massa's andere nutteloze rommel, wat me ergert, waardoor ik louter met wrok terugdenk aan jullie bijzondere dag tot ik het spul na een jaar ten slotte in de vuilnisbak kwak. Jullie hoefden geen twintigduizend pond te besteden aan een bruiloft, maar ik moest WEL tweeduizend pond besteden om naar al jullie bruiloften te gaan. Jullie hadden gewoon naar het gemeentehuis kunnen gaan en vervolgens voor een knalfuif naar de pub, maar nee, jullie vonden dat je recht had op een grote bruiloft, en dat is ook geen wonder na alles wat je hebt neergeteld voor de grote bruiloften van anderen. Op die manier is het trouwseizoen een nachtmerrie van aandachttrekkerij die zichzelf in stand houdt, het trouwequivalent van de Olympische Spelen, waarbij elk gastland of stel moet bewijzen dat het groter en beter is dan eerdere organisatoren om een zelfvoldaan gevoel te hebben.

Maar ik heb een theorie, en wel deze: hoe grootser de bruiloft, hoe minder aannemelijk het is dat het huwelijk zal standhouden. Ik ben eens naar een huwelijksceremonie geweest in Kenia. KENIA. Dat was wel even heel wat anders, mensen. Dat was een bruiloft waarvoor je je moest laten inenten (wat je honderdvijftig pond kostte). Het was een drietrapsfeest, een bruiloft met méérdere bestemmingen. Eerst een paar dagen buiten Nairobi om te wildwatervaren, toen een week aan de kust, waar de feitelijke huwelijksceremonie plaatsvond, en ten slotte een week op safari in de Masai Mara. Je weet dat het een dure bruiloft is als de gasten ook mee mogen op huwelijksreis.

Dat vond ik een prachtige bruiloft. Heus. Ik ben op deze bruiloft weliswaar bijna verdronken toen ik van een vlot in de onstuimig kolkende rivier de Tana werd gegooid, en ik ben bijna onder de voet gelopen door een kudde ongelukkige nijlpaarden toen ik uit de auto stapte om ze van dichterbij te bekijken, maar dit is wel een bruiloft die je voor je gevoel waar voor je geld geeft, een bruiloft waarvoor je aardig wat terugkrijgt. Ik vond het niet erg om geld aan die bruiloft te besteden, omdat hij top was. Het schokte me alleen dat het huwelijk binnen een jaar voorbij was, waarna de bruid me toevertrouwde dat ze al had geweten dat haar man haar bedroog voordat ze met hem trouwde. 'Maar als alle tickets al zijn geboekt, weet je dat je niet meer terug kunt,' zei ze.

'Bekijk het positief,' troostte ik haar. 'We hebben er in elk geval allemaal een leuke vakantie door gehad.'

De bruiloft van Sally en Andy is morgen en je hebt niets om aan te trekken. Goed, je hebt een kast vol jurken, maar die zijn geen van alle geschikt, omdat je er daardoor niet uitziet als de gravin van Wessex, de vrouw van prins Edward, de jongste zoon van de koningin, wanneer de koningin ter gelegenheid van haar verjaardag de parade afneemt. Het maakt niet uit dat je iemand bent die gewoonlijk rondloopt in wetlook leggings, leren jasjes en T-shirts die bij een Hoxtonboetiek zijn aangeschaft voor het duizelingwekkende bedrag van vijftig pond. Als je naar een bruiloft gaat, moet je je desondanks kleden als de gravin van Wessex op de verjaardag van de koningin. Iedereen moet zich kleden als de gravin van Wessex op de verjaardag van de koningin.

Daarvoor moet je naar het chique Hobbs. Je moet winkelen als je moeder. Je moet een jurk in een pastelkleur dragen – een gebloemde jurk zelfs als je je bijzonder dapper voelt – met een bijpassende blazer, vleeskleurige panty's en schoenen met een ingetogen hakje, ook vleeskleurig. Je moet een piepklein tasje in je hand klemmen, waar de sleutel voor je B&B niet echt in past. Je moet een fascinator dragen.

De bedenker van de fascinator, wie dat ook mag zijn, moet zich rotlachen. Alsof hakken en figuurcorrigerend ondergoed nog niet ongerieflijk genoeg zijn, laten we vrouwen ook iets op hun hoofd zetten wat eruitziet als een felgekleurde steiger waarop een duif ellendig aan zijn eind zou kunnen komen.

Ik ben op een bruiloft eens zo dronken geworden dat ik buiten westen ben geraakt met de fascinator nog op mijn hoofd. Toen ik wakker werd, had het ding zich bijna vastgezet in mijn hoofdhuid, en het is een voortdurende bron van verbazing voor me dat ik er niet tot op de dag van vandaag aan vastzit, dat ik niet op vergaderingen hoef te verschijnen en boodschappen in de supermarkt hoef te doen met een fascinator op mijn hoofd. Hij moest door de receptionist van het hotel van mijn hoofdhuid worden losgeknipt, terwijl ik aan een ontbijt van eieren met spek zat. Het spreekt voor zich dat ik er nooit meer een heb gedragen.

Voorzien van de juiste dracht begeef je je naar Paddington Station, waar je de trein van 18.33 uur naar je bestemming wilt nemen. Net als iedereen. In een zeldzame oprisping van organisatietalent heb je een plaats gereserveerd, maar in de chaos van de vrijdagavondspits besluiten de spoorwegen alle reserveringen te laten vervallen. Nu is het voor mannen, vrouwen en kinderen ieder voor zich. Het is net de trein van 18.33 uur naar Calcutta, met zakenlieden in plaats van kippen. Je brengt drie uur door in het treinportaal, waar je zittend op je rolkoffer luistert naar de verhalen van een man van middelbare leeftijd over de vreselijke treinreizen die hij heeft doorstaan, terwijl hij steeds dronkener wordt van de blikjes pils uit de restauratiewagen.

Als de trein eindelijk het station in rijdt, is het pikdonker en kun je geen reet zien, laat staan waar je B&B zou kunnen zijn. In de duisternis onderscheid je net een stel dat zo te zien van jouw leeftijd is en een vage grootsteedse indruk maakt, waardoor je veronderstelt dat het ook naar de bruiloft gaat. Je kent deze mensen niet, maar ze zien eruit als types die weten wat ze doen en waar ze naartoe moeten, wat meer is dan van jou kan worden gezegd. 'HALLO DAAR! HALLO!' roep je vanuit de verte. 'GAAN JULLIE NAAR DE BRUILOFT VAN SALLY EN ANDY?' Als je hen eindelijk hebt ingehaald, kijken ze je aan alsof je gek bent. En na deze start hoop je dat alles anders verder zal gaan, maar daar is geen sprake van.

Het stel heet Edwina en James. Ze hebben met Andy gestudeerd, zeggen ze, waardoor ze je ogenblikkelijk aanmerken als een vriendin van Sally, dat wil zeggen, iemand die niet bij hun clubje hoort. Toch zijn ze zo aardig je in hun taxi te laten meerijden naar het B&B. Je zit voorin en draait je nek tijdens de hobbelige rit langs hagen naar achteren in een poging een gesprek te voeren met twee mensen die duidelijk liever doorzeuren over zijn fout om de camera en de confetti niet in te pakken en haar fout om hem hier niet gewoon in de Audi naartoe te laten rijden, wat veel gerieflijker zou zijn geweest, want dan hadden ze, zelfs als ze in een file waren terechtgekomen, in elk geval een eigen zitplaats gehad.

Als je bij het B&B komt, blijkt het boven een pub te liggen, en James stelt voor 'even een biertje te gaan drinken. Je weet maar nooit, Weena...'

'Je weet dat ik het vreselijk vind als je me Weena noemt,' snauwt Weena.

'Maakt niet uit, Ween. Maar goed, je weet maar nooit, misschien zitten onze oude schavuiten Welshy en Stimpy ook in de bar!'

Je had echt als een haas naar je kamer moeten gaan bij louter het noemen van schavuiten die Welshy en Stimpy heetten.

'JIMBOB!' brult Welshy of misschien Stimpy als Jimbob, Weena en ik de pub in lopen. 'WE HADDEN HET NET OVER JE, OUWE KEREL!' Welshy en Stimpy dragen een chino, een poloshirt en instappers. Ze omhelzen Jimbob ruw en slaan hem zo te zien met woeste stompen op de rug, terwijl Weena toekijkt met een blik vol pure minachting op haar knappe gezicht. Je ziet zo dat ze Welshy en Stimpy alleen tolereert op bruiloften, doopplechtigheden en bar mitswa's. Je weet gewoon dat ze als student heeft gezien hoe Jimbob als lid van het rugbyteam van de universiteit wat al te vaak aan de boemel ging met Welshy en Stimpy, dat er niet twee of drie, maar vier mensen in hun relatie waren: Weena, Jimbob, Welshy en Stimpy.

'WEE,' roept Welshy of Stimpy, die haar een luchtzoen geeft. Ze ziet eruit alsof ze hem wel kan slaan. 'Niet te geloven dat de Andi-nator zich eindelijk gaat settelen. Ben jij de volgende?'

Jimbob slaat zijn ogen ten hemel.

'En wie is deze mooie jonge blom,' zegt Welshy of Stimpy, die op me afkomt met wijd open armen, als een soort presentator van een spelprogramma die op Eton heeft gezeten.

'Laat haar met rust,' snauwt Weena. 'Na die treinreis heeft ze er geen enkele behoefte aan een avond door JOU te worden bepoteld.'

Je komt tot de conclusie dat in Weena een gefrustreerd feestbeest vecht om naar buiten te komen. Je zult je over haar ontfermen. Jullie gaan aan het tafeltje van Welshy en Stimpy zitten, en gezien de omstandigheden zet je het op een zuipen. Wijn wordt gevolgd door bier, wordt gevolgd door glaasjes brandende Drambuie. Waarom ook niet, hè? Sally en de Andi-nator stappen in het huwelijksbootje.

Als je de volgende dag wakker wordt, heb je maar een uur om je aan te kleden en naar de kerk te gaan. Je voelt je misselijk. Je geeft over. Door je de avond ervoor kapot te drinken, heb je te vroeg gepiekt – waarom piek je toch altijd te vroeg? – en nu zul je niet kunnen genieten van de voornaamste gebeurtenis. Je eet de koekjes op die bij de koffie- en theebenodigdheden liggen – je hebt het ontbijt waarvoor je hebt betaald uiteraard gemist – en je dwingt je om onder de douche te stappen. Terwijl het lauwe water over je lichaam druppelt, zie je flashbacks van Welshy of Stimpy die je roemen vanwege je 'geweldige bumpers'. Je gelooft dat je weer moet overgeven.

Na het tandenpoetsen trek je je gekreukelde jurk aan en breng je diverse lagen make-up aan om vervolgens ongerust naar de receptie van het B&B te gaan, waar Weena, Jimbob, Welshy en Stimpy al op je staan te wachten, klaar voor de strijd. 'BRYERS!' roepen ze in koor. 'Je hebt vanochtend een puike wandeling gemist, om nog maar te zwijgen van wat voortreffelijke bloedworst!' Ze zijn al uren op. Ze behoren echt tot een ander slag.

In de spacewagon naar de kerk weet je zeker dat Weena je vernietigende blikken toewerpt. Wat heb je gisteravond gedaan? Ben je zo teut geworden dat je geprobeerd hebt haar te zoenen? Nee, dat kan het niet zijn – zij is juist zo'n gefrustreerd voormalig kostschoolmeisje dat zich helemaal zou laten gaan en jou ook zou zoenen. Heb je dan soms geprobeerd Jimbob te zoenen? Nee, je weet nog dat hij op een barkruk buiten westen raakte toen jullie allemaal opgingen in een rondje 'Heb je wel eens?' O god, nu komt het allemaal ineens weer terug...

'Heb je wel eens,' zei Welshy of was het Stimpy, 'je bumpers tevoorschijn gehaald in het openbaar?'

'Natuurlijk heb ik dat gedaan,' loog je. 'Ik laat me NIET KENNEN.'

En toen...

'Ik zal je eens wat zeggen, Bryers,' zegt Welshy of Stimpy, die het vreselijke besef onderbreekt dat langzaam en pijnlijk tot je begint door te dringen. 'Je laat je ECHT niet kennen door ons zo je airbags te laten zien. Wat een GILLER!'

Airbags! Ze gebruikten daadwerkelijk de term 'airbags'. De spacewagon stopt voor de kerk. Je bent dankbaar dat je aan de kant van de bruid zit, waardoor je minstens een halfuur kunt ontsnappen aan deze hopeloze lolbroeken. De dienst begint, en tijdens schriftlezingen over eeuwige liefde en kameraadschap raak je geëmotioneerd. Niet omdat je vriendin gaat trouwen, maar omdat je een pub eens goed naar je borsten hebt laten kijken, louter en alleen om je niet te laten kennen tegenover een stel horken uit de hogere kringen die je na dit weekend – hopelijk – nooit meer zult zien.

Kom op, wat MANKEERT je?

Met de receptie wordt het toch leuk, hè? Dan kun je uit de plooi komen, je wat ontspannen en feestvieren nadat het serieuze gedoe achter de rug is. Waarom arriveer je daar dan met een vreemde mengeling van hoop en vrees? Vanwege de tafelschikking, daarom.

De tafelschikking bij een bruiloft laat je precies weten hoe je leeftijdgenoten in de maatschappij tegen je aankijken. Als je in de buurt van de hoofdtafel zit, bij de juristen en de mensen die bij de BBC werken, behoor je tot de top. Als je achter in de zaal zit, bij de ongetrouwde tantes en de vrienden van aangetrouwde familieleden, kun je net zo goed rondlopen met op je voorhoofd een grote sticker met 'ACHTERAF TOE-

GEVOEGD'. Als je helemaal niet voor de ceremonie wordt uit-genodigd en alleen voor het feest 's avonds, moet je je serieus gaan afvragen waarom je eigenlijk bevriend bent met deze mensen als je zo laag in hun voedselketen staat. Wanneer ik alleen voor het feest word uitgenodigd, vind ik dat zo kwet-send dat ik bijna liever helemaal niet was uitgenodigd. Bij de gelegenheden dat dit me is overkomen, dacht ik steevast: waarom vraag je me niet gewoon om de garderobe te beman-nen en na afloop de afwas te doen en laat je het daarbij? Van-zelfsprekend ga ik altijd. Ondanks mijn ergernis wil ik een goed feest niet missen.

Zodra ik op de receptie arriveer, ga ik als eerste, nadat ik een flûte met champagne achterover heb geslagen, de tafel-schikking bekijken, biddend terwijl ik erheen loop dat ik niet bij Welshy of Stimpy aan tafel zit. Alstublieft, God, laat me naast een geweldige bink zitten, hoewel ik de kerk heb afge-speurd en er niet een heb kunnen ontdekken. Alstublieft, God, zet me niet naast een vreselijke droogstoppel die werkt voor een denktank en de hele avond met me over de media wil praten. Alstublieft, alstublieft, alstublieft, zet me niet aan een tafel vol stellen. Zet me alstublieft aan de ondeugende ta-fel, de tafel met singles, hoewel me is opgevallen dat er min-der beschikbare mensen zijn, naarmate ik naar meer bruilof-ten ben geweest.

'Ik heb je naast een man gezet die je volgens mij ECHT aar-dig zult vinden,' zegt Sally tegen je als ze een rondje door de zaal maakt. 'Mijn achterneef Tom. Hij is een beetje gek en ex-centriek. Jullie kunnen het vast UITSTEKEND met elkaar vinden.'

O nee. Gek en excentriek. Dat is geen goede combinatie voor me. Dat betekent dat Tom en ik om twee uur 's nachts drugs zullen gebruiken vanaf de hoofden van dwergen. Hoe-wel er geen dwergen aanwezig zijn, zullen we er wel een paar vinden. Zo nodig zullen we ongevraagd binnenvallen op de dichtstbijzijnde dwergenconventie. O god. Stop daarmee, Bryony. Dit betekent eigenlijk dat je je borsten waarschijnlijk weer zult laten zien. Het betekent dat Sally je een grote kluns vindt, waardoor je alleen kunt worden afgescheept met haar gestoorde verre neef.

Je begeeft je naar je toegewezen tafel en staat achter je stoel als de andere mensen aan komen lopen. Er is nog een alleenstaand meisje – GEVAAR, GEVAAR, CONCURRENTIE VOOR DE PAAR RESTERENDE VRIJGEZELLE MANNEN DIE ER ZIJN, VOORAL OMDAT ZE ERUITZIET ALS JENNIFER LAWRENCE – en een homoseksueel stel. Uiteraard zit er een homoseksueel stel aan de ondeugende tafel, want alle homo's moeten natuurlijk het stempel wild en gek krijgen, zelfs als ze accountant en bedrijfsconsulent zijn, zoals deze twee. Welshy (of Stimpy) is er ook, maar gelukkig aan de overkant van de tafel, evenals een vrouw zonder haar man, die in Hongkong werkt, en de vrouw van het vrijgezellenfeest die Sally tijdens haar reis door Australië heeft leren kennen.

Maar geen Tom.

Jij bent de enige persoon in deze hele enorme feestzaal die een lege plaats naast zich heeft. De accountant aan je andere kant praat met de backpacker uit Australië, waardoor jij zit duimen te draaien en flarden probeert op te pikken van gesprekken die elders aan tafel worden gevoerd, en zelfs aan de tafel achter je, want ach, als je niks hebt, kun je niet kieskeurig zijn. Het voorgerecht komt. Geen Tom. Het hoofdgerecht komt. Geen Tom. De toespraken beginnen, en halverwege die van de getuige: daar heb je Tom.

'SORRY DAT IK ZO LAAT BEN,' zegt hij, waarbij zijn poging om te fluisteren luider is dan het geschreeuw van de meeste mensen. 'HET WAS EEN REGELRECHTE RAMP OM HIER TE KOMEN.' Hij gaat zitten, waarbij hij zijn bestek wegslaat. 'Hallo,' zegt hij, terwijl de toch al nerveuze getuige de nieuweling probeert te overstemmen door nog harder te praten. 'IK BEN TOM.' Hij staat weer op en gaat de tafel langs om iedereen een hand te geven, hoewel de toespraken verdergaan.

Hij ziet er niet slecht uit, Tom. Dat zou tenminste zo zijn als zijn pupillen niet verwijd waren en er niet wat geronnen bloed aan zijn neus had gezeten. 'Ik ben niet naar bed geweest,' zal hij je vertellen als de toespraken voorbij zijn. 'Ik had vannacht toevallig een nogal gekke nacht die pas om tien uur vanochtend is geëindigd, vandaar dat ik zo laat ben. Ik heb de trein in Londen gemist, dus moest ik een taxichauffeur betalen om me hierheen te brengen!'

'Een taxi?' zeg je ongelovig. 'Helemaal van Londen naar Somerset?' Hij knikt als een idioot. Hij is net Hugh Grant in *Four Weddings and a Funeral*, als het personage van Hugh Grant tenminste stijf had gestaan van de coke.

Je vindt het bijna beledigend dat Sally je als een mogelijke partner ziet voor deze man. Dat impliceert dat jij ook een onmiskenbare klojo bent. Je wilt absoluut niets met hem te maken hebben. Je zou nog liever een kansje wagen bij Welshy of Stimpy, hoewel wie van hen maar aan tafel zit hevig aan het zoenen is met de dubbelgangster van Jennifer Lawrence. Nee, je zou deze kerel met geen vinger aanraken, ook al vond er ineens een apocalyps plaats en waren jullie door een vreemde speling van het lot dankzij de tafelschikking de enige twee overlevenden. Je paarde nog liever met een kakkerlak dan met hem, punt uit.

De volgende dag word je met een schok wakker. Je bent niet in de kamer vol tierelantijntjes van je B&B. Je bent in een kale, grijze kamer met dubbele ramen en links van je een tafel vol bierblikjes die zijn veranderd in provisorische asbakken. En rechts van je ligt Tom.

'Waar ben ik VERDOMME?' zeg je, terwijl je enigszins opgelucht beseft dat jullie allebei nog al je kleren aanhebben, dat het Tom zelfs is gelukt om met zijn schoenen aan naar bed te gaan.

'Je bent in de Travelodge bij het benzinestation vlak na afslag 24 aan de M5,' zegt hij, alsof dat een volkomen normale plek is om op zondagmorgen wakker te worden, alsof hij dat elke zondagochtend doet in het kader van zijn onderzoek voor een boek met de titel *Travelodges wereldwijd*.

'Hoe zijn we hier gekomen?' Je herinnert je werkelijk niets van wat er de vorige avond na tienen is gebeurd.

'Nou, we hebben eerst een helikopter genomen en toen een privéjet en ten slotte zijn we aan boord gegaan van een hovercraft. Hoe denk je dat we hier zijn gekomen, dombo? Per taxi.'

'Wat is er gebeurd?'

'O, na de eerste dans begonnen we borrels te drinken en toen was er een danswedstrijd op "Crazy in Love".'

Alweer dat rotnummer.

'En daarna volgden er nog meer borrels, en toen de bar vervolgens dichtging, zei je dat je wilde doorgaan, en dus heb ik voorgesteld hierheen te gaan en je zei ja, en toen ik de taxi bestelde, probeerde je me te zoenen.'

Dat zijn woorden die geen enkele vrouw ooit wil horen – je probéérde me te zoenen – want ze impliceren dat je er niet in bent geslaagd. Ze impliceren dat zelfs een maffe junkie niet in je geïnteresseerd is.

'Welnee,' zeg je verdedigend.

'Jawel. Je was zo ladderzat dat het me ongemanierd leek om je van dienst te zijn.' Ik ladderzat! Hij zou me VAN DIENST zijn! 'Je was zo dronken dat je Sally's vader zelfs hebt gedwongen met je te dansen op Madonna's "Like a Virgin", hoewel ik de indruk kreeg dat je dat in geen geval bent.'

'Je bent een klootzak.'

149

'Vier uur geleden zei je nog dat je van me hield.'

'Dat zal wel een hallucinatie zijn geweest.'

'Maar ach, op een bruiloft moet minstens één gast zichzelf voor schut zetten. Dat is de regel. Je hebt gisteravond een nobele taak vervuld en daar kun je heel trots op zijn.'

Je pakt je schoenen, zoekt je piepkleine handtasje, ziet met enige schrik dat de sleutel van je B&B er niet in zit, en loopt naar de deur. Je belooft jezelf plechtig – en op deze manier zal dat wel de enige belofte zijn die je ooit zult afleggen – dat je in goede en kwade dagen, in voor- en tegenspoed, bij ziekte en gezondheid (maar vooral bij ziekte, vermoed je) als iemand vraagt of je weer op een bruiloft wilt komen, zult antwoorden met een eenvoudig 'nee'.

7

Waarin we leren dat Vadertje Tijd de gemeentebelasting niet betaalt, en onze echte vader evenmin

Tring tring.

    Er staat iemand op de stoep.

    Tring, tring.

    Er staat iemand op de stoep.

    Tring tring tring.

    Er staat iemand op de stoep.

    TRINGGGGGGGGGGG.

    Er staat VERDOMME IEMAND OP DE STOEP.

    Ik wrijf in mijn ogen en doe ze in het donker open. Is dit een soort afschuwelijke dagdroom? Ik tast op het nachtkastje rond naar mijn mobieltje om te kijken hoe laat het is. TRING. Het is 05.31 uur. TRING TRING. 05.31 uur. Dit, denk ik, is de definitie van 'wakker schrikken'. TRING-TRING-TRING-TRING-TRING, korte pauze, TRING-TRING-TRING-TRING, kortere pauze, TRING-TRING.

    Godsamme. Er staat ECHT iemand op de stoep die met mijn bel een voetbalspreekkoor speelt. Het is niet gewoon een droom. Er staat echt een lévend mens op de stoep. Het is 05.31 uur en er staat iemand op de stoep. Wat is er aan de hand? Waarom staat er iemand op de stoep?

'BRYONY,' klinkt een bange kreet uit de slaapkamer van mijn zus. 'WAT IS ER VERDORIE AAN DE HAND?' Ze komt mijn kamer in rennen en springt bij me in bed. 'Heb je drugs- schulden?' fluistert ze met een blik vol dodelijke ernst in haar vermoeide ogen. 'Staat er een drugsbaron op de stoep? Dat kun je me vertellen als het zo is. Daar kunnen we wat aan doen. We kunnen mam en pap alles vertellen en zij zullen de schulden regelen en dan kunnen we jou naar een afk...'

'O, hou toch je MOND,' val ik haar in de rede. 'Ik heb geen drugsschulden en er staat in geen geval een drugsbaron op de stoep. Misschien zijn het een stel dronkenlappen uit de buurt die keet trappen.'

TRING-TRING-TRING.

'Misschien is het een SERIEMOORDENAAR,' stoot mijn zus uit, en ze verstopt zich onder het dekbed. 'O god, we zul- len sterven voordat we onze belofte hebben waargemaakt. We zullen sterven voor we de kans hebben gehad onze ouders kleinkinderen te geven. Voor we de kans hebben gehad alles te hebben waar meiden van onze leeftijd van dromen: een ge- slaagde carrière, een eigen flat en een paar Jimmy Choos!'

TRING-TRING-TRING.

'Ik denk niet dat een seriemoordenaar zo beleefd zou zijn om aan te bellen. Ik denk dat die gewoon zijn gang zou gaan en zou inbreken en ons in ons bed zou vermoorden voor we het zelfs maar doorhadden.'

TRING-TRING-TRING.

'Goeie god, Bryony, GA DE DEUR OPENDOEN.'

Maar ik ga onder geen beding de deur opendoen voor ie- mand die om 05.31 uur aanbelt. Dat kun je schudden. 'Het zou Steve kunnen zijn,' fluister ik, me vastklampend aan steeds kleinere strohalmen. 'Misschien is hij wezen stappen en is hij zo dronken geworden dat hij zijn sleutels kwijt is, en nu belt hij bij ons aan omdat hij een bed nodig heeft voor de nacht, of in elk geval voor de anderhalf uur tot het tijd is om op te staan en naar je werk te gaan.'

TRINGGGGGGGGGGGGGGGGG.

'Goed, ik ga door de gordijnen gluren om te kijken wie het is, en dan ga ik bedenken of ik de deur wil opendoen of de politie moet bellen.'

'O GOD, STEL JE VOOR DAT HET DE POLITIE IS DIE JE KOMT ARRESTEREN OMDAT JE DRUGS GEBRUIKT!'

'Aangezien ik al ongeveer een jaar geen drugs meer gebruik, lijkt dat me heel onwaarschijnlijk.'

In de wetenschap dat het niet de politie is, maar er niet helemaal van overtuigd dat het geen seriemoordenaar is, kruip ik op handen en voeten door de gang naar de woonkamer, waar ik kan zien wie het is. Ik weet niet waarom ik kruip. Dat zal ik wel in films hebben gezien, in griezelfilms waarin een gewonde tiener probeert te ontkomen aan de met een bijl zwaaiende gemaskerde gek die het huis is binnengedrongen. Maar ik ben geen gewonde tiener en ik word niet bedreigd door een met een bijl zwaaiende gemaskerde gek, want als dat wel zo was, had hij zijn wapen inmiddels beslist gebruikt om de deur open te breken. Het kruipen vertraagt me hooguit. Het beschermt me in geen geval als wie er maar op de stoep staat zou besluiten om door de brievenbus te kijken – dan bevind ik me zelfs precies in zijn gezichtsveld. Ik klim op de bank en trek aan de gordijnen, net op tijd om de brievenbus te horen klepperen en te zien hoe twee mannen in zware overjassen weglopen en weer in een grote bestelbus stappen, waarop ik ondanks de duisternis van de vroege ochtend vaag de woorden 'SCHULD', 'INCASSERING' en 'DIENSTEN' kan onderscheiden. Ik stap weer van de bank af en ga naar de deurmat onder de brievenbus. Daarop ligt een envelop die me smeekt hem DRINGEND open te maken, want het woord 'dringend' is in dikke, rode letters geschreven en twee keer onderstreept om de boodschap te benadrukken.

Ik heb je toch gezegd dat ik het niet leuk vind om post te krijgen.

En dus maak ik hem open, terwijl mijn hart bonst in mijn borst en mijn hersenen me vertellen dat ik misschien liever een seriemoordenaar aan de deur had gehad.

'U hebt verzuimd het openstaande bedrag te betalen dat hierboven te zien is en volgens de gemeente Brent op uw naam staat,' begint hij, zonder zelfs maar 'Geachte mevrouw Gordon' om de klap te verzachten.

'U dient het verschuldigde bedrag TERSTOND volledig te betalen of we komen bij u langs om uw bezittingen mee te nemen teneinde ze te laten veilen of het verschuldigde bedrag op te halen.'

Wat zullen ze meenemen? Onze verzameling jurken van Topshop? Onze make-up? De inhoud van de koelkast: een bakje hummus en een verlepte komkommer, die allebei vermoedelijk al de uiterste houdbaarheidsdatum hebben overschreden, en een halve fles ketchup? Mijn krakende oude iPod, die alleen waarde heeft voor nerds die Appleproducten van de tweede generatie als relikwieën uit een voorbij tijdperk beschouwen? In deze flat is vrijwel niets van ons, de bedden waarin we slapen noch de waardeloze oude televisie waar we soms naar kijken. Zelfs de stofzuiger is niet van ons. Ik wil in mijn pyjama achter de deurwaarders aan rennen. 'Kom binnen!' wil ik zeggen met mijn innemendste glimlach. 'Neem maar wat u wilt, en VEEL SUCCES OM DAARMEE IN DE BUURT TE KOMEN VAN DE WAARDE VAN 854,67 POND, STELLETJE LAWAAIIGE, SLAAPVERSTORENDE KLOOTZAKKEN.'

Ik ga verder met de brief.

'U dient te weten dat het openstaande bedrag betrekking

heeft op een betalingsbevel dat op verzoek van de gemeente Brent door de kantonrechter is uitgevaardigd vanwege het niet betalen van de gemeentebelasting. WAARSCHUWING: VERWIJDERING VAN GOEDEREN LEIDT VOOR U TOT HOGERE AANSLAGEN DAN HIERBOVEN VERMELD.

O geweldig, geef een vrouw maar een trap na wanneer ze al gevloerd is. PAK DE KLEREN VAN ONS LIJF EN HET ETEN UIT ONZE MOND, EN BRENG DAT VOORRECHT VER-VOLGENS IN REKENING, ALLEMAAL VANWEGE ÉÉN DOM VERGISSINKJE, VANWEGE MIJN BESLUIT DE POST NIET OPEN TE MAKEN DIE DE GEMEENTE ONS MAAR BLEEF STUREN, IN DE VERONDERSTELLING DAT MIJN ZUS DE GEMEENTEBELASTING HAD BETAALD, ZOALS WE HEBBEN AFGESPROKEN TOEN WE HIER KWAMEN WONEN, TERWIJL IK DE REKENINGEN VOOR WATER, GAS EN LICHT OP ME ZOU NEMEN – die ik, nu ik erover nadenk, evenmin heb betaald. Het is toch zeker een mensen-recht om water, verwarming en licht te hebben? Het is toch zeker te gek dat je daarvoor zou moeten betalen?

'Wie was het?' zegt mijn zus, die op de bank gaat zitten en onze gammele televisie aanzet voor de klaarwakkere en en-thousiaste gezichten van de presentatoren van *Daybreak*. Mijn maag draait zich om. Ik ben misselijk.

''t-Was-de-deurwaarder,' gooi ik er snel uit.

'De wat?'

'De deurwaarder. Ik denk dat ze 's morgens heel vroeg ko-men om zeker te weten dat je thuis bent. We hebben onze ge-meentebelasting niet betaald, en als we die niet binnen veer-tien dagen betalen, komen ze binnen om al onze spullen mee te nemen en te laten veilen, en als dat niet genoeg geld ople-vert, komen ze terug om ons op te halen en ZETTEN ZE ONS WAARSCHIJNLIJK GEVANGEN.'

Mijn zus begint te huilen.

Bij *Daybreak* bespreken ze de laatste serie *Strictly Come Dancing*.

'Waarom heb je de gemeentebelasting niet betaald?' snottert mijn zus.

'Hoe bedoel je, waarom heb ik de gemeentebelasting niet betaald? Dat zou jij doen!'

'Ik kan me niet herinneren dat ik een contract heb getekend om daarmee in te stemmen,' huilt ze. 'Bovendien verdien ik minder dan jij!'

'Ik zal je een hint met een koevoet geven. Je deelt een flat niet op basis van WIE HET MINST VERDIENT. Mensen zeggen niet: "O, ik krijg maar dertienduizend per jaar, dus vind ik dat ik geen rekeningen hoef te betalen, en omdat jij negentienduizend hebt, moet je ook mijn cornflakes, brood en jam betalen." Ik verdien nauwelijks genoeg om elk jaar alles voor mezelf te kunnen betalen, laat staan dat ik ook nog een onewomanbijstandssyteem moet worden bij wie jij uitkeringen kunt eisen. Daar hebben we onze ouders voor!'

'Eigenlijk niet,' zegt mijn zus, die de zaak voor zichzelf op een rijtje zet. 'Eerst dacht ik dat Vadertje Tijd de gemeentebelasting zou betalen...'

'Wat dacht je?'

'Ik bleef de betaling maar uitstellen, omdat ik dacht dat ik op de een of andere manier wel aan het geld zou kunnen komen en dat alles dan in orde zou zijn, of in elk geval dat jíj dat zou doen, en toen heb ik onze vader gebeld en hij zei dat jij – JIJ, BRYONY, een vrouw van bijna ZEVENENTWINTIG – de afgelopen paar maanden zoveel geld van hem had geleend, dat hij het zich niet kon veroorloven ons uit deze financiële penarie te halen.'

'Zóveel heb ik nu ook weer niet geleend.'

Mijn zus kijkt me met toegeknepen ogen aan. *Daybreak* is overgegaan op *The X Factor*.

'Goed, een paar honderd pond. Maar anders hadden we het ons niet kunnen veroorloven om te eten.'

'We eten niet, Bryony. Sinds we hier wonen, zijn we in geen enkele supermarkt geweest, of je moet die keer meetellen dat we drank voor het feest gingen kopen, wat ik grappig genoeg niet doe. We leven van sandwiches van Prêt à Manger, tortillachips en dipsausjes. Daar kun je geen paar honderd pond aan uitgeven, ook al zou je het PROBEREN.'

'Nou, ik moest roken.'

'Maakt niet uit,' zucht mijn zus. 'Het punt is: wat gaan we nu doen? Hoe komen we binnen twee weken aan bijna negenhonderd pond? De bank van mam en pap heeft zijn deuren voor ons gesloten. We krijgen allebei pas over drie weken weer geld. We moeten iets bedenken.'

Bij *Daybreak* waren ze naadloos overgegaan van een vete tussen Louis Walsh en Sharon Osbourne op een onderwerp over flitskredieten.

Ik kon al niet met geld omgaan toen ik het nog niet eens zelf verdiende, was al voorbestemd voor een leven van financiële dwaasheden voor ik zelfs maar een twinkeling in de ogen van mijn ouders was. Ik ben geboren in de jaren tachtig en ben volwassen geworden in de jaren negentig, toen de bomen tot in de hemel groeiden en het volkomen normaal was om nu te kopen en later te betalen, om een lening te sluiten voor een exotische vakantie die niemand zich kon veroorloven. Het leek onbeleefd om niet naar Zuid-Frankrijk te gaan als de luchtvaartmaatschappijen zonder franje er al voor dertig pond per enkele reis naartoe vlogen, en het zou je een rotzorg zijn dat je geen hotel voor minder dan honderd euro per nacht kon krijgen. Ik behoorde tot de Nintendogeneratie: de nieuwste spelcomputer was nooit genoeg, je wachtte altijd tot de volgende versie er was, met animaties die nog flitsender en spelletjes die nog grappiger waren. We werden in onze jeugd bestookt met speciaal op ons gerichte reclames, voor speelgoed en muzieksystemen en, later, kleren en cosmetica, en er werd in elk geval tegen mij nooit nee gezegd. Ik gilde of mokte te veel als dat gebeurde, waardoor mijn ouders, die druk probeerden een balans te vinden tussen werk en gezin, maar toegaven en deden wat het gemakkelijkst en minst vermoeiend was. Als ik nu terugkijk, zie ik een enorme Augustus Gloop van een kind, en dan schaam ik me een beetje.

Ik verwachtte een zekere levensstandaard, zonder meer een middenklassenniveau, en het is nog altijd een schok voor me dat ik het met minder moet doen. Toen ik mijn baan kreeg, was ik in de zevende hemel omdat ik het gigantische bedrag van vijftienduizend pond per jaar ging verdienen, maar binnen een maand besefte ik dat dit misschien niet letterlijk niets was, maar wel min of meer verlangde dat ik van de lucht leefde. En ik behoor kennelijk nog tot de gelukkigen. Ik heb een baan. Ik heb een beroep.

Ik heb vrienden die honderden malen intelligenter en beter zijn dan ik en die niet dat geluk hebben: Sarah is aan Cambridge in twee vakken cum laude afgestudeerd, maar moet bij gebrek aan vacatures overdag als receptioniste werken en 's avonds in een pub; Tom werkt bij Topman en serveert 's avonds drankjes aan miljonairs van in de veertig die dolblij zijn dat ze niet vijftien jaar later zijn geboren, iets wat Tom moet troosten, maar hem alleen nog meer deprimeert. Alles deprimeert Tom, zelfs op Facebook kijken. Hij zegt dat hij zijn activiteiten niet kan melden zonder aan Mark Zuckerbergs miljoenen te denken en dan kan hij wel in tranen uitbarsten.

Zelfs diegenen onder ons die wel in hun eigen vak aan de slag zijn gegaan, vragen zich af of die baan over tien jaar nog zal bestaan en of zij hem dan nog zullen hebben, want we zijn bang dat er iemand om de hoek staat die jonger en slimmer is en bereid is ons werk voor nog minder te doen. Dus ben ik aandoenlijk dankbaar voor mijn vijftienduizend pond per jaar, die uiteindelijk zal stijgen tot zeventienduizend en dan – wow! – tot tweeëntwintigduizend, en doordat mijn salaris in zulke kleine stapjes stijgt, zal ik begin dertig zijn tegen de tijd dat ik een enigszins redelijk salaris heb om in Londen van te kunnen leven.

'Ik begrijp niet waarom je niet gewoon om loonsverhoging vraagt,' zegt mijn moeder op een zondagmiddag als ik vraag – nee, smeek – of ik nog veertig pond van haar kan 'lenen', hoewel we allebei weten dat ik die veertig pond nooit zal terugbetalen. Als mam een bank was, zou ze vijf jaar geleden door de overheid zijn gesloten. 'Je bent een volwassen vrouw. Toen ik zo oud was als jij, had ik twee kinderen, een hypotheek en moest ik SCHOOLGELD betalen. Ik durf te wedden dat jij niet eens pensioen opbouwt.'

Ze heeft gelijk, als altijd. Dat doe ik niet. Welk verstandig mens zou nu maandelijks vijftig kostbare ponden wegzetten voor de 'toekomst', vooral als het heden zo deprimerend is? Nee, zeg maar niks.

Het punt is dat ik de krant niet om loonsverhoging durf te vragen. Wanneer ik terugkijk op mijn carrière als twintiger, is het niet de promotie van de tienerbijlage naar het katern met achtergrondartikelen die me vervult met de meeste trots. Het is evenmin een bekroond interview met een beroemde Hollywoodster of een lofmail van een hoofdredacteur om me te bedanken dat ik zo hard aan een artikel heb gewerkt. Nee, het is het feit dat ik niet één, niet twee, niet drie, maar vier ontslagrondes heb overleefd, hoewel ik dat waarschijnlijk te danken heb aan het feit dat ik zo weinig verdien dat mijn ontslag niet het geringste verschil zou maken voor de financiële situatie van het bedrijf. 'Tja, dat zal wel een voordeel zijn van niets verdienen,' zegt mijn moeder. 'Elk nadeel en zo.'

Er is nog een reden waarom ik nooit om opslag vraag. Ik geniet zo van mijn werk dat het me een tikkeltje onbeleefd en ondankbaar lijkt om te vragen of ik er meer geld voor kan krijgen. En zo kan het dus gebeuren dat ik naar Dubai word gestuurd om een hotel te bespreken en daar te horen krijg dat mijn minibar in de gigantische kamer met keuken, drie banken en twee badkamers zal worden leeggehaald, omdat ik geen creditcard heb (daarmee vertrouw ik mezelf niet) voor de bijkomende kosten. Daar zit ik dan, in een van de rijkste steden ter wereld, zonder dat ik zelfs maar een pakje Pringles kan kopen om op te eten, terwijl ik me ontspan in een van de twee baden. In plaats daarvan smokkel ik croissants mee van het ontbijtbuffet, zodat ik niet voor een lunch of een diner hoef te betalen.

Ik ben ook een keer naar Los Angeles gevlogen – de prijs van mijn ticket was op zich waarschijnlijk meer dan mijn maandsalaris – om Justin Timberlake te interviewen. Heb ik al verteld hoe gek ik ben op Justin Timberlake? Telkens wanneer ik een van zijn nummers hoor, heb ik het gevoel dat mijn kleren van me af kunnen vallen. Ik werd een villa in geleid op het terrein van Chateau Marmont, zo'n hotel waarin topsterren een halfjaar een suite nemen, alleen omdat ze zich dat kunnen veroorloven, en ik kreeg te horen dat ik het onder geen beding mocht hebben over zijn liefdesleven, van vroeger of nu. 'Wat je ook doet,' fluisterde zijn pr-functionaris, 'NOEM. HET. B. WOORD. NIET.'

Ik nam aan dat hij Britney Spears bedoelde.

Ik zat voor mijn gevoel uren te wachten in de woonkamer van de villa, met een schare bewakers om me heen. Ten slotte arriveerde meneer in eigen persoon. Voor me stond de knapste man ter wereld – in levenden lijve nog knapper, geloof ik – met zijn hand uitgestoken naar MIJ. 'Justin,' zei de pr-functionaris, 'dit is Britne...' Hij onderbrak zichzelf. Ik kon niet geloven dat míj dit weer moest overkomen. 'Ik bedoel, Bryony.' Justins gezicht betrok. Het interview werd ineens van een uur teruggebracht tot twintig minuten, wat inhield dat ik bijna zesduizend mijl om de aardbol had gevlogen voor iets wat neerkwam op een theepauze. 'Ik ben heel spiritueel,' vertelde Justin me terwijl hij een kaars aanstak, 'en spontaan. Ik bedoel,' zei hij, wijzend naar de tuin van de villa, 'laten we de rest van het interview in die boom doen!'

'Goed!' Ik stond stralend op. Hij keek me aan met iets wat aan medelijden grensde. Zijn entourage begon te grinniken. 'Niet écht,' zei Justin, en dat was dat. Ik ging weer zitten. Het interview was voorbij.

Telkens wanneer ik overweeg om een salarisverhoging te vragen, denk ik aan zulke dingen. Ik denk aan de keer dat ik met sir Richard Branson om de wereld vloog, naar Hongkong, Sydney en Los Angeles, eerste klas. Heus, ik overdrijf niet, maar ik geloof dat de slaapcabines groter waren dan mijn slaapkamer thuis in Ladbroke Grove. De hotelkamer met uitzicht op de haven van Sydney was dat in elk geval. En ik moet lachen om dat alles, om die grote paradox in mijn leven. Het ene moment sla ik linksaf en word ik overladen met champagne terwijl ik ergens in de Stille Oceaan op mijn luchtbed lig, en even later ben ik terug in mijn groezelige flat en vraag ik me af of ik soms wat spaghetti bolognese van mijn zus en haar vriend mag hebben, omdat ik de limiet van mijn krediet heb bereikt. Ik ben inmiddels een vrouw van zevenentwintig die haar vader nog steeds de rekening van haar mobiel laat betalen en die haar moeder laat dokken voor haar contactlenzen. Ik herinner mezelf eraan dat ik elke maand zonder mankeren mijn moeder om geld vraag 'alleen om de tijd tot ik mijn geld krijg te overbruggen'. Ik heb haar zelfs om geld gevraagd toen ze in het ziekenhuis bij het bed van mijn stervende oma zat. Ze had gevraagd of ik even thee wilde halen, en omdat ik geen rooie cent had, kon ik toch niet anders? Ik heb zelfs eens geprobeerd het horloge van Gucci te verpanden dat ik op mijn achttiende verjaardag heb gekregen, maar de man achter de toonbank zei dat het 'niet modern genoeg was om meer dan een paar honderd pond op te leveren'. Een paar honderd pond leek op dat moment heel wat geld, maar zou nooit genoeg zijn geweest om de therapie te betalen die ik nodig zou hebben na het verbale geweld dat mijn moeder op me zou loslaten wanneer ze er uiteindelijk achter kwam waar het horloge was gebleven.

Voor mij verloopt elke maand hetzelfde. De eerste twee weken nadat ik mijn geld heb gekregen, leef ik als een prinses: ik koop flessen wijn in de pub – ik trakteer! –, neem taxi's naar huis en leef me helemaal uit bij Zara, en de laatste twee weken leef ik als een armoedzaaier, kan ik mijn ov-pas niet eens opladen of ik moet het tot betaaldag zonder lattes en een lunch stellen. Op de krant hoor ik sommige mensen wel eens vaag vragen wanneer we ons geld krijgen. Ze zitten aan hun bureau een latte te drinken die ze niet met losse muntjes hebben betaald, en knabbelen nonchalant op een banaan die ze hebben meegenomen, omdat ze, in tegenstelling tot mij, verstandig zijn en bananen per tros kopen en er niet vijftig pence per stuk voor betalen.

'O, wanneer is het betaaldag?' zeggen ze, alsof ze vragen naar de datum van iets wat hun totaal vreemd is, als de ramadan of Diwali. Wanneer is het betaaldag? Wanneer is het betaaldag? Het is net of je NIET WEET WANNEER HET KERSTMIS IS OF WANNEER JE JARIG BENT. Betaaldag valt heel duidelijk op de achtentwintigste van de maand of de dichtstbijzijnde vrijdag als de achtentwintigste op een zaterdag, zondag of feestdag valt. Het enige mogelijke excuus om de datum niet te kennen moet iets volkomen bizars zijn, zoals het vermogen om niet je hele maandsalaris al twee weken voordat je weer geld krijgt te hebben uitgegeven.

Dat heb ik welgeteld één keer gepresteerd, en dat kwam alleen doordat mijn lieve oma was overleden en me een leuk bedrag had nagelaten. Een verstandig mens zou het hebben weggezet om te gaan sparen voor een eigen flat. Ik niet, door de redenering dat een eigen flat niet zo aanlokkelijk was als bijvoorbeeld een spijkerbroek van Chloe die ik al maanden dolgraag wilde hebben en een handtas van Mulberry, twee dingen waarvan ik wist dat ze veel meer de instemming van mijn onvolprezen oma zouden genieten dan een enorme hypotheek op een zit-slaapkamer in Crawley. Het heeft geen zin om een appeltje voor de dorst te hebben in een land waar het hele jaar door volop appels te krijgen zijn, dus ging ik aan de slag om de twee mille er in evenveel weken door te jagen aan opschik als schoenen en jurken, om vervolgens weer te vervallen tot mijn normale armoede, zonder daarbij enige acht te slaan op de groeiende stapel onbetaalde rekeningen.

Ik heb mijn moeder niet eens het geld terugbetaald dat ze me had gegeven om die thee te halen.

Het is me helemaal nooit vreemd voorgekomen dat ik een handtas van Mulberry had maar geen functionerende pinpas, of dat ik de peperdure gewoonte in stand hield om voor acht pond per dag te roken terwijl ik me erover beklaagde dat ik 's avonds witte bonen op geroosterd brood moest eten. En zodoende werd de gemeentebelasting niet betaald en stond de deurwaarder op een koude winterochtend bij ons op de stoep.

Dit is het financiële plaatje van de gezusters Gordon, en ik geloof dat het een getrouwe weerspiegeling is van de situatie in het hele Verenigd Koninkrijk: we zijn belazerd. Als mijn zus haar huur en reiskosten heeft betaald, houdt ze de geweldige som van driehonderd pond over die ze maandelijks kan besteden. Dat is vijfenzeventig pond per week. Dat is echt heel weinig als je in Londen woont.

Dus kan ik niet van haar verwachten dat ze bijdraagt aan de ruim achthonderd pond die we schuldig zijn aan de gemeente of de deurwaarder. Ik kan het evenmin aan mijn vader en moeder vragen. Iedereen van in de twintig weet dat vijftig pond zo nu en dan aanvaardbaar is, exact het juiste bedrag om te voorkomen dat ze werkelijk razend op je worden, maar bij een bedrag van meer dan twee cijfers kun je net zo goed je nederlaag aanvaarden en weer thuis gaan wonen, met een staart van schulden tussen je benen.

Ik kan het me echter evenmin veroorloven om het bedrag te betalen. Ik had mijn krediet kunnen gebruiken, maar dat is al gebeurd, en weer verhoogd en weer, tot de bank me helemaal geen krediet meer verleende, waarbij me in een brief werd meegedeeld – de klootzakken belden niet eens! – dat mijn Visabetaalpas eveneens zou worden vervangen door een dun plastic kaartje dat aan de genoemde brief zat, een dun plastic kaartje met het zielige opschrift SOLO.

'Solo?' giechelde mijn zus toen ik het haar vertelde, en er stroomden tranen van het lachen over haar gezicht terwijl ze probeerde te vatten wat ik haar net had verteld, wat ik net had opgebiecht, nadat ik mijn financiële situatie enkele maanden in vernederd stilzwijgen had gedragen. 'De bank wil je alleen een Solopas geven. HA HA HA HA HA HA. Zelfs ons broertje van vijftien is al ongeveer TWEE JAAR GELEDEN van een Solopas overgegaan op een normale betaalpas. O man, dit is prachtig. Je hebt alleen een Solopas. Hoe heb je dat verdorie voor elkaar gekregen?'

'Door steeds weer mijn kredietlimiet te overschrijden. En telkens wanneer ik mijn kredietlimiet overschreed, moest ik daarvoor betalen, waardoor ik mijn kredietlimiet nog verder overschreed, waardoor ik nog meer moest betalen, enzovoort, enzovoort tot ik alleen nog maar een rotbankpas mag hebben die zo armoedig is dat ze niet eens de moeite hebben genomen er de nummers in reliëf op te zetten. Zo waardeloos is die Solopas.'

Ik zal je even wat meer vertellen over de Solopas. Volgens mij heet hij Solopas, omdat hij maar door één winkel in het hele land wordt geaccepteerd, terwijl de andere winkels je de deur uit lachen en voorstellen dat je terugkomt met lunchbonnen of boekenbonnen, of dat je in plaats daarvan met knopen betaalt. Je kunt je Solopas gebruiken om geld op te nemen bij een geldautomaat, maar veel meer kun je er niet mee. Je zou het bijvoorbeeld nooit in je hoofd halen om te proberen de pas in het buitenland te gebruiken. Als je in de trein een kaartje met een Solopas probeert te betalen, zet de conducteur je er bij het volgende station uit en dan moet je je moeder op haar kosten bellen om haar te vragen of ze je wil komen halen, zodat je niet naar je bestemming hoeft te lopen. Dat weet ik, doordat het me eens is overkomen.

Daar zit ik dus, zonder krediet, zonder functionerende betaalpas, zonder hoop. De dag van de deurwaarder komt dichterbij, maar ik ben nog niet dichter bij een oplossing hoe ik hem moet betalen dan toen ik zijn dreigende laatste vordering las. Ik kan alleen mijn lichaam verkopen, een dure callgirl worden – hierbij is het enige probleem (nee, nee, een van de vele problemen) dat ik er niet helemaal zeker van ben of iemand me wel voor mijn tijd zou willen betalen. Telkens wanneer ik een klant zag, zou ik me geroepen voelen uit te leggen waarom ik in deze ellende zat. Ik zou op de rand van het bed zitten, met felrode kousen en een slipje zonder kruis, en terwijl ik de bankbiljetten bekeek die hij net had neergelegd, zou ik losbarsten: 'Gewoonlijk ben ik niet zo'n meisje als dit, weet je,' zou ik beginnen. 'Ik bedoel dat ik wel degelijk overdag een baan heb, een echte baan, waarvoor ik achter en niet schrijlings op een bureau moet zitten.' Een vlugge blik opzij naar de 'kantoorruimte' van de hotelkamer. 'Het komt gewoon doordat ik het slachtoffer ben geworden van de economische crisis, zie je, net als iedereen, en nu moet ik de eindjes aan elkaar knopen. Wat verlang ik naar de tijd van de hoog- en LAAGCONJUNCTUUR.' Ik buig gratis voorover om mijn tieten te tonen in hun balconettebeha. 'En daarom zit ik hier nu, om te proberen de ruim achthonderd pond bij elkaar te schrapen zodat de deurwaarder MIJN DEUR NIET MEER KAPOTBEUKT.' Koket gegiechel.

Nee, het zou volstrekt hopeloos zijn.

In plaats van mijn hele lichaam zou ik misschien alleen lichaamsdelen kunnen verkopen – nieren, een stuk long, een hoornvlies wellicht. Eigenlijk weet ik niet zeker of ze wel iets aan mijn longen zouden hebben, en aan mijn hoornvliezen hebben ze helemaal niets, aangezien ik zonder mijn lenzen bijna blind ben, dus zal ik mijn zus op de een of andere manier moeten overhalen afstand te doen van de hare. Een andere, minder wanhopige optie is natuurlijk om gewoon te gaan smeken bij de bank.

Ik wip tijdens mijn lunchpauze even binnen bij het filiaal in de buurt, sta een halfuur in de rij achter mensen die nog altijd dingen als een chequeboek hebben, en vraag of ik iemand kan spreken over de mogelijkheid om een lening af te sluiten. 'Over een halfuur kunt u iemand spreken,' zegt de man achter de balie, zonder op te kijken van de berg bankbiljetten die hij aan het tellen is. 'U mag plaatsnemen in de wachtruimte tot een collega naar u toe kan komen.'

Ik probeer oogcontact met hem te maken. Zijn ogen knipperen niet eens.

'Kan ik niet wat eerder iemand spreken? Ik moet namelijk terug naar mijn w...'

'Balie acht,' snauwt de man in zijn microfoon. Tijdens het spreken kijkt hij recht over mijn schouder naar de rij achter me.

In de wachtruimte vraag ik me af hoe banken het toch flikken om er ongestraft zo'n verschrikkelijk waardeloos arbeidsethos op na te kunnen houden. Alleen maar open van negen tot vijf, gesloten op zaterdag en zondag, en natuurlijk ook op feestdagen, hoewel eerlijk gezegd elke dag een feestdag is als je bij een bank achter de balie zit.

Als een kledingzaak er zulke uren op nahield, of een kruidenier, zouden ze binnen een week failliet zijn. Maar banken hebben alle macht, doordat ze al het geld hebben, en zodoende zit ik met vijftien andere mensen in de wachtruimte, worden we allemaal gedwongen twee uur van onze werkdag te verspillen zodat de lijntrekkers aan de andere kant van het kogelvrije glas er klokslag vijf uur mee kunnen kappen. Ik zit te friemelen aan brochures over hypotheken en verzekeringen en annuïteitendeposito's. Ik heb geen idee wat een annuïteitendeposito is. Ik kijk naar affiches waarop blije kinderen pakjes openscheuren. 'Persoonlijke leningen voor iedereen' staat erop. 'U bepaalt waar u het geld aan besteedt.' Daardoor voel ik me beter, heel even. Als er mensen zijn die een persoonlijke lening afsluiten om cadeautjes voor anderen te kunnen kopen, moet het geen enkel probleem zijn om een persoonlijke lening af te sluiten om de deurwaarder op afstand te houden.

Maar als ik ten slotte iemand te spreken krijg over die persoonlijke leningen voor iedereen, ontdek ik dat het eigenlijk persoonlijke leningen voor iedereen behalve mij zijn. De man die ik een halfuur geleden heb gesproken, is achter balie acht vandaan gekomen om al mijn gegevens in te voeren in een computer. Hij vraagt naar mijn werk, mijn salaris, mijn adres en mijn geboortedatum. Dan drukt hij op een knop, 'waardoor ik zal kunnen zeggen hoeveel geld u kunt lenen'.

We zitten zwijgend met een strakke grimas op ons gezicht te wachten terwijl de computer krakend in actie komt en het gesnor van zijn inwendige ventilator mijn gevoel van ongerustheid over de omvang van het financiële probleem waarmee ik zit, verder aanwakkert. WOEEEESJJJ, zegt de computer. TRRRRRRR. De man van balie acht houdt zijn hoofd scheef, kantelt het beurtelings van zijn ene naar zijn andere schouder op de maat van het geluid uit zijn computer. Hij tikt met zijn pen op het bureau en kijkt op zijn horloge. 'Sorry,' zegt hij zonder het echt te menen. 'U weet hoe dat gaat met computers.'

'Zeker,' knik ik. Geef bij twijfel de computer de schuld, of nog beter, zeg dat de mail het niet doet. Hoewel we allemaal weten dat de mail het in 1998 voor het laatst niet heeft gedaan.

Ten slotte maakt de computer geen geluid meer. 'Aha, daar zijn we,' zegt de man van balie acht. 'Juist.' Hij kauwt op zijn onderlip en staart even naar het scherm. Dan wendt hij zich tot mij, en hij vertelt me met een ervaren stem, waarin een zweem van zowel medelijden als minachting klinkt, dat ik ben afgewezen voor een lening.

'U kunt het over een maand of zes nog eens proberen,' zegt hij. 'Kunnen we vandaag verder nog iets voor u doen?' Ik weet niet hoe hij verwacht dat ik die vraag zal beantwoorden. 'Eigenlijk wel ja. Aangezien de bank me de achthonderd pond niet wil lenen, zou u het dan erg vinden om me het bedrag uit uw eigen zak te lenen? Ik beloof dat ik het zal terugbetalen zodra dat gaat. U weet waar ik woon, want al mijn gegevens staan daar op uw computer, en ik zou dit horloge van Gucci als onderpand kunnen achterlaten.'

'Nee, dank u,' zeg ik echter met de weinige waardigheid die ik nog heb. 'U hebt voor vandaag meer dan genoeg voor me gedaan.'

Ik ga terug naar mijn werk. Ik weet wat me te doen staat.

Ik ben een dwaas, een idioot, een moedwillige domkop. Ik heb een flitslening afgesloten, hoewel dat werd afgeraden door de mensen van *Daybreak*, die me als eerste opmerkzaam hebben gemaakt op het bestaan van deze wettige woekeraars. Toen ik wist dat je er gemakkelijk aan kon komen, was het slechts een kwestie van tijd – in dit opzicht verschilden deze leningen voor mij niet veel van cocaïne. 'Heb je wat geld nodig tot betaaldag?' zeiden de advertenties toen ik op Google keek. Er waren honderden en honderden bedrijven die het me wilden geven en ik hoefde letterlijk maar op een knop te drukken om het te krijgen.

Het kostte me vijf minuten om aan het geld te komen om de deurwaarder weg te houden, en dat gaf me een goed gevoel. Het maakte niet uit dat ik mijn schuld alleen had overgeheveld naar een andere organisatie die me een rente op jaarbasis van 4214 procent wilde berekenen, wat, toen ik er even over nadacht, wel heel veel leek. Net als bij een annuïteitendeposito had ik geen idee wat rente op jaarbasis precies inhield. Voorlopig was het zalig om niets te weten. Daardoor kon ik Marlboro Lights kopen in plaats van goedkope Mayfairs. Daardoor kon ik vijf avonden per week uitgaan zonder te worden gewekt door de incasseerders. In elk geval niet de incasseerders aan wie ik gewend was.

Het mooist was dat ik de lening de volgende maand niet hoefde af te betalen. Ik kon het bedrijf gewoon een klein beetje geld geven en de rest uitstellen tot de maand erop – en daarop en daarop en daarop. Het geld kon eindeloos door- en door- en doorrollen tot ik uiteindelijk drieduizend pond zou betalen voor een lening van achthonderd pond, en dat is ook precies wat er de volgende jaren is gebeurd. Ik zou het nooit leren, niet in dit tempo. Ik was een financiële pias geworden, die vastzat in een eindeloze cyclus van moedwillige domheid. Daar was ik dan, op weg naar de dertig, en ik was er nog niet achter hoe ik met geld moest omgaan. TRING-TRING-TRING klonken in mijn hersenen de deurwaarders, die zo veel mogelijk grijze cellen probeerden terug te halen uit de chaos in mijn hoofd. Het was tijd om weer grip op mijn leven te krijgen.

8

Een mooi lichaam,
een ellendige geest

Wanneer Chloe voorstelt twee weken naar Saint Lucia te gaan voor een zware training voor 'lichaam en ziel' – alsof twee weken van meedogenloze discipline zal opwegen tegen bijna een decennium van zelfvernietiging – besef ik dat ik haar moet vertellen van de flitslening. De schaamte ervoor brandt niet alleen een gat in mijn portemonnee, maar in mijn hele wezen. Ik voel me net Kerry Katona, en dan voel ik me nog erger dan Kerry Katona, want Kerry Katona had tenminste activa waardoor ze failliet kon gaan, terwijl ik... Ik heb NIETS. 'Ik kan niet eens failliet gaan!' jammer ik als ik in de kantine in de rij sta voor de thee. 'Hoe zielig is dat?'

'Maak je niet druk,' zegt Chloe, die groene thee bestelt. 'Toen ik in de twintig was, had ik alleen controle over mijn gewicht. Nu ik eind dertig ben, heb ik de controle over mijn gewicht verruild voor de controle over mijn bankrekening. En ik weet wel wat ik liever heb.'

Dit is een van de vreemde paradoxen van Chloe: hoewel ze hip en cool en een beetje rock-'n-roll is, heeft ze ook een spaarrekening. Ik kan me niet voorstellen dat ik ooit voldoende grip op mijn financiën zal hebben om er een spaarrekening op na te kunnen houden, of, nu ik erover nadenk, dat ik grip op mijn gewicht zal hebben. Op mijn zestiende heb ik anorexia geprobeerd, maar net als zoveel dingen in mijn leven bleek dat niets voor mij te zijn. Ik had alles over de eetstoornis gelezen in *Just Seventeen* en was de week begonnen vol hooggespannen verwachtingen voor mijn carrière als anorexiapatiënt. Dat leek me een nobel en eerzaam streven. Maar woensdag besefte ik al dat ik te gulzig was om er ooit iets van terecht te brengen, te veel van knakworst en ketchup hield. Ik had niet genoeg wilskracht, was niet sterk genoeg. En zo eindigde mijn flirt met anorexia al na slechts achtenveertig uur, en ik was vol bewondering voor mensen die het wel konden. Ik had geen medelijden met anorexiapatiënten; ik benijdde hen. Ik vond het verbazingwekkend dat ze zo standvastig waren terwijl ze niet veel meer wogen dan een jong vogeltje.

Als tiener en twintiger woog ik het grootste deel van de tijd maar zevenenvijftig kilo, maar ik heb me altijd alleen maar dik gevoeld. Dik zijn was volgens mij evenzeer een geestesgesteldheid als een lichamelijke toestand, want vrijwel iedere vrouw die ik ooit was tegengekomen dacht dat ze gigantisch was, waardoor het normaal leek dat ik er net zo over dacht. Als ik naar mijn moeder en haar vriendinnen keek, hadden ze het altijd over diëten en bespraken ze hoe ze vet gingen verbranden terwijl ze naar de work-out van Jane Fonda keken. Ik leerde dat het ultieme compliment luidde: 'Zo te zien ben je afgevallen,' en dat de reactie bijna altijd iets was in de trant van: 'O god, nee, ik voel me veel te zwaar, maar dankjewel.' Ik geloof niet dat ik ooit een vrouw heb horen zeggen dat ze blij was met haar lichaam, of dat ik haar er met genegenheid over heb horen spreken. Het tegenovergestelde was het geval. Ze klaagden over hun neus, hun voeten, hun slappe armen en hun lovehandles. 'Eerder hatehandles,' lachten ze allemaal, waarna ze het nieuwste dieet uit Amerika begonnen te bespreken waarover ze in de *Daily Mail* hadden gelezen.

Ik neem het mijn moeder niet kwalijk dat ik me dik voelde. Ik neem het de vrouwenbladen en modellen evenmin kwalijk. Het zit toch zeker dieper? Vrouwelijke afkeer van zichzelf is generaties lang doorgegeven, is in onze psyche gegrift, in ons DNA geëtst. Als een vriendin van mijn moeder, of van mij, ooit had meegedeeld dat ze blij was met haar lichaam, weet ik vrij zeker dat ze als een melaatse uit haar sociale kring was gestoten en achter haar rug was veroordeeld vanwege haar verschrikkelijke ego, dat, nu we het er toch over hebben, wel eens serieus mocht worden aangepakt.

Slank zijn was het ultieme doel, al heb ik geen idee waarom. Dacht ik dat ik daardoor meer succes zou hebben in mijn carrière of eerder bestendige liefde zou vinden? Ik zal wel gewoon hebben geloofd dat ik er gelukkiger door zou worden, hoewel ik me door de strijd om slank te zijn in werkelijkheid alleen maar ongelukkig voelde.

'Knettergek' was de standaardinstelling waarmee ik aan mijn leven als twintiger begon. Wanneer ik op een dag op die tien jaar terugkijk, zal ik beseffen dat mijn ongezondste relatie niet met een man was maar met eten. Over die wijsheid achteraf, die volwassenheid beschik ik nu echter nog niet. Ik zie niet dat mijn lichaam op zijn mooist is, dat mijn borsten nooit steviger zullen zijn en dat er nooit meer zoveel ruimte tussen mijn dijen zal bestaan. Ik heb geen idee wat mijn lichaam in een jaar of tien zal doormaken, en dat ik het dan, wanneer ik echt moet afvallen, te druk zal hebben en te moe en te gelaten zal zijn om er iets aan te doen. Ik zal mijn esthetische gouden jaren verspillen, ik zal ze doorbrengen in ontkenning, en tijdens mijn streven naar slankheid zal mijn lichaam, waar niets aan mankeert, er waarschijnlijk alleen maar op achteruitgaan, zal mijn stralende huid vergrauwen en zal ik god mag weten wat voor schade aanrichten die ik niet kan zien.

Je kent die artikelen in de zondagsbijlagen wel, waarin beroemdheden onthullen wat ze eten en een voedingsdeskundige dat analyseert en zegt dat ze weliswaar vette vis, boerenkool en granaatappels binnenkrijgen, en elke ochtend warm water met citroen drinken, maar desondanks toch echt meer vezels in hun leven kunnen gebruiken. Daar moet ik hardop om lachen, echt. Ik heb geprobeerd 's morgens warm water met citroen te drinken, maar daar heb ik helemaal niets aan. Er zit geen cafeïne in, geen suiker, niets anders dan wat citruskracht om je op te peppen. En als een voedingsdeskundige míjn voeding zou analyseren, weet ik vrij zeker dat ze me regelrecht naar het ziekenhuis zou sturen om me aan een infuus te leggen, waarbij ze me en passant zou meedelen dat ik nog drie weken te leven heb.

In een poging om te beseffen hoe vreselijk ongezond ik eet, schrijf ik een week lang alles op wat ik binnenkrijg. Het is waarschijnlijk het best om dit niet te lezen als je zit te eten.

ONTBIJT

Ik weet dat het ontbijt de belangrijkste maaltijd van de dag is. Het is gewoon zonde dat het op dat specifieke tijdstip valt. Wie kan nu voor twaalf uur eten? Wie kan dan iets anders dan koffie naar binnen krijgen? Ik niet – meestal ben ik te katterig om het te proberen, en ik wil geen kostbare calorieën verspillen aan zoiets saais als cornflakes. Dus neem ik in plaats daarvan een kop zwarte koffie met vijf suikerklontjes en drie Marlboro Lights.

OCHTENDSNACK

Ik heb gehoord dat je dan iets als pompoenzaden moet eten. Vroeger gaf ik pompoenzaden aan mijn Russische dwerghamsters, om je duidelijk te maken hoe ik daarover denk. Mijn ochtendsnack bestaat uit een soja latte, omdat ik heb gehoord dat sojamelk beter voor je is dan zuivel. En nog wat peuken.

LUNCH

Uiteraard neem ik de soep van de dag bij de Prêt à Manger, elke dag, gedurende de hele week. Soms gun ik mezelf, als traktatie wanneer ik een enorme kater heb, een broodje. Het is een wonder dat ik niet doorlopend een kater heb, als je bedenkt hoe weinig ik eet en hoeveel ik drink, maar zoals ik graag zeg: 'Je leeft maar één keer, ook al leef je niet zo lang als zou moeten doordat je waardeloos eet...'

MIDDAGSNACK

Een pil met multivitaminen en mineralen, die wordt weggespoeld door een capsule met omega 3. Wat edamameboontjes, zonder zout.

AVONDETEN

Wokkels. Wokkels zijn mijn enige concessie aan koolhydraten. Toen ik het Atkinsdieet probeerde, ontdekte ik dat je een beetje naar een open riool begint te ruiken als je ze helemaal niet eet.

WEEKENDDIEET

Nou, tegen de tijd dat het weekend aanbreekt, verga ik natuurlijk van de honger. Dan ben ik toe aan een feestmaal. Ik eet fish-and-chips en pizza die je per meter kunt bestellen. Ik bestelde een keer zoveel pizza dat de man die alles kwam brengen, vroeg of ik een feestje gaf. 'Nee, het is alleen voor mij,' zei ik, waarna ik de doos op zijn kant moest houden omdat hij anders niet door de deur kon. Ik koop hamburgers en gefrituurde worstjes in een deegjasje, en tussendoor eet ik varkenspasteien. Die doop ik in grote stromen halvanaise, want als er weinig vet in zit, kan het toch geen kwaad? Hmmm, halvanaise.

Ik denk doorlopend aan eten, maar ironisch genoeg heb ik

geen idee hoe ik het moet klaarmaken. Ik koketteer met dit onvermogen om snel een groene salade in elkaar te kunnen draaien alsof het een onderscheidingsteken is, want ik ben er vrij zeker van dat ik daardoor een echte moderne vrouw ben en dat het aantoont dat ik te druk bezig ben om door glazen plafonds heen te breken (of van tafels in nachtclubs te vallen) om mijn tijd te verdoen met het klaarmaken van macaroni met kaas. Als ik heel af en toe eens naar de supermarkt ga, verbaas ik me vaak over de winkelwagens en manden voor me, over de kruiden en specerijen en granen en peulen en stukken vlees met bot om te worden gebraden. Ik heb geruchten gehoord dat je zelf soep kunt maken, in plaats van gewoon soep te kopen in blik of in plastic bakjes bij Prêt à Manger, maar het duizelt me als ik bedenk hoe dat proces in zijn werk gaat. Ik heb horen praten over het koken van kippenbotten om bouillon te trekken, maar je kunt pas kippenbotten koken als je kip hebt gebraden, en ik heb geen idee hoe dat moet. Ik bekijk dingen als venkel en pompoen en aubergines en denk bij mezelf: wat moet je er in godsnaam mee doen? Het is zoiets als proberen een bijzonder moeilijke vergelijking op te lossen, of achter de zin van het leven te komen.

Ik weet dat mijn leven, net als wanneer ik een vriend had, ogenblikkelijk beter zou zijn als ik kon koken. Maar het is een vicieuze cirkel. Als je geen vriend hebt, heb je niemand om voor te koken, en wat heeft het voor zin om voor één persoon te koken? Al die tijd, moeite en energie die je besteedt aan iets wat je gaat opeten? Het zou net zijn of je de *Mona Lisa* schilderde en die daarna verder in de kelder verborg (alleen denk ik natuurlijk niet dat ik ooit het culinaire equivalent van de *Mona Lisa* zou kunnen bereiden). Ik kan een soort spaghetti bolognese maken als je het niet erg vindt dat het meer spaghetti dan bolognese is (ik word al onpasselijk als ik aan gehakt denk, oké?), en ik kan biefstuk klaarmaken en daar wat spinazie bij roerbakken, als je het niet erg vindt dat je biefstuk zwart vanbuiten, maar bloederig vanbinnen is. Ik kan broccoli en bloemkool kleinsnijden om in wat hummus te dippen, maar verwacht niet van me dat ik die groenten voor je ga koken, of je moet het lekker vinden als ze zo gaar zijn dat elke voedingswaarde te verwaarlozen is, doordat hun vitaminen en mineralen zijn weggelekt in een roestige oude pan.

Ik houd mezelf voor dat koken iets is wat later in het leven komt, net als de menopauze, waardering voor klassieke muziek en, als ik Chloe mag geloven, een spaarrekening. Op een ochtend zal ik wakker worden en zal de klassieke zender als bij toverslag door het huis galmen, in plaats van een stom rund van de popzender, en er zal een schaal met het een of ander 'langzaam staan te garen' in de oven. Nou ja, langzaam garen? Kom op, waar zou je je druk om maken?

Ik heb eens geprobeerd een traditionele zondagse lunch te geven met het idee dat het een goede pr-oefening zou zijn, een manier om mensen een meer volwassen, een minder futloze, oppervlakkige kant van me te laten zien. Ik haalde Chloe erbij, omdat het haar volgens mij ook goed zou doen – al was het maar een manier om het halve weekend te vullen.

We besloten de lunch bij haar te geven, aangezien zij een eettafel heeft (die uitsluitend wordt gebruikt als rustplaats voor rekeningen, recepten en losse papieren die nergens anders naartoe kunnen), terwijl mijn zus en ik van de salontafel moeten eten. We nodigden Steve, mijn zus, James en zijn nieuwe vriend Richard uit. 'Jij brengt het eten mee,' mopperde Chloe. 'Ik doe niet aan supermarkten.'

'Niks aan!' zei ik terwijl het enthousiasme van me afstraalde. 'Wat kan er in vredesnaam misgaan?'

Ik weet het niet. Misschien heeft mijn zus de koelkast per

ongeluk open laten staan, of misschien is de temperatuur toevallig veranderd toen ik het pakket rundvlees dat ik bij de slager had gekocht erin legde. Hij had me gezegd dat het een uitstekend braadstuk was dat UITERAARD goed zou blijven tot zondag als ik het in de koelkast legde zodra ik thuiskwam, en ja, het zou een korte rit door de stad ook overleven. Ik gaf hem een briefje van twintig pond en stelde me voor hoe we met lof zouden worden overladen wanneer onze vrienden het geweldige braadstuk van Chloe en Bryony zouden proeven.

'Het ziet eruit als Lady Gaga,' zei Chloe toen we het rundvlees uit de plastic zak haalden.

'Hoe bedoel je, het ziet eruit als Lady Gaga?' antwoordde ik terwijl ik op de grond zat te prutsen aan de knoppen van haar blinkend schone, nog nooit gebruikte oven.

'Ik bedoel dat het haar lijkt te hebben. En wenkbrauwen. Het ziet eruit als Lady Gaga toen ze die vleesjurk aanhad bij de MTV Awards.'

Ik stond op en bekeek het vlees. Ik deed mijn ogen dicht en kokhalsde. Het vlees dat beslist goed zou blijven, leek inderdaad een beetje op Lady Gaga, als Lady Gaga beschimmeld was geweest en vol blaasjes had gezeten. 'O jezus,' zei ik, me omdraaiend en naar mijn maag grijpend. 'Hij zei dat het goed zou blijven!'

'Nou, dat is niet zo. En over ongeveer', ze keek op haar iPhone, 'een uur staan er gasten op de stoep. En als we dit op tafel zetten, zullen ze allemaal een rol spelen in hun eigen aflevering van *Come Die With Me*.'

'Wat moeten we doen? Kunnen we de beschimmelde stukjes niet gewoon wegsnijden?'

'Bryony, als we alle beschimmelde stukjes zouden wegsnijden, zou er niet genoeg vlees overblijven voor één persoon, laat staan voor zes.'

'Goed, dan improviseren we.'

'Hoe? Door hun groente, aardappelen en wijn voor te zetten in de hoop dat ze niet beseffen dat er geen vlees op hun bord ligt?'

Ik haalde diep adem. 'We moeten het bestellen bij een afhaalrestaurant en doen alsof wij het hebben klaargemaakt.'

'O, juist, we bellen gewoon het afhaalrestaurant voor zondags gebraad en laten het bezorgen.'

'Nee, we bellen de pub verderop in de straat. We gaan erheen om het zelf op te halen. Dat is op dit moment het enige wat ik kan bedenken.'

Zodoende hadden we verscholen onder in de oven een portie kip, lam, rundvlees en, om het af te maken, speenvarken staan, want meer kon de pub niet doen zonder vlees te kort te komen voor zijn eigen klanten. Voor deze leugen, waarvan we zeker wisten dat niemand erin zou trappen, hebben we de lieve som van honderd pond betaald. Steve was er het eerst. Ik weet niet waarom het me een goed idee had geleken hem überhaupt uit te nodigen, want hij waant zich een soort Gordon Ramsay in de keuken, of in elk geval een Antony Worrall Thompson. 'Nou,' zei hij toen hij met een klap een zo te zien dure fles rode wijn op het dichtstbijzijnde horizontale vlak neerzette. 'Wat voor vlees zit er in de pan?'

'Sexy vlees,' zei Chloe sarcastisch.

'We hebben van alles wat,' kwam ik tussenbeide.

'Van alles wat?' zei Steve. 'Tjonge, jullie zijn er echt hard tegenaan gegaan, wat grappig is, want ik kan niet ruiken dat er is gekookt.'

'Weet je niet dat het vreselijk onbeleefd is om ergens te komen en dan de culinaire vaardigheden van je gastvrouw te bekritiseren?' zei Chloe. Ik wist niet of Steve en Chloe wel goed met elkaar konden opschieten.

'Ik was me er niet van bewust dat Bryony en jij enige culinaire vaardigheden hadden.'

Mijn zus – ach, zij wist te weinig van eten om te bedenken dat de meeste mensen niet vier verschillende soorten vlees voor hun gasten braadden. James en Richard gaven alleen om de wijn. Steve vond zijn varkensvlees lekker, maar merkte op dat het 'een tikje droog' was.

'Je boft dat je überhaupt te eten hebt gekregen,' snauwde Chloe.

'Nou, ik verheug me erop om te zien wat jullie voor nagerecht hebben gemaakt,' zei hij, waarop hij zelfvoldaan op zijn stoel naar achteren leunde. Chloe en ik keken elkaar aan. We stonden op en gingen naar de keukenhoek. 'Jezus,' siste ze in mijn oor. 'Die lul verwacht ook nog een nágerecht?'

'Ik denk dat we in alle redelijkheid kunnen zeggen,' fluisterde ik terwijl ik mijn jas aantrok om ijs te gaan halen bij de dichtstbijzijnde tijdschriftenverkoper, 'dat we dit voorlopig niet meer zullen doen.'

En dan is er nog – ha ha – lichaamsbeweging. Kickboksen. Lange wandelingen. Spinning. Abseilen. Klimmen. Zwemmen. Powerplates. Zumba. Wateraerobics. Tennis. Tafeltennis. Tai chi. Conditietraining. Turbotraining. Benen, billen en buik. Pilates. Yoga. Hot yoga. Slow yoga. Snelle yoga. Tijdens mijn eindeloze speurtocht naar een mooi lijf heb ik een klein fortuin uitgegeven door me in te schrijven voor al die cursussen en er ergens tussen twee weken en twee maanden later weer mee op te houden, omdat mijn aanvankelijke enthousiasme al snel was verdampt door de verveling van het bewegen op zich. Al die cursussen zouden me gaan redden, zouden me op het rechte, smalle pad brengen, maar ze lieten me alleen berooid achter, hunkerend naar een zak Ringlings. Ik blijf maar wachten op de endorfine waar iedereen zo hoog van opgeeft, maar de endorfine komt nooit. Ik ervaar alleen geluks-hormonen wanneer ik thuiskom en een bord pasta eet. Laatst heb ik al mijn vreselijke ervaringen met lichaamsbeweging opgeschreven en ik hoef het verslag maar te lezen of het zweet breekt me al uit.

HARDLOPEN

Ik noem het hardlopen, maar het is meer 'vlug wandelen'. Toen ik tijdens mijn lunchpauze eens een rondje door Hyde Park rende, werd ik ingehaald door een joggingclub van tachtigjarigen. Op mijn iPod staan speellijsten voor de sportschool en om te strekken, speellijsten om op te joggen als de zon schijnt en als het winter is. Maar het enige geluid waarmee ik echt vertrouwd ben, is het geluid van het fiasco; telkens wanneer ik een stukje ga 'hardlopen', ben ik ervan overtuigd dat ik zal worden gevolgd door een groepje mannen dat op hun trombones komische struikelgeluiden ten gehore brengt.

Ik ben langer bezig om mijn joggingtenue uit te kiezen dan dat ik ooit echt ren. Ik moet niet één maar twee sportbeha's dragen om mijn borsten in het gareel te houden, en dan kan ik niet goed ademhalen omdat ik me er zo door belemmerd voel. Ik kan al niet goed ademhalen wanneer ik achter mijn bureau zit – dat krijg je ervan als je er twintig per dag rookt –, kun je nagaan hoe ik ben als ik ga joggen. Mijn longen lijken elk moment te kunnen barsten. Sommige mensen praten over het gevoel van vrijheid dat ze ervaren tijdens het hardlopen, maar volgens mij zijn het psychopaten. Het enige waarvan ik door het joggen zou kunnen worden bevrijd is dit aardse ongerief, om met Hamlet te spreken – wat me doet denken aan iets wat Steve zei toen ik terugkwam van dat rondje in Hyde Park, bezweet en met een rood gezicht. 'Goeie genade, Bry, je ziet eruit alsof je net een kernbom hebt overleefd.'

Inmiddels denk je vast dat ik zo'n type ben dat alleen op internet surft, of misschien, als het echt moet, meesurft op de culturele tijdgeest. Nee dus. Omdat ik dolgraag zo'n type wilde zijn dat in een gesprek achteloos kon laten vallen dat ze surft, omdat ik dom genoeg dacht dat ik er Sam mee zou kunnen terugkrijgen, heb ik zowaar geld neergeteld om tijdens een lang weekend een cursus surfen te gaan doen in Cornwall.

Het was één grote miskleun. Weet je wel hoe ver het is naar Cornwall? Ik had net zo goed een cursus in Hawaii kunnen boeken wat betreft de tijd die het kostte om er te komen. De trein die ik nam, was de trein die iedereen had besloten te nemen; het was een van de warmste weekends van de zomer en de airco begaf het. De reis hoorde hooguit zes uur te duren, maar de trein ging ergens in de buurt van Newton Abbot kapot en we moesten allemaal overstappen. Uiteindelijk kwam ik tien uur nadat ik uit Paddington was vertrokken in Newquay aan.

Nou ben ik iemand de graag feest, maar Newquay was zelfs mij te bar. Brakende tieners op alle hoeken, en je struikelde over de vrijgezellenfuiven van mannen en vrouwen die gilden en brulden naar voorbijgangers. Toen ik in mijn eenpersoonsbed in een groezelig hotel lag te luisteren naar de geluiden uit de nachtclub beneden, bedacht ik dat de plaats net een van Dantes kringen van de hel was.

Na twee uur slaap verscheen ik de volgende dag uitgeput op Fistral Beach. De rest van de groep keek tot mijn verbazing helder uit de ogen en stond klaar om in actie te komen, hoewel de temperatuur de afgelopen nacht twintig graden leek te zijn gedaald, waardoor het nu ijskoud was, met nevel op zee. Het was een oefening op zich om me in een wetsuit te

persen, en toen me dat eindelijk was gelukt, viel ik als een ast-
matische walrus op het natte zand neer. Ik kon op het land al
niet op de plank springen, laat staan in het water, en toen ik
naast een injectienaald op het strand bleek te zijn aange-
spoeld, besloot ik de rest van het weekend fish-and-chips te
gaan eten en in de pub Rattler te gaan drinken met de andere
afvallers van de cursus – met allebei.

YOGA

Tja, is er iets saaier dan een yogafanaat? Ik geloof niet dat ik
ooit een echt leuk mens heb ontmoet die een perfecte omlaag
kijkende hond kon aannemen – in elk geval niet welbewust.
Bij ons om de boek is een yogastudio, en ik zie hen elke dag
naar buiten stromen met hun matje en perfect achteroverge-
kamde haar, met een kalm en sereen uiterlijk, terwijl ze nadenken over hun lunch van tofoe en boekweitmie met daar-
bovenop een flinke kwak voldane zelfgenoegzaamheid. 'Dat
moeten we eens proberen,' zei mijn zus op een dag. 'Moet je
zien hoe úítgebalanceerd ze eruitzien. Als we aan yoga deden,
zou alles verder vast vanzelf in orde komen.'
   Om de dooie omlaag kijkende hond niet. Maar als we het
niet probeerden, zouden we dat nooit zeker weten, nam ik
aan, dus schreven we ons op een zondagmorgen in om iets te
doen wat bikramyoga heette en wat bleek in te houden dat je
yoga deed in een sauna. Op de beste momenten betwijfel ik al
of ik iets van yoga zal terechtbrengen, maar bij veertig graden
Celsius en op de ochtend nadat ik 's avond per ongeluk ander-
halve fles witte wijn heb gedronken, weet ik zeker dat het on-
begonnen werk is. Toen we arriveerden, gaf iedereen elkaar
een high five – waar ik meteen jeuk van kreeg omdat ik er
niet bij hoorde – en vervolgens, alsof het niet erger kon, zagen
we Steve met een opgerold roze matje onder zijn arm staan

kletsen met de lerares, die toevallig een beetje op Christy Tur-
lington leek.

'STEVE?' riep mijn zus dwars door de zaal. 'Wat doe JIJ
hier?'

'De vraag is toch zeker,' zei Steve, die naar ons toe kuierde
en ondertussen iedereen groette, 'wat doen júllie hier? Ik kom
hier elke week. Dat doe ik inmiddels al maanden. Het is echt,
je weet wel, "zuiverend".'

'Ik geloof dat ik je net het woord "zuiverend" hoorde gebruiken, Steve,' zei ik met opgetrokken neus. 'Voel je je wel
goed?'

'Na deze les wel!'

'Je doet het alleen omdat je al die sexy yogameiden leuk
vindt,' zei mijn zus.

'Hou je mond en leg jullie handdoeken naast die van mij,'
siste Steve. 'En alsjeblieft. Maak. Niet. Te. Veel. Heibel.'

Het was net of hij mijn gedachten had gelezen. Terwijl de
pijnlijke minuten stuk voor stuk verstreken, dacht ik dat mijn
ledematen het domweg zouden begeven. Mijn lichaam kon
en wilde gewoon niet buigen. Mijn zus was er ondertussen,
tja, onmiskenbaar een kei in. Daar ging ze in de kindhouding,
de meester van de dans, de eenbenige koningsduif (nou ja,
HA HA HA HA HA HA HA HA HA), terwijl ik als een slak in
de hitte oploste. 'Dat was geweldig,' zei Naomi, die Steve een
high five gaf. 'Volgende week kom ik weer.' En ik? Ik wilde
niet eens meer langs het pand lopen.

KICKBOKSEN

Ik vind dat ik het beste voor het laatst heb bewaard. Heb ik je
ooit verteld van die keer dat ik een kies ben kwijtgeraakt na
een avond zoenen met een Australische kickbokser die een
rug vol tatoeages en een voorliefde voor wilde seksfeesten

had? Nee? Goed, dan vertel ik het je nu. Omdat ik geen graad in de tandheelkunde heb, kan ik niet zeggen of er een verband bestaat tussen die twee gebeurtenissen, of dat heftige zoenen de reden is dat ik tweehonderd pond heb betaald om het restant van mijn kies eruit te laten rukken door een Iraniër die ergens in Kensal Rise in een klein kamertje boven een gokkantoor werkt. Als ik echt een coole meid was, had ik de Australische kickbokser kunnen vragen of hij wilde betalen voor fatsoenlijke tandheelkundige zorg en dan had ik de kies laten vullen en het gat niet leeg gelaten – zoals het nog steeds is, een lege ruimte die tot enkele interessante gesprekken heeft geleid met alle mannen die sindsdien zijn langsgekomen en het gat hebben ontdekt tijdens hun eerste, vriendelijke verkenning van mijn mond.

Maar goed, hoewel de Australische kickbokser beslist graag zou willen geloven dat zijn tong sterk genoeg was om de kies van een vrouw los te wrikken, denk ik dat het waarschijnlijk gewoon een toevallige samenloop van omstandigheden was, die jaren later een redelijk leuke anekdote oplevert. Ik kan me niet herinneren dat de kickbokser een bijzonder onbehouwen kusser was. Vreemd genoeg voor een man over wie ik al snel te weten zal komen dat hij van groepsseks houdt waarbij een masker wordt gedragen, lijkt hij zijn tong helemaal niet te gebruiken. Hij drukt zijn enorme lippen gewoon op de mijne en zuigt wat. Het is een bizarre manier van zoenen, en wellicht onder andere de reden waardoor ik na ons afspraakje weer thuis ben op het kuise tijdstip van halfelf, terwijl ik verga van de honger, want het afspraakje heeft plaatsgevonden in een vegetarisch restaurant, waar ik tofoe over mijn bord heb geschoven tussen zijn pogingen om mijn gezicht te stofzuigen. Dat was onder andere de reden, maar niet de enige reden.

Anderhalf uur na het begin van ons afspraakje, nadat hij

moed heeft geput uit niet meer dan een glaasje tarwegras en een sapje van wortel en gember, vraagt de Australische kickbokser ineens of ik soms zin heb om met hem naar een 'bijzonder feest' te gaan. Ik spits mijn oren. Bedoelt hij met een bijzonder feest iets waar mensen drinken en roken en lol hebben? Bedoelt hij met een bijzonder feest iets in een pub met snacks op de bar als chips en, godnogaantoe, kaantjes? Als dat het geval is, JA, dan ga ik met hem mee naar een bijzonder feest!

'Het is heel ongebruikelijk,' vervolgt hij terwijl hij een menu met allerlei soorten groene thee bestudeert. Ik besluit dat ongebruikelijk voor hem vast bestaat uit het drinken van twee shandy's tijdens een avondje uit. 'Het is nogal onconventioneel.'

'Onconventioneel is voor mij normaal,' zeg ik vol vertrouwen, want vergeleken met dit is wijnproeven onconventioneel. 'Kom maar op!' straal ik, terwijl ik me wijnglazen als soepkommen en kuipen vol zoute pinda's voorstel. 'Ik ben overal voor te porren!'

'Goed,' zegt de kickbokser met een glimlach ter grootte van New South Wales op zijn gezicht. 'Nou, het is een soort seksfeest.'

'Een wat?' vraag ik in de overtuiging dat dit gewoon zijn manier is om te vragen of ik mee wil gaan naar zijn huis.

'Je weet wel, een feest vol mooie, gelijkgezinde mensen die graag tijd met elkaar willen doorbrengen.'

Ik staar hem aan.

'Als je je soms zorgen maakt over discretie,' zegt hij met een wenk naar de kelner voor de rekening, 'iedereen heeft een masker voor. Dat krijg je bij de deur.'

Bij de deur? O, hallo, welkom op het seksfeest, geef je jas maar aan mij en hier heb je een masker en wat condooms. Een fijne avond! En in welk opzicht wordt het door het masker eigenlijk beter? Als ik iets sterkers had gedronken dan biologische vlierbloesemwijn had ik hem misschien durven zeggen dat het niet echt een goed teken is als je alleen seks met mensen kunt hebben wanneer je hun gezicht niet kunt zien. En als je groepsseks aan een vrouw voorstelt, moet je haar bovendien niet meteen zeggen dat ze het misschien fijn vindt haar onmiskenbaar afzichtelijke gezicht te bedekken met een masker om de ervaring te verbeteren.

'Ik ben er al diverse keren geweest en het is allemaal heel chic.'

Ik spuug mijn drankje bijna uit door mijn poging mijn lachen in te houden. Het maakt niet uit wat voor draai je aan een seksfeest probeert te geven, maar zelfs de mensen die eraan deelnemen, moeten toch weten dat het, wat het verder ook allemaal mag zijn, in geen geval chic is. Langzamerhand lijkt hij te snappen dat ik het verkeerde meisje ben. Tegelijkertijd probeer ik erachter te komen wat voor vibraties ik uitstraal waardoor hij ooit heeft kunnen denken dat ik het júíste meisje was.

'Het spijt me,' zegt hij terwijl hij een pak biljetten uit zijn portefeuille pakt en op tafel legt. Probeert hij me te BETALEN om met hem naar het seksfeest te gaan? 'Ik moet het wat jou betreft bij het verkeerde eind hebben gehad.'

'Nee, nee,' zeg ik, hoewel ik eigenlijk bedoel: 'Ja, ja, inderdaad.' Waarom vind ik toch dat ik tegen iedereen beleefd moet zijn, zelfs tegen een arrogante kleine kwal die me in een groep wil laten rondgaan als een schaal toastjes met gerookte zalm bij een drankje? 'Ik heb voor vanavond gewoon niet echt gerekend op een seksfeest,' zeg ik zowaar. Verdomme, mens. Doe niet meer beleefd! 'Ik ben nogal moe.' Nee, echt, hou op. 'Misschien een andere keer, hè?' Hè? HÈ? NEE! In geen geval een andere keer. Zelfs niet als je me er WEL voor zou betalen.

De kickbokser geeft de biljetten aan de kelner. 'Ik neem dit voor mijn rekening,' zegt hij, ineens met een koele stem. Ik doe geen poging mijn deel te betalen, niet nadat ik alleen maar geroosterde paprika heb gegeten. 'Nou, het was leuk wat tijd met je door te brengen,' zegt hij, alsof ik een penvriendin ben. Hij staat op om te vertrekken. 'Ik zie je maandag in de les.' Hij geeft me een hand. Hij GEEFT ME ZOWAAR EEN HAND. 'Wil je dat ik met je meeloop naar de metro?' vraagt hij als een soort ingeving achteraf. Ik zeg dat het niet hoeft omdat ik a) niet geloof dat ik hem nog drie minuten kan verdragen en b) niet naar de metro wil lopen. Ik wil naar een McDonald's gaan om wat eten te kopen.

Dus zit ik hier weer thuis, met het ding waar ik de hele avond naar heb gesmacht: een Big Mac. Ik wil mijn lippen om die Big Mac leggen en hem verslinden, zoals die kickbokser mij de hele avond heeft verslonden. Ik wil de liefde bedrijven met deze Big Mac. Ik wil er één mee worden, wat maar goed is ook, want zodra ik erin bijt, hoor ik krak en voel ik een steek van pijn, en voor ik het weet, spuug ik een lading email in mijn hand, email dat zich alleraardigst heeft verenigd met een augurk.

'HOE WAS DE SEXY AUSTRALIËR?' zegt mijn zus als ze de keuken in komt vallen, voordat ze opmerkt dat het bloed uit mijn mond stroomt. 'O GOD, HIJ MOET GOED ZIJN GEWEEST. VERTEL VERTEL VERTEL!'

'PAPIER,' kan ik alleen maar uitbrengen terwijl ik bloed inslik.

'WAT? VERTEL VERTEL VERTEL?'

'PAPIER! PAPIER! PAPIER NU!'

Ze verdwijnt in de badkamer, maar komt met lege handen terug. 'We hebben, eh, geen wc-papier meer.' Als ik goed had kunnen praten, had ik geklaagd dat het haar beurt was om wc-papier te kopen, dat ik de laatste dertig rollen had gekocht en heus, was het echt té veel gevraagd om haar twee pond te

laten betalen voor een pak Page, of nog minder voor goedkoop spul van een eigen merk waar je billen waarschijnlijk
van gaan bloeden, maar dat DESONDANKS beter is dan helemaal geen wc-papier, en nu we het er toch over hebben, wil je
de lege rollen alsjeblieft weggooien en niet op de badkamer-
vloer neersmijten, want voor zover ik weet is er geen Thun-
derbirdfanaat die er Tracy Island van wil gaan nabouwen.
Maar dat zeg ik allemaal niet, omdat ik stom ben geworden.
Mijn mond vult zich met een metaalachtige vloeistof en ik
kan alleen maar kwijlen, terwijl ik probeer mijn eigen bloed
niet in te slikken. Als ik had kunnen praten, had ik vermoedelijk een waarschuwend verhaal afgestoken over de gevaren
om je in te laten met ongeschikte mannen: doe het niet, want
als je dat toch doet, vallen je tanden uit je mond. Je zult geen
woord meer kunnen uitbrengen en alleen kunnen kreunen
over je inlaten met ongeschikte mannen. Laat dat een les voor
je zijn.

'HAAL TOCH IETS...' en ineens heeft mijn zus het vaat-
doekje dat de afgelopen drie maanden over het aanrecht heeft
gehangen, in mijn mond geduwd. Nog een waarschuwend
verhaal: kijk uit met waar je om vraagt. Ik proef metaal en af-
wasmiddel met een vleugje ui. Ik geloof dat ik moet overgeven. Ik moet overgeven en dan zal ik de rest van mijn leven
moeten slijten als een tandeloze oude vrijster die ruikt naar
vochtige oude vaatdoekjes.

'Nou, hoe was je afspraakje?' vraagt mijn zus, hoewel haar
gezicht me zegt dat ze het al weet. 'Ga me alsjeblieft niet vertellen dat je mond bloedt doordat jullie kickboksbewegingen
op elkaar hebben uitgeprobeerd. Jij bent een amateur en hij is
je leraar...'

'WAS,' weet ik uit te brengen, waarbij er bloederig speeksel
mee naar buiten komt.

'Jeetje, het is kennelijk geweldig goed gegaan. Als het je is gelukt alle kapotte tanden uit je bek te verwijderen, kun je misschien vertellen waardoor het afspraakje waarover je vijf uurtjes geleden nog zo enthousiast was, ertoe heeft kunnen leiden dat je gebit moet worden gerepareerd en dat je kapt met de semiprofcarrière in kickboksen waar je de afgelopen paar weken over hebt lopen leuteren.'

Kickboksen. Daardoor voelde ik me misschien niet letterlijk blauw en gekneusd – ik had de meeste lessen niet veel meer gedaan dan bewonderend gekeken naar de gewelfde bicepsen en de gespierde zwelling van de kuiten van de Australiër – maar wel figuurlijk. En toch had het destijds zo'n goed idee geleken, de perfecte manier om wat agressie los te laten die ik inwendig had opgebouwd na dat gedoe met Sam, dat gedoe met Josh, dat gedoe met de scheiding en dat gedoe om nooit geld te hebben. En het was allemaal zo goed begonnen. Toen ik na de eerste les thuiskwam, had ik een enigszins gevoelige rechterhand en was ik smoorverliefd. De Australische leraar had een geschoren hoofd, waardoor zijn enorme groene ogen op de een of andere manier nog groter leken. Hij was sterk en bekwaam en precies de man die ik in mijn leven nodig had. Op zijn rug was een engel getatoeëerd, waardoor hij er in mijn ogen dapper uitzag; een toevallige voorbijganger had waarschijnlijk alleen gedacht dat hij een goedkope versie van David Beckham was. Doordat hij uit Australië kwam, kreeg mijn verliefdheid iets exotisch, alsof er in Londen niet dertien Australiërs in een dozijn gaan en ze in sommige delen – Shepherd's Bush, Acton, Earls Court – niet gemakkelijker te vinden zijn dan in Sydney. 'De leraar is zoooo'n schatje,' zei ik tegen iedereen die het maar had willen horen, en ook tegen heel wat die daar geen enkele behoefte aan hadden gehad.

Maar wat maakte hun gebrek aan interesse nou uit? Ik wist dat de leraar geïnteresseerd zou kunnen zijn door de manier waarop hij achter me stond, mijn lichaam in de correcte houding hield, me hielp om de stootzak op de juiste manier vast te houden. Door de manier waarop hij me gebruikte om de andere cursisten een beweging te laten zien, hoewel ik er niets van snapte. Drie weken later had ik mijn wijde trainingsbroek en T-shirt verruild voor een nauwsluitende variant die ik voor honderd pond bij Sweaty Betty had gekocht. Ik begon volledig opgemaakt met waterproofmake-up naar de les te gaan. Net als in het begin van een vreselijke pornofilm uit de jaren zeventig vroeg ik of hij me privéles wilde geven. Wat maakte het uit dat me dat nog eens dertig pond per week kostte als ik daardoor meer tijd bij hem kon doorbrengen?

En op een avond, nadat ik een uur giechelend had geprobeerd tegen zijn boksbeschermers te stompen en te trappen, vroeg hij of ik zin had even vlug wat te gaan drinken in de pub in de buurt. Natuurlijk had ik daar zin in. Ik vond het niet erg dat hij alleen sinaasappelsap dronk, want ik was hopeloos aangeschoten na mijn eerste glas wijn, wat onvermijdelijk was, aangezien ik de hele dag alleen maar wat geroosterd brood en een avocadosalade van Prêt à Manger had gegeten. Hij informeerde naar mijn liefdesleven, en hoewel ik wist dat het ongemanierd was om over exen te praten, deed ik dat toch, en ik maakte hen belachelijk en vertelde hem wat een geweldig wild leven ik als single leidde, een absolute leugen die ik vertelde omdat ik dacht dat ik daardoor aantrekkelijker zou lijken. Hij had me gekust toen hij me in een taxi naar huis zette, en had gevraagd of ik zin had om uit eten te gaan. We gingen uit eten, gevolgd door een seksfeest, besefte ik nu. Dat krijg je ervan als je probeert een coole meid te zijn.

De Iraanse tandarts zei dat mijn tanden 'er heel slecht aan toe zijn. U eet heel veel suiker? Nee, waarom ik dit vraag, u eet duidelijk heel veel suiker! U moet niet meer zoveel suiker eten!' Ik deed mijn ogen dicht en zei tegen hem dat hij moest opschieten met wat hij maar moest doen. Als je een kies laat trekken, moet je uitkijken dat je geen zogeheten droge holte krijgt. Chloe grapt dat er gezien mijn reputatie weinig kans op is dat mij dat zal overkomen, maar de Iraanse tandarts hield vol dat het echt heel ernstig zou zijn. Dat het zou leiden tot 'veel pijn', alsof dat nog niet was gebeurd door zijn boor.

Het leek me niet aannemelijk dat ik last zou krijgen van een droge holte, wat, toen ik het opzocht, een willekeurige ontsteking op de plek van de extractie bleek te zijn. Slechts 5 procent van iedereen bij wie iets wordt getrokken, krijgt er last van, dus, redeneerde ik, kon me niet veel gebeuren. De avond nadat mijn kies was getrokken, propte ik nog wat meer watten in mijn bek om het blootgelegde tandvlees te beschermen en ging prompt met Chloe en Steve naar de pub. Door mijn opgezette wang zag ik eruit als een Russische dwerghamster, maar dat kon me niet schelen. Na de week die ik achter de rug had, met de Australische kickbokser en het seksfeest en de vaatdoek en de ontbrekende kies, smachtte ik naar alcohol. Ik smachtte er absoluut en totaal naar.

Ik dronk door de watten heen en rookte ondanks mijn pijn. De volgende ochtend had ik een doffe pijn in mijn mond. Dat weet ik aan het trekken van de kies, maar binnen drie dagen was de doffe pijn veranderd in een bonzende pijn in mijn hele hoofd. Het was niet te harden. Ik zat de hele dag aan de codeïne. Ik kronkelde van de pijn. Als ik die vuile vaatdoek niet in de vuilnisbak had gegooid, had ik er graag in gebeten in een poging een eind te maken aan de pijn. Nadat ik tijdens een slapeloze nacht in mijn kussen had liggen huilen, ging ik terug naar de Iraanse tandarts.

'Een droge holte', zei hij ogenblikkelijk. 'U rookt? U drinkt? Allemaal extra risico's voor droge holte. U moet gezond zijn!' Hij keek me stralend aan, met een mond vol gouden vullingen. 'U eet vers fruit en groente, heel weinig rood vlees, u flost elke dag, alles gaat goed!' Toen ik vertrok, voelde ik me een ongelooflijke idioot. Dat ik mijn gewicht en mijn financiën niet onder controle had was tot daaraan toe. Maar ik kon mijn eigen lijf niet eens de baas.

9

Mijn gênante maar noodzakelijke indie-fase

In het onwaarschijnlijke geval dat ik ooit bekend zou worden door iets anders dan het vermogen mijn lichaamsgewicht in sterk buitenlands bier te drinken, zullen er overal in Londen blauwe gedenkplaten herinneren aan de plekken waar ik heb gewoond. Bij de zit-slaapkamer in Bethnal Green, in het koude krot vol zilvervisjes in Kensal Green, en aan de voorkant van een lelijk geprefabriceerd gebouw diep in het duisterste deel van Camden.

Het gaat om verandering van lucht, zei mijn moeder altijd wanneer werd meegedeeld dat we ons geen vakantie 'in het buitenland' konden veroorloven, en zodoende besloten we kort nadat de deurwaarder ons bij het krieken van de dag had gewekt te verkassen en ergens anders te gaan wonen.

'Het voelt hier gewoon...' mijn zus huiverde voor meer effect, 'BEDORVEN. Ik wil hier niet meer wonen. We moeten ergens anders opnieuw beginnen, ergens waar we onze gemeentebelasting op tijd betalen, onze televisievergunning automatisch maandelijks laten afschrijven en een "huishoudrekening" openen om efficiënter te zijn.'

In plaats van het roer in ons leven echt om te gooien – het

aantal stapavonden te beperken, als hobby te gaan naaien, met vrijwilligerswerk te beginnen – is het veel gemakkelijker gewoon te verhuizen. Elke nieuwe flat staat voor nieuwe hoop. Het is altijd het laatste huis waar we als ongetrouwde meiden gaan wonen, het laatste huis dat we huren voordat we als bij toverslag zestigduizend pond op onze bankrekening zullen laten verschijnen om ergens iets te kunnen kopen. Het is altijd het huis waar we goed voor gaan zorgen, het huis waar we verse bloemen gaan kopen zonder ze te laten dood- gaan in vies, stinkend water, het huis waar we leuke etentjes gaan geven en kunst aan de muur zullen hangen in plaats van de IKEA-platen van de skyline van New York en een zwarte taxi die over Westminster Bridge rijdt. Alleen is dat natuurlijk nooit het geval.

Steve besluit zich bij onze zoektocht aan te sluiten. Hij is verslagen door het vocht en de schimmel en hij wil net zo graag uit dit vervloekte blok met appartementen weg als wij. 'Ik kan niet geloven dat ik werkelijk met jullie ga samenwo- nen,' zegt hij hoofdschuddend van ongeloof. 'Het zal wel net zijn of ik samenwoon met tieners. Ik zal me wel jullie oom voelen.'

'Ik ben heel blij dat er iemand is om hen tot bezinning te brengen,' zegt mijn moeder, die zich vreemd genoeg in haar hoofd heeft gehaald dat Steve een geleerde is, een toonbeeld van deugdzaamheid in plaats van een alcoholverslaafde Joey uit *Friends*. 'Waarom gaan jullie niet in een leuke buurt wo- nen, zoals Fulham of Putney of Clapham?' vervolgt ze.

'Dat klinkt enig, mevrouw Gordon,' zegt Steve even poes- lief als een asiel vol aanminnige katten.

'O, zeg toch Jane,' zegt ze met een glimlach en wimpers die knipperen op het briesje van een jonge man.

'Hou je mond, Steve. Omdat Fulham en Putney duur en saai zijn, mam, en Clapham vol zit met lawaaiige rugbyfanaten en barbiemama's die hun stomme reuzenbuggy's door de straten duwen,' smaal ik. 'Ik ga liever strippen op Piccadilly Circus dan in Clapham wonen.'

'Het was maar een suggestie,' verzucht mijn moeder.

We belanden nota bene in Camden! In Camden! Met zijn muziekcafés, zijn bevolking van kettingrokers die zich kleedt als pijpenragers, en zijn markten vol kraampjes met legale paddo's en kruiden. In Fulham, Putney of Clapham was er in elk geval nog een sprankje hoop geweest dat ons leven zou kunnen veranderen, een kleine kans op stabiliteit. Maar door de keus voor Camden hadden we net zo goed meteen naar een afkickcentrum kunnen gaan. We zijn van het begin af aan gedoemd te mislukken. Wat denken we wel? Nee, zeg maar niks. We denken aan pubs, bars die de hele nacht open zijn, slijterijen waar je 's nachts om drie uur voor vijf pond sigaretten en zes blikjes bier kunt kopen. Er is geen schijn van kans dat er in deze flat ooit etentjes zullen worden gegeven, of dat hij iets anders zal worden dan een plek om ons hoofd neer te leggen en een ruimte waar we het de hele nacht op een zuipen kunnen zetten. We kunnen de huisbaas net zo goed zeggen dat hij de borg meteen kan uitgeven, wellicht aan materiaal om de boel grondig schoon te maken.

De flat is grauw en saai, wat mijn moeder uitlegt als een 'uitstekend blanco doek'. Er staat een zo te zien riskante oven naast een boosaardige verwarmingsketel, die ons waarschijnlijk allebei zullen doden met fatale koolmonoxide als ze niet met voldoende respect worden behandeld. De elektriciteit werkt op munten in een meter (mijn moeder: 'Daardoor kunnen jullie je rekeningen in de hand houden!') en de deur naar mijn slaapkamer is kapot, want de deurkruk valt er telkens af wanneer je iets bijzonders doet, wanneer je hem bijvoorbeeld probeert open of dicht te doen. 'Nou, ik vind dat dit echt een uitstekende keus is,' deelt mijn moeder mee, terwijl ze zo haastig de deur uit gaat dat ze in de gang haar stalen gezicht vergeet. 'Ik denk dat jullie hier heel gelukkig zullen zijn.'

Het duurt niet lang voordat alles het begint te begeven – en laten we er niet omheen draaien, het had nooit een erg degelijke indruk gemaakt –, voor de elektriciteit halverwege *The X Factor* uitvalt, waardoor we wanhopig naar munten van tien pence moeten zoeken om het moment niet te missen waarop Dermot O'Leary bekendmaakt hoe het publiek heeft gestemd. Steve staat zo lang onder de douche dat er nooit warm water is, en hij laat mannenhaartjes in het bad achter, waardoor ik ga verlangen naar de dagen met onze eigen zilvervisjes.

Vroeger mochten we dan al weinig thuis zijn gebleven, nu zijn we er helemaal nooit meer. We verhuizen net naar Camden wanneer de naar verhouding oudere garde van Primrose Hill – Kate Moss, Sadie Frost, Jude Law e.a. – het veld moet ruimen voor de coolere Amy Winehouse, de Arctic Monkeys en vreemde figuren als Noel Fielding. Er gebeurt gewoon te veel om ons heen: pubs als de Hawley Arms die dagelijks worden genoemd in de roddelrubriek van de *Sun*, geheime optredens in kebabzaakjes naast de metro, pubquizzen die worden gepresenteerd door onbekende indie-bandjes waarover je alleen maar zou lezen in de *New Musical Express*.

Maar ik lees de *New Musical Express* nooit. Ik ben altijd meer iemand geweest voor *Smash Hits* en *Just Seventeen*. Ik hunker altijd naar gespierde, gezond uitziende leden van jongensbands. Ik luister alleen naar goed in het gehoor liggende, gemakkelijke popmuziek die vrolijk binnenkomt en waarbij je kunt dromen dat je tot over je oren verliefd wordt. Ik begrijp indie-muziek niet, heb er ook nooit iets van begrepen; die muziek vond ik altijd te lawaaiig, zo weinig melodieus. Volgens mij is de maatstaf voor een goed nummer dat je je leven kunt voorstellen als een begeleidende muziekclip. Kun je jezelf zien als de stralende ster van een bezielend nummer van Beyoncé, of als de bedeesde mooie meid in een single van One Direction, die er eerst treurig en verloren uitziet, maar ten slotte met Harry Styles mag zoenen als de melodie haar crescendo bereikt? Als dat niet gebeurt, ben ik er niet in geïnteresseerd.

Maar als ik naar Camden verhuis, begint dat te veranderen, want als je bij de coole scene van Camden wilt horen, kun je geen fan zijn van jongensgroepen, zelfs niet op een ironische manier. Ik download albums van de Strokes, de Kooks en de Kills. Ik luister er telkens naar in de hoop dat ik het de negenenzeventigste keer eindelijk zal begrijpen. Dat gebeurt nooit, maar dat weerhoudt me er niet van te doen alsof. Doordat Steve en ik regelmatig naar de pubs in de buurt gaan, krijgen we van lieverlee indie-vrienden. In Camden raak je gewoon zo teut van de Jack Daniels dat je uiteindelijk met iedereen praat die toevallig aan de bar naast je staat. Op zo'n avond leren we de dj Rebecca Raves kennen. We zijn te gevleid door de aandacht die deze hipster aan ons besteedt om te beseffen dat ze alleen vriendschap met ons wil sluiten zodat we in de krant over haar zullen schrijven.

'Is dat je echte achternaam?' vraag ik op een avond als ik onhandig met haar biljart voordat ze een lange sessie gaat draaien op haar wekelijkse clubavond. 'Ik vertel niemand hoe ik echt heet,' zegt ze geheimzinnig, met een gebaar naar de deur, omdat ze kennelijk een sigaret wil roken. 'Wat maakt het trouwens uit hoe je heet?'

Ik knik met haar mee. Dat is gewoon gemakkelijker.

'Ik durf te wedden dat ze eigenlijk Margaret heet en uit Woking komt,' zegt Chloe na haar eerste ontmoeting met Rebecca Raves. 'En waarom heeft ze gaten in haar panty? Kan ze geen nieuwe bij Boots kopen? Waarom is ze zo zwaar opgemaakt? Heeft ze nog nooit van een borstel gehoord? Ik kan er niet tegen – naast haar ziet ongewassen er op de een of andere manier nog goed uit. Ik kan haar niet uitstaan.'

'Rebecca heeft gevraagd of ik zin heb om met haar mee te gaan naar Glastonbury,' vertel ik Chloe.

'Dat is toch een grap, hè? Jij? Naar Glastonbury?'

'En jij ook,' zeg ik. 'Ik vind dat we allebei moeten gaan. Je moet alles toch een keer proberen?'

'Nee. Geen sprake van. Je moet alles helemaal niet een keer proberen, echt niet. Kijk maar naar crack, skydiven en laten we WONEN IN CAMDEN niet vergeten. Ik ga niet bijna tweehonderd pond betalen om in een koud weiland onder de modder te kijken naar een band waarvan ik nog nooit heb gehoord, een band waar ik ook nooit van heb willen horen. Als je me dwingt om vier nachten in een tent te slapen, zul je me moeten betalen.'

'Wat ben je toch een spelbreker.'

'Je staat er alleen voor, kind.'

'Ik zal je wel eens wat laten zien,' pruil ik.

'Ja, nou en of,' verzucht Chloe. 'Loopgravenvoeten. Die zul je me laten zien.'

Je kunt natuurlijk niet zómaar naar Glastonbury gaan, net zomin als je zomaar naar Zwijnstein kunt gaan zonder eerst een toverspreuk uit te spreken en op een perron te belanden dat niet echt bestaat. Het zou gemakkelijker zijn om naar de Everest of Noord-Korea of Tsjernobyl te gaan. Niet het vervoer is een probleem, het zijn de kaartjes voor dat stomme festival die je moet zien te bemachtigen. Daarvoor moet je met zes bellende mobieltjes voor drie computers zitten, terwijl je doorlopend de website vernieuwt en het bespreekbureau belt tot alles crasht, en als de boel eindelijk weer draait, zijn alle kaartjes uitverkocht, wat betekent dat je moet loten voor de volgende ronde, waardoor je het gevoel krijgt dat je meedoet aan een soort muzikale variant van de *Hunger Games*. Dit is niet overdreven. Als je ook nog de regen, de modder en het smerige sanitair in aanmerking neemt, is het lang niet zeker dat je het weekend zult overleven.

Het is nog erger dat je niet eens weet waar je kaartjes voor probeert te kopen. Het programma wordt pas drie maanden later bekendgemaakt en de enige artiesten die in elk geval zullen optreden zijn Shakin' Stevens en de Wurzels, wat inhoudt dat je in wezen bijna tweehonderd pond probeert uit te geven om de Wurzels te zien.

'Ik kan geen kaartje krijgen,' zeg ik tegen Rebecca als ik haar weer zie, met een stem waarin de angst doorklinkt dat dit het einde zal betekenen van onze non-vriendschap.

'Maak je niet druk, babe,' zegt ze. Alleen iemand die zo cool is als Rebecca kan het zich permitteren het woord 'babe' te gebruiken. 'Ik kan kaartjes voor ons krijgen, ik draai daar.' Ze verspilt geen energie aan zoiets gecompliceerds als een oorzakelijk verband door 'want' te zeggen.

'O, wauw!' gil ik bijna. Ik probeer me in te houden. Ze moet niet gaan denken dat ik klink als een verliefd schoolkind. 'Wat gaaf. Je zult wel in je nopjes zijn.'

In je nopjes. Heb ik echt de term 'in je nopjes' gebruikt?

'Nee, ze vragen me meestal. Denk je dat je me als je komt misschien in contact kunt brengen met jullie muziekredacteur?' Ik begrijp nog steeds niet dat deze zogenaamde 'vriendschap' volledig is gebaseerd op mijn behoefte om cool te zijn en haar behoefte om publiciteit te krijgen. 'Maar goed, we vertrekken woensdag, dan kunnen we een mooie plek uitzoeken voor de tenten en ons alvast installeren. Het wordt geweldig. Je zult het heerlijk vinden.'

Ik weet zeker van niet. Glastonbury is niet mijn eerste festival. Die eer gaat naar Reading, waar ik ben geweest toen ik pas acht was. Als ik Rebecca dit vertel, is ze echt onder de indruk, vooral als ik zeg dat ik de Pixies heb gezien. Maar ik laat de meeste details weg: dat ik er alleen naartoe ben gegaan omdat mijn chique oom uit Berkshire was uitgenodigd door zijn vriend, die het festival toen toevallig organiseerde, dat ik na de mededeling dat we de Pixies zouden zien echt dacht dat er een ontmoeting met sprookjeselfjes zou volgen. Ik zei niet dat ik een trui van het ponyreservaat in Devon droeg, een bloemetjesrok van Laura Ashley en lakschoenen met genopte enkelsokjes. Ik had het niet over de blote vrouw met een hond aan een stok, die dubbel lag toen ze me zag en naar al haar vrienden riep: 'WAT DOET ZIJ HIER VERDOMME?' Ik heb de rest van de avond gehuild en heb me nooit meer zo gekwetst gevoeld.

Ik zet het vooruitzicht van Glastonbury ver van me af. Ik tel de maanden en weken en dagen niet af, zoals sommige mensen op Facebook schijnen te doen. Ik ben niet 'helemaal opgefokt' door de kans om Blur en Bruce Springsteen te zien, of zie ik er soms uit als vierenveertig? De week ervoor ga ik naar een kampeerwinkel en geef al het extra geld van een kleine loonsverhoging uit aan de uitrusting die ik nodig heb: een pop-uptent, een luchtbed en een slaapzak. Ik begeef me op heel glad ijs; het is net of ik voorbereidingen tref voor een avontuurlijk kinderkamp, maar dan met drank en sigaretten en naar alle waarschijnlijkheid drugs.

Ik geef bijna honderd pond uit aan paarse rubberlaarzen van Hunters die aan mijn dijen zullen plakken en me striemen zullen bezorgen en waarin ik me dik zal voelen – een paar rubberlaarzen van honderd pond dat van me af moet worden gesneden als ik eindelijk weer terug ben in Londen, een verschrompeld omhulsel van een vrouw, een schim van wie ik was.

De avond ervoor ben ik bezig een 'compacte festivalgarderobe' te pakken, waarover ik in de *Grazia* heb gelezen. Ik kies

voor een korte broek van een afgeknipte spijkerbroek en felgekleurde t-shirts, neonkleurige hoody's en zwierige zonne-
jurken. Ik koop een hip jack bij Topshop dat vaag de indruk
wekt dat het waterdicht is, hoewel ik spoedig zal ontdekken
dat het dat niet is. Ik neem droogshampoo mee en voldoende
vochtige doekjes voor een hele kraamafdeling. Ik heb last van
de nerveuze onrust van een vrouw die op het punt staat voor
het eerst te bevallen.

Het eerste wat me opvalt als we op het terrein aankomen, is
dat ik mijn lenzenvloeistof ben vergeten. En mijn bril. Het is
heel leuk om drie verschillende soorten jurken en zevenen-
zestig verschillende shirtjes bij je te hebben, maar wat heb je
daaraan als je zo blind bent dat je er niets van ziet? 'Maak je
niet druk, babe,' zegt Rebecca, die volgens mij al stoned is.
'We vinden wel wat voor je. Er moet hier toch wat van dat
spul zijn?'

Dat zou je wel denken. Ik kan gekke Vikinghoorns kopen
en kleren van hennep, glowsticks en plaktattoos, en echte tatoeages trouwens, maar ik mag doodvallen als je ergens op
het terrein van 440 hectare dat het Glastonbury Festival be-
slaat een handig flesje zoutoplossing in reisformaat kunt kopen. Er is een tijdelijke drogist, waar ik de eerste dag vier uur
naar loop te zoeken, maar als ik hem vind, heb je er ongeveer
evenveel aan als aan een pleister om op een gebroken been te
plakken. 'We hebben hooikoortsdruppels,' zeggen de verko-
pers op een toon die me doet geloven dat ze echt behulpzaam
menen te zijn. Ik koop ze toch maar, omdat het kleine flesje
nog wel eens van pas zou kunnen komen. Het is echt iets voor
mij om naar het beroemdste muziekfestival ter wereld te gaan
en te klagen dat er geen goed uitgeruste drogist is. Het is echt
iets voor mij om naar het beroemdste muziekfestival ter wereld te gaan en erover te tobben dat ik mijn bril niet heb meegenomen.

Die avond neemt Rebecca me mee naar de steenkring – een hoop rotsblokken – waar iemand me xtc geeft. Als er op dit moment één ding goed is in mijn leven, is het dat ik drugsvrij ben, maar ik wil zo dolgraag indruk maken op Rebecca dat ik het pilletje met het lachende gezichtje toch aanpak. Zoals je weet, heb ik nog nooit ecstasy gedaan. Ik ben altijd als de dood geweest dat mijn hersenen ervan zouden opzwellen en uit mijn hoofd zouden lekken, maar nu vraag ik me af of dat wel zo erg zou zijn. Ik heb het koud en ben slecht voorbereid en de batterij van mijn telefoon is al leeg. Het lijkt bijzonder tragisch dat ik bijna achtentwintig moet zijn als ik voor het eerst een xtc-pilletje neem, maar ik slik het met genoegen. En dan wacht ik. En ik wacht en ik wacht en ik wacht.

Wat dacht ik dat er zou gebeuren? Ik had me een golf van warmte, een waas van liefde, een gloed van heerlijkheid voorgesteld. Ik had gedacht dat ik zou opspringen en rond de steenkringen zou dansen. Ik had me verbeeld dat ik Rebecca zou omarmen, haar zou vertellen dat ik echt van haar hield, dat ze mijn gevoelens zou beantwoorden en zou onthullen dat ze inderdaad eigenlijk Margaret heette en uit Woking kwam, wat kon het haar ook verdommen! Maar dat gebeurt niet. Ik heb het alleen fris. Op dit moment snak ik alleen echt naar een paar handschoenen en een lekkere wollen muts.

'Becca,' roep ik in haar algemene richting. 'Ik ben nogal moe en ik denk dat ik maar terugga naar de tenten.' Maar ze besteedt geen aandacht aan me. Ze omarmt een kerel met langer haar dan ze zelf heeft. Hij trekt met zijn vinger vormen over haar gezicht en zegt haar dat ze mooi is. 'Bry,' roept ze, zonder zich van hem af te wenden. 'Dit is Leo. Leo speelt in een heel gave nieuwe band.' Leo zegt niet hallo. In plaats daarvan begint hij Rebecca te bedekken met kussen, smoort hij haar terwijl ze gilt van verrukking.

'Goed, Becks,' zeg ik als ik wankel overeind kom. 'Ik ga nu. Tot morgen!'

'Dag!' giechelt ze vanachter een bos haar – ik kan er niet achter komen of het van hem of van haar is – en ik begeef me naar de tenten. Alleen wordt me al snel duidelijk dat ik niet weet hoe ik weer bij de tenten moet komen. Ik loop in steeds kleinere kringetjes rond, langs de ene falafelkraam na de andere, of is het gewoon dezelfde falafelkraam? Ik begin me licht in mijn hoofd te voelen. De dingen zien er niet normaal uit. Voor ik het weet val ik op de grond, naast een vuilnisbak vol half opgegeten broodjes falafel.

'Gaat het, kindje?' zegt een man met een veiligheidsvest, die boven me hangt. 'Moet ik je soms ergens naartoe brengen?' Ja, ja, graag! Haal me hier weg, breng me ver weg! Breng me naar huis, naar de betrekkelijke rust van Camden! Breng me naar het treinstation als dat te ver is, zet me op de eerste trein die hier vertrekt!

'Kampeerterrein c,' weet ik eruit te flappen.

Terug in mijn tent geloof ik dat ik doodga. Alles is paars geworden. Als ik mijn ogen sluit, zijn er wilde kleuren. Ik bedenk dat ik mijn moeder moet bellen om haar te vertellen hoeveel ik van haar houd. Dan herinner ik me dat mijn telefoon het niet meer doet. En ik besef dat ik niet doodga, maar dat ik gewoon high begin te worden van de xtc-pil die ik ongeveer een uur geleden heb genomen. Dit is geweldig. Dit is schitterend. Ik neem voor het eerst xtc en ik eindig in mijn eentje in een koude eenpersoonstent met, zoals ik nu besef, een lek luchtbed.

De volgende acht uur lig ik op mijn luchtloze luchtbed te luisteren naar het vrijende stel in de tent naast me. Voor mijn part zouden het Rebecca en Leo kunnen zijn, het laat me volkomen koud. Op zeker moment begint het te regenen. De tent versterkt het weer en laat het klinken alsof er buiten hagel en natte sneeuw vallen, hoewel het in werkelijkheid vast alleen maar miezert. Door het gedrup van de regen besef ik dat ik moet plassen. Ik moet plassen, maar voor mijn gevoel is het een kilometer naar de dichtstbijzijnde toiletten. Ik lig daar maar, terwijl mijn blaas steeds voller wordt, mijn lenzen steeds droger aanvoelen op mijn oogbollen en ik me afvraag of ik de nacht zal overleven.

De rest van het festival is een waas, en niet alleen doordat mijn contactlenzen met het verstrijken van de tijd steeds viezer worden. Ik besluit dat ik deze gruwelijke marteling alleen kan doorstaan door flink te drinken. Ik bedenk dat mensen op festivals zoveel drugs gebruiken omdat je zoiets alleen kunt doorstaan door zo stoned als een garnaal te zijn. Ik zie geen bands, kan me er in elk geval niet een herinneren, en ben een groot deel van het weekend bezig ongevraagd binnen te vallen in het op ecstasy draaiende liefdesnest van Rebecca en Leo, dat ik alleen verlaat als duidelijk is dat ze op het punt staan te gaan wippen. Als we eindelijk vertrekken, kan ik mee terugrijden in Leo's bestelbus en ik ben zo gestoord, zo prikkelbaar van vermoeidheid dat ik besluit mijn contactlenzen uit te doen en in mijn mond te houden, omdat ik eens heb gelezen dat speeksel hetzelfde doet als een zoutoplossing. Dat is niet zo. Als ik ze weer in doe, veranderen mijn ogen in een tranende knoeiboel.

De week erna voel ik me alsof ik mezelf een jetlag heb bezorgd zonder me verder van huis te wagen dan Somerset. De dokter zegt dat ik een virale bindvliesontsteking heb. Ik probeer mijn ogen op te maken met mascara en eyeliner, maar het is hopeloos. Ik zie er de daaropvolgende twee weken uit als een travestiet uit *28 Days Later*. 'Had ik maar naar jou geluisterd, Chloe,' geef ik toe. Maar ik heb mijn les nog steeds niet geleerd.

Indie Barman komt voor mij het dichtst in de buurt van een vriend sinds het uit is met Sam, wat bijna vijf jaar geleden is. Als je me toen had gezegd dat ik zo lang single zou blijven, was ik op de grond gaan liggen huilen. Maar de tijd vliegt als je gedwongen plezier hebt.

Dus is Indie Barman een soort vriend, hoewel ik noch zijn telefoonnummer noch zijn e-mailadres heb, en evenmin enig idee heb waar hij woont. We leren elkaar kennen via Rebecca Raves en Leo, die na hun bliksemromance op het festival in Glastonbury nu vaste verkering hebben. Indie Barman drumt in Leo's band. Hij heet eigenlijk Dylan, 'als in Bob', legt hij behulpzaam uit, maar hij zal in de overlevering voorgoed bekendstaan als Indie Barman, aangezien Chloe hem nooit anders noemt. 'Hij is geen drummer, Bryony,' zegt ze na haar eerste kennismaking met hem. 'Hij is barman in een pub en drumt toevallig in zijn vrije tijd bij een waardeloze band. Bovendien verliest elke man die zich voorstelt met "Dylan als in Bob" naar mijn mening het recht om bij zijn echte naam te worden genoemd.' Dus is het Indie Barman.

Hij draagt leren jacks, spijkerbroeken met smalle pijpen, schoenen van Converse en t-shirts met de logo's van bands als de Cramps. Ik ken hun werk niet echt – en met zo'n naam geloof ik ook niet dat ik het wil kennen –, maar ik perfectioneer al vlug een achteloos vermogen om luchtig te doen of ik er alles van weet. Hij heeft zwart haar dat bijna in krullen op zijn schouders valt en een omlijsting vormt van zijn helderblauwe ogen en prachtig gevormde gezicht. Hoewel hij eruitziet als het sterke, zwijgzame type, de geheimzinnige hipster, is hij zo brutaal als de beul, zo'n man voor wie het woord 'boef' beslist is bedacht. Uiteraard val ik als een blok voor hem.

'Hij ziet eruit alsof hij zich eens goed moet wassen,' zegt Chloe.

'Ik kan je verzekeren dat hij HEEL schoon is,' lieg ik.

Als we elkaar leren kennen, is hij net klaar met zijn werk in een pub in Primrose Hill, zo'n pub waar je de minder belangrijke leden van beroemde rockbands op de plee coke kunt horen snuiven. Hij schuift aan onze tafel met een 'whisky mac', zoals hij het noemt, en die mengeling van whisky en gemberwijn had mijn eerste waarschuwing moeten zijn dat hij nogal een lul was. Maar ik wil daardoor alleen maar een nummertje met hem maken.

Hij slaat meteen zijn arm om me heen, waardoor ik een kop als vuur krijg. 'En wie is deze lieftallige jongedame?' zegt hij tegen Leo en Rebecca, en Rebecca slaat haar ogen ten hemel bij zo'n goedkope opmerking. We worden aan elkaar voorgesteld – hij is Dylan, als in Bob, ik ben Bryony, als in... nee, ik kan niemand bedenken – en we zijn elkaar de hele avond aan het plagen en trekken aan elkaars staart. 'Ik weet niet of ik je moet wurgen of kussen,' zegt hij op een gegeven moment, als we meer drankjes halen bij de bar, een gelegenheid die we allebei hebben aangegrepen omdat we daardoor alleen kunnen zijn, en tja, ik denk dat je wel kunt raden wat het is geworden.

We gaan naar mijn huis omdat hij 'even geen eigen plek heeft'. Ik wil het graag rustig aan doen, wil hem een afscheidskusje geven en het even aanzien, maar hij maakt een vastberaden indruk, wat, zoals ik al snel zal ontdekken, niet zozeer door mij komt als wel doordat hij onderdak nodig heeft voor de nacht, omdat hij van de laatste bank is gegooid waarop hij had geslapen. En het ging goed, heus, tot hij midden in de nacht naar de wc probeerde te gaan en ontdekte dat hij in mijn kamer was opgesloten doordat de deurkruk zoals altijd kapot was. 'Meestal moet ik gewoon wachten tot mijn huisgenoten 's morgens wakker worden en me eruit laten,' zeg ik terwijl ik door de grond ga. 'Jezus,' zegt hij, op en neer springend waar hij staat. 'Je hebt me hier opgesloten! Je bent net Kathy Bates in *Misery*! Zo meteen ga je nog mijn benen afzagen!' Ze doen altijd pijn, die speelse sarcastische opmerkingen dat ik een maniak ben, omdat ik diep in mijn hart weet dat ik maar twee glaasjes tequila nodig heb om er een te worden.

Ten slotte klom hij door het voorraam naar buiten en plaste hij in de tuin. En ondanks de traumatische ervaring om te zijn opgesloten, kwam hij terug voor meer. De nacht erna, en de nacht daarna, en die daarna. Ik was ervan overtuigd dat het zover was, dat hij de ware was – het kwam nooit in me op dat hij misschien gewoon een plek nodig had om te overnachten en dat het een bonus was als hij een wip toe kreeg. Ik was te druk bezig me mijn rock-'n-rollbruiloft voor te stellen, mijn naam te veranderen in Bryony Bangs of zoiets dergelijks en te bedenken welke jurk ik Kate Moss als mijn bruidsmeisje zou laten dragen.

En toen was hij even snel weer verdwenen als hij in mijn leven was gekomen. Weg. Hem gesmeerd. 'Ze werken gewoon aan een album,' zei Rebecca, niet helemaal overtuigend, aangezien Leo met haar verkleefd leek, als een rock-'n-rollklit, en alleen maar aan Rebecca leek te werken. 'Je weet hoe die creatieve types zijn. Ze hebben tijd nodig.'

Dus gaf ik hem die, en ik besteedde heel wat van míjn tijd aan het vernieuwen van de Facebookpagina van de band, waarbij het me opviel dat Dylan als in Bob hem drie à vier keer per dag bijwerkte – niet met soundtracks, maar met YouTubelinks naar oude platen van Nirvana die hij mooi vond. Was dat het werk van een man die het druk had? Ik dacht het niet.

Iemand met meer gevoel van eigenwaarde zou op dit moment waarschijnlijk een punt achter de hele affaire hebben gezet en verder zijn gegaan met haar eigen leven. Iemand met meer gevoel van eigenwaarde was er waarschijnlijk helemaal nooit aan begonnen. Maar ik was niet iemand met een groot gevoel van eigenwaarde. Ik wilde hem dolgraag zien om na te gaan of ik soms iets verkeerd had gedaan, bijvoorbeeld in mijn slaap een wind had gelaten toen ik hem de laatste keer had gezien. Ik wist niet hoe ik dit specifieke onderwerp bij hem ter sprake moest brengen – 'Hé Dylan als in Bob, ik vroeg me af of je soms bent verdwenen omdat ik een reusachtige scheet heb gelaten, wat je vreselijk heeft geschokt?' –, maar ik wist wel dat ik hem moest zien om de geruststelling te krijgen dat hij geen bloedhekel aan me had.

'We moeten wat in zijn pub gaan drinken,' zeg ik op een keer tussen de middag tegen Chloe.

'Dat moet absoluut niet,' antwoordt ze. 'Weet je hoe vreemd je zult overkomen als je in zijn pub verschijnt terwijl hij al twee weken geen contact meer heeft gezocht?'

'Dat is vreselijk oneerlijk. Waarom is het gek als een vrouw in een pub verschijnt om te kijken of alles goed met iemand is? Als een kerel dat deed, zou je vinden dat hij zorgzaam was. Een vrouw doet het en ze moet worden opgenomen!'

'Maar je wilt niet gaan kijken of alles goed met hem is. Je weet dat alles goed met hem is omdat je hem de hele dag zijn tijd ziet verlummelen op social media. Wees eerlijk tegen jezelf, Bryony.'

'Ik bén ook eerlijk tegen mezelf,' lieg ik. 'Waarom kan een vrouw niet wat gaan drinken in een pub in de buurt van haar huis?'

'Omdat er heel veel pubs bij je in de buurt zijn waar dat stuk verdriet niet werkt.'

'Maar het is een leuke pub. Met een goede jukebox en lekkere soorten ale.'

'Sinds wanneer drink jij ale?'

'Ik drink ale als ik dat wil. Ik vind het mijn RECHT als vrouw om ale te drinken in die pub. Die kan ik niet de rest van mijn leven gaan mijden omdat HIJ er toevallig werkt. Dat ding is niet van HEM.'

Wanneer je je wanhopig vastklampt aan strohalmen, is het heel gemakkelijk om jezelf wijs te maken dat je dat niet doet.

'Goed,' zegt Chloe hoofdschuddend. 'Ik ga met je mee naar die pub om je je mond te laten houden en je uit te lachen als je jezelf finaal voor schut zet.'

'Je bent een geweldige vriendin.'

'Ik ben een betere vriendin dan je ooit zult weten, snoes.'

Het valt me vaak op dat het veel rijp beraad, energie en tijd vergt om een moeiteloos nonchalante indruk te maken. Ik kan niet zomaar binnenlopen in die pub waarvan ik mezelf heb verteld dat ik het volste recht heb om er binnen te lopen. Ik moet een plan bedenken. We zullen op een donderdagavond gaan – vrijdag zou te opdringerig lijken – en doen of we daarna naar een optreden gaan. Dat betekent dat ik een optreden moet vinden waar we zogenaamd naartoe gaan. Ik speur de concertlijsten af in *Time Out* en stuit er op een band die The Broken Noses heet. Ik koop zelfs kaartjes, om alles een schijn van authenticiteit te geven, plus twee extra voor het geval hij met een vriend met ons mee wil. Ik zal doen of een paar andere vrienden op het laatste moment hebben afgezegd. Deze leugen kost me bijna vijftig pond.

Ik moet de juiste kleren hebben, iets anders dan mijn vaste spijkerbroek met uitlopende pijpen, flatjes en een topje. Ik besluit een spijkerbroek met smalle pijpen te kopen, hoewel ik bang ben dat mijn benen daardoor op worstjes zullen lijken. Maar als ik smalle pijpen heb, moet ik hakken dragen. Mijn gewone Topshopschoenen kunnen niet. Ik ga me helemaal te buiten en koop een paar knalrode plateaupumps met een hak van tien centimeter van Biba. Biba is toch cool? Ik haal een kunstmatig versleten T-shirt bij All Saints en smijt er ook nog een blits blazertje tegenaan. Wanneer hij me ziet, zal het volgens mij net de slotscène van *Grease* zijn, aangenomen dat Sandy de film was begonnen als een promiscue zuipschuit die bij gelegenheid niet vies is van drugs.

Zodra Chloe me ziet, barst ze in lachen uit. Dit was niet de reactie waarop ik had gehoopt. 'Heb je voor vanavond honderdvijftig pond uitgegeven voor een paar hakken? Voor een afspraakje waar je niet eens voor bent gevraagd? Terwijl het je nog maar net is gelukt van een flitslening af te komen? Jezus, het moet niet gekker worden.' Maakt niet uit. De flitslening, die is afbetaald met het extra geld van deze maand, is er niet meer, dus heb ik best recht op een extraatje, op een beloning voor mijn financiële prestatie. Die schoenen zijn een investering, houd ik mezelf voor.

Ik ben te nerveus om meteen naar de pub te gaan waar ik met het volste recht naartoe kan gaan wanneer ik wil, dus sta ik erop dat we eerst naar een andere gaan. Tegen de tijd dat ik met behulp van drie grote glazen wijn en een glaasje tequila genoeg moed heb verzameld om te vertrekken, kan ik nauwelijks lopen op mijn hakken van honderdvijftig pond. 'Weet je echt zeker dat je dit wilt doen?' zegt Chloe, die me op de been houdt. 'Je bent namelijk veranderd in een soort groupie. En wel van een band waar NIEMAND OOIT VAN HEEFT GE-HOORD OF OOIT VAN ZAL HOREN. Het zou niet erg zijn als je een groupie was voor een wereldberoemde band op tournee, omdat we dan in elk geval gratis drugs en crystal meth zouden krijgen. Maar deze... deze schooier heeft zelfs nooit je drankje betaald. Jij moest dat van hem betalen. Je hebt hem in je huis laten kamperen...'

'Hij heeft niet gekampeerd, hij heeft mijn bed gedeeld.'

'Maakt niet uit. Je hebt hem in je huis laten slapen, je eten laten eten, je warme water laten gebruiken en heeft hij ooit je drankje betaald?'

Ik denk erover na. Dat heeft hij nooit gedaan.

'Echt, Bryony. Zelfs naar jouw bijzonder belachelijke maatstaven is dit een nieuw stuitend dieptepunt.'

Maar ik ben doof voor haar. Ik ben vastberadener dan ooit. Ik sleep haar mee naar de pub. Ik ga bewijzen dat ze het mis heeft. Ik stel me voor dat er in de pub een stilte zal vallen als ik naar binnen loop en dat Dylan als in Bob over de bar zal springen en me in zijn armen zal sluiten. En ik zal het laatst lachen, en op onze housewarmingparty zal Chloe me terzijde nemen om te zeggen dat het haar spijt dat ze ooit aan me heeft getwijfeld...

'Loop alsjeblieft wat langzamer!' gilt ze als de pub in zicht komt. 'We willen geen wanhopige indruk maken.' Ze werpt me een blik toe. We staan voor de pub. Ik haal diep adem, zet elegant één schoen van vijfenzeventig pond voor de andere en... we maken onze entree.

Het is benauwd, warm en stampvol in de pub. De mensen staan vier rijen dik voor de bar, en hoe ik ook mijn best doe, ik kan hem niet boven de hoofden van de klanten uit zien.

'Ga jij maar in de rij staan,' zeg ik tegen Chloe. 'Ik ga naar de wc om mijn make-up bij te werken.'

'Bryony,' begint ze te zeggen, 'je hebt zes lagen foundation op en genoeg mascara om te kunnen opvliegen.' Maar ik ben een vrouw met een missie, een vrouw die haar lippenstift moet bijwerken.

Als ik terugkom, is de drukte minder. Chloe staat bij de bar te praten met... hem. HEM. Ik huiver onwillekeurig terwijl mijn maag een buiteling maakt. Het is zover, houd ik mezelf voor. Dit is het moment waarop ik heb gewacht. Ik wil naar voren lopen, maar voel me alleen in de richting van de vloer bewegen...

Voor ik het weet, lig ik op mijn vette kont en zit mijn kleding door de val onder het stof. Ik ben net Laurel en Hardy in één persoon, maar zonder al het gelach. 'Jeetje, is alles in orde?' zegt Chloe, die me te hulp snelt. 'Ik wist dat het rotschoenen waren.' Ze hijst me overeind. Ik probeer me er brutaal doorheen te slaan, te doen of er niets is gebeurd. Ik kijk waar ik ben, klop mijn billen af, probeer het stof weg te vegen. Ik zie dat Indie Barman me recht aanstaart.

'Nee maar, als dat niet het meisje met de mooiste ogen van Camden is,' roept hij uit. Hij leunt over de bar en pakt mijn hand. Het is alsof hij nooit weg is geweest, alsof hij zich nooit als een zak heeft gedragen. 'Kan ik een glas ale voor je inschenken? Ik weet dat je daar dol op bent...' Chloe kijkt me perplex aan. Ik trek mijn wenkbrauwen op in een gebaar dat hopelijk zegt: 'Houd je mond.' Indie Barman zet met een klap een schuimend groot glas Doom Bar voor me neer. Heel toepasselijk. Ik probeer het op te drinken zonder te kokhalzen.

'Hé, moet je horen, ik ben hier klaar. Zal ik bij jullie komen zitten?'

'Eigenlijk,' zegt Chloe, 'zijn we onderweg naar een optreden.'

'Je bedoelt dat JIJ onderweg bent naar een optreden,' verbeter ik haar. 'Ik heb alleen met haar afgesproken om wat te drinken omdat ze toch in de buurt is. Ik zou het hartstikke leuk vinden als je bij me komt zitten.'

Chloe pakt haar tas en trekt haar jas aan. 'Nou, ik weet wanneer ik te veel ben,' zegt ze met een nepgrijns op haar gezicht. 'Ik zou dit optreden niet willen missen. Tot morgen op de krant, Bry.' Ze geeft me een zoen op mijn wang en zegt geluidloos iets tegen me. Ik geloof dat het 'stomme trut' is, maar dat laat me op dit moment koud. Ze loopt op de deur af en dan zijn alleen hij en ik er nog.

'En, wat heb je zoal uitgespookt?' vraagt Indie Barman als we ons nestelen in een box. 'O, ik heb jou gestalkt op Facebook, was geobsedeerd door de vraag of ik de laatste keer dat je bent blijven slapen soms een wind in je gezicht heb gelaten,' is wat ik niet zeg. 'Je weet wel. Van alles. Ik heb als een bezetene gewerkt,' jok ik. 'Het is op het moment zoooo druk.'

'Nou, ik ben blij dat je kwam binnenlopen.' Hij neemt een slokje van zijn vreselijke whiskycocktail. 'Ik dacht dat ik je nooit meer zou zien!' Die leugen bevalt me. Daaruit blijkt dat het initiatief van mij moest uitgaan, dat hij hier gewoon al die tijd is geweest, mensen glazen bier heeft geserveerd terwijl hij wachtte tot ik kwam opdagen. Daardoor hoeft hij ook niet uit te leggen waar hij goddorie heeft gezeten.

We drinken en flirten wat en dan gaat de bel voor het laatste drankje. De laatste bel vind ik hoopvol of onheilspellend klinken, nooit iets daartussenin. Ik weet dat mijn stemming gedurende de komende paar uren, dagen en weken zal afhangen van het gevolg van dit geklingel. Zal hij blijven of zal hij weggaan? Zal hij besluiten met me verder te gaan of zal hij meedelen dat hij naar huis moet – heeft hij eigenlijk wel een huis? – omdat hij morgen vroeg op moet?

'Zullen we ergens anders nog een biertje gaan drinken?' stelt hij voor.

HEBBES.

Bij mij thuis gaat alles van een leien dakje, precies zoals ik het uiterst nauwgezet had gepland. We zitten op de bank blikjes bier te drinken en te fluisteren om Steve en mijn zus niet wakker te maken. Stoutmoedig geworden door de alcohol vraag ik hem waar hij de afgelopen paar weken ineens was. 'Het is natuurlijk prima, het maakt niet uit en zo, maar de ene minuut was je er nog en de volgende was je verdwenen.'

'Ik weet het, ik weet het,' zegt hij, waarmee hij erkent dat hij weet en dat ik weet dat het absoluut niet prima is. 'Ik heb nieuwe woonruimte gevonden en ben tijden bezig geweest om al mijn rommel te verhuizen. Je kunt je vast wel voorstellen hoe looiig die drums zijn.'

'Rebecca zei dat je aan het album werkte,' flap ik eruit. Rustig, rustig.

'O, dat was ik ook, min of meer. Maar ik had je moeten bellen. En dat spijt me.' Hij beweegt naar me toe om me te kussen, draagt me de slaapkamer in. In een roes van naaktheid wordt alles vergeven.

Ik val met een gelukzalig gevoel in slaap. Om vier uur 's morgens word ik wakker van het geluid van het raam dat wordt opengewrikt. Ik spring op, wil Dylan als in Bob vastgrijpen om me veilig te voelen en dan besef ik het. Ik besef dat er niet wordt ingebroken, dat er geen idioot naar binnen probeert te klimmen. Ik besef dat Indie Barman naar búíten probeert te komen.

'Sorry, babe.' Hij zit schrijlings in het raamkozijn, terwijl hij het raam omhooghoudt, waardoor er koude lucht naar binnen waait. 'Het zit niet in jou, het zit in mij. Je bent een geweldige meid, maar ik ben te warrig om je te geven wat je wilt. Toch heb je de mooiste ogen van Camden.' Hij geeft me een kushand. En weg is hij.

Mijn leven gaat verder. Het gaat prima met me. Ik ben meer waard dan dit, dan hij. Ik besluit hem uit mijn haar te wassen. Alleen blijf ik maar jeuk houden, hoe vaak ik mijn haar ook was. Ik word er gek van. Een week na het voorval met het raam sta ik na mijn werk op het perron van de metro de *Grazia* te lezen en me vreselijk te krabben, me afvragend of ik soms roos heb. Ik zie iets op de bladzijden van mijn tijdschrift vallen. Ik kijk er nauwkeuriger naar.

Met een schok besef ik dat ik eindelijk wat van Indie Barman heb gekregen: luizen.

10

Ik bel alleen om te zeggen dat ik chlamydia van je heb gekregen

Het kost me vijf weken om de laatste hoofdluis uit mijn lokken te verwijderen, om Indie Barman volledig uit mijn haar te wassen. Dat is voor mijn doen een betrekkelijk korte periode om het leven weer op te pakken. Ik verlang nog steeds een beetje naar Sam, hoewel ik al in geen tijden meer iets van hem heb gehoord en hij wel van Edinburgh naar Carlisle naar Calcutta kan zijn verhuisd. Zelfs om Josh, met wie ik slechts heel kort bevriend ben geweest, heb ik heel lang getreurd. Dat kwam vermoedelijk niet doordat ik hem echt mocht. Het kwam doordat ik me door hem een idioot voelde, doordat ik me door hem schaamde. Ik was pas echt verlost van het gevoel dat ik een sukkel was als ik aan hem dacht toen ik iets stoms deed met iemand anders, namelijk met Indie Barman. En nu denk ik helemaal niet meer aan Josh, en het is bijna alsof hij dat weet.

Het is bijna alsof hij dat voelt.

Twee maanden na het hoofdluisincident gaat mijn telefoon. Mijn telefoon gaat en het is Josh. Ik ben ontsteld dat ik zijn nummer nog altijd ergens in de duistere uithoeken van mijn mobiel heb bewaard. Ik dacht dat ik het had gewist, maar ik begin erachter te komen dat een iPhone je nooit iets laat wissen, behalve als het iets is wat je echt wilt bewaren. Ik staar naar mijn telefoon, die kwaakt als een eend. Waarom heb ik zijn nummer nog, vraag ik me af. En dan: waarom heb ik geen normale beltoon gekozen?

Terwijl het gekwaak maar doorgaat, overweeg ik mijn mogelijkheden. Er zijn er eigenlijk slechts twee. Dat zijn a) opnemen, en b) niet opnemen. Als ik opneem, kan het lijken of ik de afgelopen paar jaar naast mijn telefoon heb zitten wachten tot hij me belt terwijl mijn zus boterhammen onder de deur door schuift. Aan de andere kant hoeft hij dat helemaal niet te denken; hij kan gewoon denken: ze neemt de telefoon op, wat volkomen normaal is bij mensen met een draagbaar communicatieapparaat dat ze altijd bij zich hebben.

Maar aan de andere kant... tja, kan ik ook niet opnemen. Ik kan niet opnemen en hem een tijdje in zijn eigen sop laten gaarkoken, net zoals hij met mij heeft gedaan na dat incident met het verkeerde slipje. Ik kan niet opnemen en dan een paar uur geen moeite doen om hem terug te bellen, om hem een beetje ongerust te maken, om hem... nee. We weten allemaal dat het zo niet zal gaan. Het heeft geen zin, omdat hij die paar uur in werkelijkheid gewoon doorgaat met zijn leven, terwijl ik erdoor word geobsedeerd waarom hij heeft gebeld, en hoe mijn stem zal klinken als ik hem terugbel, en jezus, wat heeft dat allemaal voor zin?

Dus neem ik op.

'Hallo?' zeg ik. Mijn toon is vragend. Daaruit blijkt dat ik niet weet wie ik aan de lijn heb. Daaruit blijkt dat ik het druk heb. Daaruit blijkt dat ik zijn nummer heb gewist of, nog beter, nooit de moeite heb genomen het in mijn telefoon op te slaan.

'Bryony!' zegt hij opgewekt.

Hij wil me terug.

'Met Josh!'

Hij wil me beslist terug.

'O, dag,' antwoord ik. 'Hoe gaat het met je?'

'Och, je weet wel.'

Hij gaat vragen of ik terugkom.

'Eigenlijk gaat het niet zo goed,' vervolgt hij.

Hij houdt zoveel van me dat hij depressief is geworden door mijn afwezigheid in zijn leven.

'En daarom bel ik je.'

Zie je wel, ik heb het toch gezegd!

'Het punt is, Bryony...'

Wacht erop, wacht erop.

'Er is geen gemakkelijke manier om dit te zeggen...'

God, ik ben onweerstaanbaar.

'Weet je, eh...'

Stilte. Nu komt het.

'Ik geloof dat ik chlamydia heb. En ik geloof dat ik het van jou kan hebben gekregen.'

Ik barst in lachen uit.

HA HA HA HA HA HA HA HA HA HA HA HA HA. HA. HA HA. Wat moet je anders? Huilen? En dan te bedenken dat ik werkelijk dacht dat hij misschien belde om opnieuw te beginnen! Dit doet me denken aan de keer dat een ex me 'per ongeluk' belde, zoals hij ontzet mompelde toen ik zijn telefoontje opgewonden beantwoordde. Dit is net zoiets, maar dan met een geniepige ziekte waar je onvruchtbaar van kunt worden.

'Denk je dat je het van mij hebt gekregen?' herhaal ik tegen hem. Want dat is toch het mooiste van alles? Dat is echt de giller van het hele gedoe. Hij belt me niet alleen om me te zeggen dat hij chlamydia heeft. Hij belt om mij daar rond- uit de schuld van te geven. Of eigenlijk mijn vagina. Josh heeft nooit chlamydia kunnen krijgen van een van de andere vrouwen die hij heeft geneukt in de jaren sinds ik voor het laatst van hem heb gehoord. Josh kan het niet hebben gekregen van die meid met het zijige slipje van Agent Provocateur. Josh heeft het onmiskenbaar gekregen van mijn smoezelige persoontje. Deze wending van het lot is louter en alleen mijn schuld.

'Ja,' zegt hij ernstig, alsof hij in een benedictijner monnik is veranderd.

'Juist.'

'Daarom vond ik dat je het moest weten. Laat het nakijken. Het spijt me echt heel erg dat ik je moest bellen, maar het leek me het best om contact met je op te nemen.'

Hij belde alleen om te zeggen dat hij chlamydia van me had gekregen. Wat aardig.

Ik bedank hem voor zijn – wat? Fatsoen? Ik zeg dat ik me zal laten onderzoeken en hem de uitslag zal laten weten. Ik hang op, ga terug naar mijn bureau en stuur een sms'je naar Chloe om haar te zeggen dat we klokslag zes uur naar de pub moeten. 'Okeeeeeeeeee,' antwoordt ze. 'Waarom?'

'Er is een vreselijke ziekte bij me geconstateerd,' tik ik.

'Wattt????!!!!'

'Ik maak een grapje. Min of meer. Vertel het later.'

De volgende twee uur ben ik op mijn werk bezig chlamydia te googelen en tegenover iedereen die mijn bureau passeert te doen alsof ik werk aan een mogelijk artikel over het onderwerp voor de gezondheidsbijlage. Ik denk niet dat iemand me gelooft, maar dat laat me koud. Ik ben ontzet, ontsteld, onthutst van ongerustheid. Ik stel me voor dat mijn eierstokken in brand staan, mijn baarmoeder een lege, holle ruimte is waardoor het biologische equivalent van tuimelkruid rolt. Ik kom te weten dat 70 tot 80 procent van de vrouwen nooit symptomen van chlamydia krijgt, vergeleken met slechts 50 procent van de mannen – waarom is het leven zo wreed voor ons vrouwen?! – wat bekent dat ik er al jaren aan kan lijden. Al tíén jaar. Ik kan de ziekte wel hebben opgelopen toen ik op mijn zestiende werd ontmaagd. Ze kan al mijn hele volwassen bestaan bezig zijn mijn voortplantingsorganen weg te branden.

Ik zie foto's die niemand ooit zou moeten zien, van baarmoederhalzen die ziekelijk rood zien en penissen met korsten van afscheiding. 'Het is voor een artikel!' zeg ik tegen de zesde figuur die vraagt waar ik in hemelsnaam mee bezig ben. Ik kom te weten dat chlamydia afkomstig is uit het Grieks, van χλαμύδα, dat 'mantel' betekent, en ik stel me voor dat er een figuur met een capuchon door mijn eierstokken beent. Ik lees op Wikipedia: 'Van de mensen met een niet-symptomatische infectie die niet door hun arts wordt ontdekt, krijgt ongeveer de helft een Pelvic Inflammatory Disease (PID), een algemene term voor een infectie van de baarmoeder, de eileiders en/of eierstokken. PID kan littekens veroorzaken in de voortplantingsorganen, die later tot ernstige complicaties kunnen leiden, zoals chronische pijn in de onderbuik, problemen om zwanger te raken, een ectopische (buitenbaarmoederlijke) zwangerschap en andere gevaarlijke complicaties tijdens de zwangerschap.'

Om zes uur ben ik onvruchtbaar, een oude vrijster. Op mijn zesenvijftigste ben ik dood aangetroffen in mijn flatje, waar ik al weken onopgemerkt lag, terwijl mijn zes katten mijn gezicht opaten om zich te voeden. Mijn leven vervalt tot een stukje in de plaatselijke krant. 'Bryony Gordon, 56, was al enige tijd overleden, maar de buren werden pas opmerkzaam gemaakt op haar toestand toen ze een vreemde lucht roken in de gemeenschappelijke ruimte van het flatgebouw. "Ze was een stille vrouw, die kennelijk geen vrienden of familie had," zei een bewoner. "Ze bemoeide zich met niemand en reed vaak rond met een boodschappenkar met bezittingen. Ze was heel zonderling, maar ze was niemand tot last." Er wordt gedacht dat Gordon kluizenaar is geworden nadat haar grote liefde haar had verlaten omdat hij chlamydia van haar had gekregen...'

Nee, nee. Die griezel krijgt in de voetnoten van mijn geschiedenis niet de rol van mijn grote liefde toebedeeld.

'Nou, wat is er?' vraagt Chloe, als we ergens gaan zitten met een fles wijn.

'Josh heeft gebeld,' zeg ik. Ze kijk volstrekt ongeïnteresseerd. Ze geeft geen moer om Josh. Ze heeft er genoeg van om mijn gejammer over kerels te moeten aanhoren, waarna ik de zorgvuldig afgewogen goede raad die ze me geeft, volkomen negeer. Ze is verliefd geworden op een man die ze heeft leren kennen via een datingsite, een vent die in Stoke Newington woont en taugé kweekt voor eigen consumptie. Ik geloof dat ze wel eens in een vroege midlifecrisis zou kunnen zitten.

'Hij belde alleen om te zeggen dat hij van mij chlamydia heeft gekregen,' zeg ik ernstig.

Chloe lacht. Dit is kennelijk de normale reactie wanneer iemand je vertelt dat hij of zij een seksueel overdraagbare ziekte heeft.

'Wát heeft hij gedaan?' zegt ze tijdens haar pogingen om zich niet dood te lachen.

'Hij belde alleen om te zeggen dat hij van mij chlamydia heeft gekregen.'

Nog meer gelach.

'Ik meen het, Chloe! Hij heeft van mij chlamydia gekregen en ik heb de ziekte vermoedelijk al jaren, zal haar wel hebben doorgegeven aan iedereen met wie ik naar bed ben geweest, en ik zal hen allemaal moeten bellen om dat uit te leggen, en dan, als klap op de vuurpijl, zal ik ontdekken dat ik onvruchtbaar ben en STEL JE VOOR DAT IK OOK AIDS HEB!'

'Je hebt geen aids,' zegt Chloe kalm. 'En zelfs als je wel hiv-positief was, is dat tegenwoordig een uitstekend te beheersen ziekte, niet erger dan een leven met astma.'

'Je denkt dat ik aids heb, hè?'

'Bryony, hoe kan ik weten of jij aids hebt of niet? Ik ben verdorie geen arts.'

'O god, ik heb aids!'

'Moet je horen, je moet je eerst laten onderzoeken om erachter te komen of je wel chlamydia hebt,' zegt Chloe, die me verblindt met logica en redelijkheid. 'Om de hoek bij de krant is een inlooppoli. We kunnen morgen tussen de middag gaan en dan weet je of je iets mankeert en kunnen ze er wat aan doen. Ondertussen denk ik dat je vermoedelijk nog een glas wijn nodig hebt.'

We gaan naar buiten voor een heel pakje peuken.

Ik heb beslist aids.

De poli heeft gele muren, wat me een beetje doet denken aan de zit-slaapkamer in Bethnal Green waarin ik heb gewoond. Ik heb, net als bij de zit-slaapkamer, het vreemde gevoel dat ze zo niet zijn begonnen, maar door verval en ziekte deze kleur hebben gekregen. De vloeren zijn van kunststof, blauw met grijze spikkeltjes, net als alle vloeren in gebouwen van de gezondheidszorg. Wie heeft bepaald dat dit de juiste combinatie was? Welke inrichtingsgoeroe heeft vastgesteld dat je hiernaar wilt kijken wanneer er een spatel in je baarmoederhals wordt gepropt of bloed uit je arm wordt gehaald?

We nemen plaats voor de onvermijdelijk lange wachttijd tot we aan de beurt zijn. Naast ons zitten de gebruikelijke figuren die ik me altijd heb voorgesteld bij een soa-poli: vrouwen met zware oogmake-up en fonkelende sieraden voor wie deze onderzoeken gewoon bij hun werk horen, mannen met goed ontwikkelde bicepsen, een geschoren hoofd en een te strak T-shirt. Maar zij zijn niet de enigen. Zij vertellen niet het hele verhaal. Aan de andere kant van de wachtkamer probeert een Filipijnse kinderjuffrouw tijdens het wachten de kleine kinderen van een ander zoet te houden met het varkentje Peppa op een iPad; mannen en vrouwen in keurige pakken spelen nerveus met hun BlackBerry's en kijken zuchtend op hun horloge.

'Zou het niet gênant zijn,' zeg ik tegen Chloe, die in de *Grazia* over Katie Holmes leest, 'als er iemand van de krant zou binnenkomen en ons zou zien?'

Chloe kijkt niet van het blad op. Ze stoot alleen een kort lachje uit en bladert snel door naar een verhaal over Miley Cyrus. Ik staar naar de klok en tik met mijn hakken op de kunststof vloer, en het is net of God – als ik in hem geloofde – hier in deze wachtkamer bij ons is, zich wat vermaakt tijdens het wachten om erachter te komen of hij de sief heeft.

Door de deur komt Jamie binnenlopen, een jonge jongen die net is afgestudeerd, bij ons werkervaring opdoet en een beetje op Zac Efron lijkt, een feit waar ik zo weinig mogelijk aan probeer te denken, aangezien Zac Efron bijna tien jaar jonger is dan ik en eruitziet alsof hij zelfs niet de baard in de keel zou krijgen als je die er met man en macht in zou proppen.

'Chloe,' fluister ik, terwijl ik haar een por in haar zij geef. 'We moeten ergens anders gaan zitten, nu!'

'Jezus,' zegt ze, als ze haar blad eindelijk opzij legt. 'Kijk uit wat je met die elleboog doet, Bryony.'

'sssssssssssssst,' sis ik. 'Noem mijn naam niet! Er is net een collega komen binnenlopen en we moeten daar achter die pilaar gaan zitten, nu.' Ik kijk vaag in de richting van Jamie. Jamie kijkt vaag onze kant op. Het is te laat. Het is allemaal voorbij. Ik glimlach opgelaten...

'bryony gordon,' brult de verpleegkundige van de soapoli door de wachtkamer. 'bryony gordon, alstublieft.'

Onze ware identiteit is onthuld. Had ik dit tot nu toe nog kunnen afdoen als Chloe's bezoekje aan de siefzuster (en zou dat geen leuke titel zijn voor een kinderboek: 'Nu, kinderen, gaan we een waarschuwend verhaal lezen dat *Chloe's bezoekje aan de siefzuster* heet'), is het nu heel duidelijk mijn bezoekje aan de siefzuster. Ik schiet, gevolgd door Chloe, als een haas de kamer van de verpleegkundige in – nog meer blauw, nog meer vervallen geel – en kijk met enige ontzetting naar het instrumentarium daarbinnen. Glijmiddelen. Eendenbekken die op de pijp van een onderzeeër lijken. Lampjes om beter in dingen te kunnen turen waar helemaal niet in getuurd zou moeten worden. Condooms, condooms, condooms.

'En,' zegt de zuster, 'wat mankeert eraan?'

Chloe begint weer te lachen.

'Het spijt me van mijn vriendin,' zeg ik hoofdschuddend. 'Ze heeft ze niet allemaal op een rijtje. Mijn ex heeft me gisteren gebeld om te zeggen dat hij chlamydia heeft. En dat hij dacht dat hij het van mij had gekregen.'

'Wat bijzonder aardig,' merkt de zuster op. En dan verwijst ze me naar de onderzoekstafel waar papieren handdoeken op liggen. Ik moet er niet aan denken wat voor kwalen in deze kamer zijn vastgesteld.

'Je moet je slipje uittrekken,' zegt ze als ze een gordijn dichttrekt rond mijn schande, 'en dan kun je jezelf bedekken met deze handdoek als je je om een of andere reden opgelaten zou voelen.' We weten allebei dat dit gewoon beleefdheid is, aangezien ze meer van me te zien zal krijgen dan zelfs Josh heeft gezien, maar ik wikkel de papieren handdoek toch om me heen, want ik wil graag een schijn van fatsoen bewaren, hoe broos ook.

Dan lig ik horizontaal in verblindend licht te kijken, terwijl een vrouw die ik nog nooit heb gezien tussen mijn benen peurt, me insmeert met KY-gel.

Dat roept herinneringen op.

'Dit is misschien niet zo prettig...'

'AAAAUUUUUWWWWW,' gil ik als ze doet wat ze moet doen. Achter het gordijn hoor ik Chloe weer grinniken.

Als alles voorbij is, krijg ik te horen dat ik over twee weken mag terugbellen – twee hele rotweken! Ik kleed me aan en schiet de kamer en het gebouw uit zonder iemand aan te kijken, Jamie al helemaal niet. 'Nu dat achter de rug is,' zegt Chloe, 'kunnen we bij Prêt een broodje gaan halen.'

'Ik heb net een afschuwelijk ingrijpend onderzoek gehad. Een van de stagiaires denkt – weet! – dat ik een besmette hoer ben, in feite smeriger ben dan een kakkerlak die door poep rent. En jij kunt goddorie alleen maar aan PRÊT À MANGER DENKEN?'

'Een mens moet eten,' merkt Chloe op. 'En bovendien zou ik wel eens willen weten waarom hij daar was. Er is alle kans dat hij net zo smerig is als jij.'

'Laten we gewoon wat gaan eten en teruggaan naar de krant,' snauw ik.

Als we terug zijn, vraag ik me af wat ik moet doen. Negeer ik het feit dat ik net een stagiair tegen het lijf ben gelopen op een soa-poli of zie ik het onder ogen? Glimlach ik de rest van zijn tijd bij de *Telegraph* onschuldig naar deze man – deze jongen! – terwijl ik doe alsof ik hem nooit buiten de krant ben tegengekomen? Of stuur ik hem gewoon een sms'je waarin ik erken dat we elkaar hebben gezien en vertel dat ik het nooit tegen iemand zal zeggen, waarmee de zaak is afgehandeld?

Ik stuur hem een e-mail. Naar het algemene adres voor stagiaires. Ben ik gek geworden?

Dit staat erin: 'Hoi Jamie, wilde je even mailen om te zeggen dat ik zwijg als het graf over daarnet. Hoop dat alles in orde is!'

Tien seconden later antwoordt hij.

'Ha. Je viel me meteen op, en niet alleen omdat we voor hetzelfde bedrijf werken. Jij was verreweg het mooiste meisje daar.'

Ik deins weg van mijn computerscherm. Is dit het dubbelzinnigste compliment ter wereld? Moet ik wel gevleid zijn, aangezien de meeste andere vrouwen in de wachtkamer doorgewinterde sekswerkers waren?

Hij lijkt op Zac Efron.

Ik besluit elk kruimeltje te pakken dat ik kan krijgen.

'Eh, bedankt. Jammer dat het uiterlijk wat werd bedorven door de soa-test waarvoor ik er was.'

'Ik vind het geweldig als een vrouw haar seksuele gezondheid in de gaten houdt. Dat bewijst dat ze een gezond en gelukkig mens is.'

Hij moest eens weten.

Hij lijkt op Zac Efron.

'Ha!' schrijf ik, want wat moet je na zoiets anders schrijven?

'Zin om vanavond wat te gaan drinken?' antwoordt hij.

En dit is een dilemma, want hij is een man die ik eerder heb gezien op een soa-poli, en die dus iets onder de leden kan hebben. Bovendien is hij bijna tien jaar jonger dan ik. Legaal, maar bijna tien jaar jonger dan ik. En daar komt nog bij, wie vindt het nou opwindend als iemand een soa-test laat doen? Maar...

Hij lijkt op Zac Efron, hij lijkt op Zac Efron, hij lijkt op Zac Efron.

Hij lijkt op Zac Efron.

En ik heb geen andere plannen dan naar huis gaan en over de staat van mijn eileiders tobben.

Dus spreek ik af wat met hem te gaan drinken.

Hij lijkt per slot van rekening op Zac Efron.

Ik zeg het niet tegen Chloe, omdat zij het terecht een bela-chelijke situatie zou vinden, nog meer zou lachen en er ver-volgens het grapje over zou maken dat we aan onze kinderen zouden kunnen vertellen dat we elkaar hadden aangekeken op een overvolle soa-poli. Maar zo is het welletjes met mijn fantasie. Zoals we weten, heb ik chlamydia en daardoor zal ik nooit kinderen kunnen krijgen. Ik blijf rustig, buig me over mijn computer en stel voor elkaar in een pub te zien die ver bij de krant vandaan ligt.

Hij gaat akkoord.

Als ik op de afgesproken ontmoetingsplek arriveer, zit hij al achter een groot glas pils met een aansteker te spelen. Hij haalt een biertje voor me en trekt zijn das af. Zonder das lijkt hij nog meer op Zac Efron. Het zou bijna verontrustend zijn als de alcohol me niet meteen naar het hoofd was gestegen.

Ik wil weten waarom hij op de soa-poli was, of hij net als ik iets onder de leden heeft of dat hij er, net als Chloe, alleen was voor een vriend. Ik vraag me af of het, gezien de omstandig-heden, onbeleefd zou zijn om dat te vragen of dat hij het juist verwacht. We praten wat over het werk, hoe het met zijn stage gaat. Dan begint hij erover. Hij is me voor.

'En, waarom was jij er?' vraagt hij. Hij voegt er niet eens aan toe 'als je het niet erg vindt dat ik het vraag', omdat hij het duidelijk niet erg vindt dat hij het vraagt. Hij is brutaal, na-tuurlijk is hij dat. Hij lijkt op Zac Efron.

'Mijn ex belde om te zeggen dat hij chlamydia had,' zeg ik nuchter. 'Peuk?'

'Wil je niet weten waarom ik er was?' vraagt hij, bijna met een gekwetste blik omdat ik er niet naar informeer.

'Ik weet het niet. Wil ik dat?' Ik ben dapper door de alco-hol. Ik kan ook brutaal zijn, hoewel ik er niet uitzie als Zac Efron. 'Krijg ik dan geen afkeer van je?'

Hij glimlacht en gaat me voor naar buiten om te roken.

In de loop van diverse sigaretten vertelt Jamie me dat hij er ook was omdat hij was gebeld door een ex. 'Syfilis!' legt hij uit. 'Tja, ik had er geen idee van dat we nog in de negentiende eeuw leven. Maar goed, de zuster zei dat ik geen symptomen vertoonde, dus dat is een opluchting. En ik probeer het positief te bekijken. Weet je, toen ik daar zat en naar al die mensen in die wachtkamer keek, dacht ik: dit zou echt een heel grappig stukje kunnen opleveren. Je moet erover schrijven, Bryony. Een boekje opendoen over de wereld van de soa-poli's!'

'Dat zou wel eens een stapje te ver kunnen zijn, zelfs voor mij,' zeg ik terwijl ik mijn peuk uitdruk. 'Maar ach, daardoor zijn we in elk geval bevriend geraakt, hè?'

Zijn antwoord komt in de vorm van een zoen.

De verhouding tussen Jamie en mij is nooit verder gekomen dan die kus voor de pub. Kort daarna krijgt hij een echte baan bij een andere krant en vertrekt hij. Onze vriendschap heeft precies gedaan wat ze moest doen: ze was balsem voor onze ziel. In elk geval voor die van mij. Ik moet terugdenken aan de keer dat ik bij Steve mijn functie als zoenzuster heb uitgeoefend, en ik besef dat Jamie hetzelfde voor mij heeft gedaan. God, ik moet oud aan het worden zijn. Nu moet ik er alleen maar achter komen of ik al dan niet de aandacht nodig zal hebben van een echte zuster, en wellicht zelfs van een dokter.

De twee weken tussen het onderzoek en de uitslag zijn de langste die ik ooit heb doorgemaakt. Ik ben doorlopend misselijk. Ik kan niet eten. Ik ben ervan overtuigd dat het komt doordat ik doodga aan aids. Ik bel zelfs met de Terrence Higgins Trust om met een aardige jongeman aan de andere kant van de lijn alle details door te nemen van elke seksuele ontmoeting die ik ooit heb gehad.

Dat kost enige tijd.

'Denk je dat ik hiv-positief zou kunnen zijn?' vraag ik hem als ik klaar ben met het epische verslag van mijn leven als twintiger tot nu toe. Ik heb te doen met de man aan de andere kant van de lijn: hij moet zich smerig voelen. 'Dat denk ik niet, of een van de mannen met wie je naar bed bent geweest, moet ook met mannen naar bed zijn geweest of in Afrika ten zuiden van de Sahara de bloemetjes buiten hebben gezet.' O god, stel dat ze dat hebben gedaan? Dat is heel goed mogelijk. 'Kijk, zelfs als je hiv-positief bent, is dat uitstekend te behandelen. Ik ben het al zes jaar en ik ben kerngezond.'

Dit is echt weer iets voor mij. Erover doorzeuren hoe bang ik ben om hiv-positief te worden tegen iemand die dat al is.

'Het spijt me,' zeg ik.

'Het geeft niet,' antwoordt hij.

'Nee echt, ik snap niet dat ik zo gevoelloos ben geweest.'

'Eerlijk, het is geen enkel probleem.'

Op de dag dat ik de uitslag krijg, kan ik nauwelijks helder denken van ongerustheid. Ik draai het nummer van de poli zes keer, om telkens doodsbang op te hangen. Als ik níks heb, zal ik me nooit meer misdragen. Als ik níks heb, ga ik vrijwilligerswerk doen bij een weeshuis. Als ik níks heb, zal ik non worden, of in elk geval alleen met mannen naar bed gaan van wie ik echt houd en van wie ik weet dat ze ook echt van mij houden. Dat lijkt toch redelijk?

Ten slotte laat ik het nummer doorbellen. Er neemt een man op die klinkt of hij het druk heeft. 'Ik bel voor mijn uitslag,' zeg ik bijna huilend in de telefoon. 'Goed,' zegt de man heel monotoon. Het lijkt wel of hij voor een callcenter van een bank werkt. 'Wat zijn uw naam en geboortedatum?'

Ik vertel het stamelend.

'Een ogenblik, alstublieft,' zegt hij.

Er begint klassieke muziek te spelen. Ik stel me voor wat er op de soa-poli gebeurt. De man raadpleegt een hogere autoriteit over mijn uitslag, vraagt wat hij moet doen. 'Ik heb nog nooit zo'n slechte uitslag gehad,' zegt hij tegen zijn collega. 'Moeten we haar niet laten komen om het te vertellen? Moeten we haar geen therapie aanbieden?'

De klassieke muziek houdt op. 'Mevrouw Gordon?' zegt de man.

'Ja?' zeg ik in paniek.

'U bent volkomen schoon. Nog een prettige dag!'

Ik zal me nooit meer misdragen. Ik ga vrijwilligerswerk doen bij een weeshuis. Voortaan ga ik alleen met mannen naar bed van wie ik echt houd en van wie ik weet dat ze ook echt van mij houden.

Voor mijn gevoel heb ik mijn leven teruggekregen.

11

Het begin van de affaire

Een paar maanden voor mijn negenentwintigste verjaardag, kort na het chlamydiadebacle, krijg ik precies wat ik altijd heb gemeend te willen hebben: een echtgenoot. Het enige probleem is – er is toch altijd wel een probleem? – dat hij niet mijn echtgenoot is. Michael is vierenveertig, de vader van drie kinderen en de geliefde van één vrouw, die ik absoluut niet ben. Ik weet niet hoe ik zo'n cliché heb kunnen worden. Ik heb geen idee waardoor ik moreel zo aan lagerwal ben geraakt.

Ik was helemaal niet op zoek naar een getrouwde man. In tegenstelling tot Chloe heb ik nooit ingelogd op www.sugardaddies.com – om vervolgens te worden afgewezen, zoals haar is overkomen, omdat ze de enorm hoge leeftijd van achtendertig had bereikt. (Dat was voordat ze voor een duurzame relatie overging op eHarmony en meneer Taugé leerde kennen.) Ik heb geen verwoede pogingen gedaan om de andere vrouw, de maîtresse te worden. Het lijkt veel te jong, veel te vroeg om op je negenentwintigste al maîtresse te worden. Bij een maîtresse zie ik Samantha uit *Sex and the City* voor me, chic, begin veertig – maar aan de andere kant ben ik door de afgelopen tien jaar misschien gewoon uitgeput geraakt, ben ik oud geworden voor mijn tijd. Oud voor mijn tijd, zonder de volwassenheid die daarbij zou horen.

Het idee van een verhouding met een getrouwde partner staat mij even weinig aan als ieder ander. Als kind was ik ervan overtuigd dat mijn ouders altijd te laat thuiskwamen omdat ze een verhouding hadden. Het kwam niet doordat ze moesten werken, of doordat ze hadden vastgezeten in het verkeer terwijl ze als een gek probeerden thuis te komen om de kinderen naar bed te brengen. Het kwam doordat ze het deden met denkbeeldige figuren die mijn koortsachtige prepuberale fantasie had verzonnen. Ik was als de dood dat mijn familie zou worden verscheurd door deze fantasierelaties. Andere kinderen hadden denkbeeldige vriendjes, maar ik had denkbeeldige stiefouders. Dus heb ik verhoudingen altijd slecht gevonden. Ze zijn verkeerd, ze zijn niks voor mij, dat wil zeggen, tot ik er zelf middenin zit.

'Ken je Michael al?' vraagt een collega op een avond in de pub, waarop hij me voorstelt aan zijn vriend. Michael is een bobo bij een groot computerbedrijf. Hij is niet knap, niet in de traditionele betekenis van het woord – hij heeft niet veel haar, en wat hij heeft, is bijna wit – maar hij heeft iets, namelijk het enorme charisma dat niet-knappe mannen moeten ontwikkelen om succes te hebben bij vrouwen. Hij draagt goede maatkostuums en zo'n bril die je niet zomaar bij een grote opticienketen kunt krijgen, maar waarvoor je naar een exclusieve opticien toe moet. Als je hem tien jaar geleden voor me had neergezet met de mededeling dat ik uiteindelijk een verhouding met hem zou krijgen, had ik je een klap in je gezicht gegeven en gezegd dat je niet zo belachelijk moest doen.

'O, Bryony,' zegt Michael, die me zijn hand toesteekt. Zijn greep is sterk, vol zelfvertrouwen, autoritair. 'Ik lees je al een tijdje. Je bent een behoorlijk wilde meid, hè?' Hij trekt zijn wenkbrauwen op, knijpt zijn ogen wat toe en tuit zijn lippen – die aardig vol zijn, nu ik erover nadenk – tot een flirterige glimlach. Later zal ik me afvragen of hij dit doet bij iedere vrouw die hij ontmoet, of hij elke kennismaking aanpakt als een scherpschutter die zijn doel zoekt voordat hij de loop van zijn geweer richt op iemand die zo dom is om niet weg te duiken en zich te verschuilen. Maar op dit moment ben ik te dom om dat in te zien. Ik ben een konijn dat gevangenzit in het licht van de koplampen, ik snak naar wat mondaine allure in mijn leven na de groezeligheid van de soa-poli en de onvolwassen chaos van Indie Barman.

Michael stelt me de hele avond vragen over mezelf, raakt mijn schouder en arm aan terwijl we bespreken waar ik woon, met wie ik samenwoon, wat mijn verwachtingen en dromen zijn ten aanzien van mijn carrière. Ik zie heel duidelijk dat hij een trouwring draagt, maar ik ben verdoofd door de aandacht die hij aan me besteedt, kan niet meer logisch denken door zijn belangstelling voor me. Als hij vertrekt, stelt hij voor eens samen wat te gaan drinken, om ideeën uit te wisselen. 'Dat lijkt me enig,' giechel ik meisjesachtig en met een bonzend hart.

De volgende dagen ben ik bezig hem te googelen. We mailen met elkaar, waarbij hij doet of hij onder de indruk is van mijn hectische levensstijl als vrije meid. Ik geloof graag dat ik hem imponeer met mijn jeugd, mijn vermogen om me te amuseren, hoewel hij vermoedelijk alleen ontzag heeft voor mijn tieten. Uiteindelijk stelt hij dat drankje voor. 'Dukes?' sms't hij, een discrete kleine bar ergens in St James's. 'Martinicocktails?'

Het punt met de martinicocktails van Dukes is dat ze zo lekker zijn. Zij hebben Ian Fleming geïnspireerd er het lievelingsdrankje van James Bond van te maken, en ter nagedachtenis aan Fleming is elke cocktail nu genoemd naar een personage uit de serie. Ze zijn zo goed, zo sterk, dat je er maar twee mag hebben. Of je moet, zoals Michael en ik, het personeel achter de bar weten over te halen je nog één Tiger Tanaka te geven voor je overgaat op wijn en dan op bier. We zijn zo lazarus dat Michael drank op zijn bekwaam gestreken overhemd morst. 'Ik denk dat ik het beter kan uittrekken,' plaagt hij. We zijn zo teut dat we voor we het weten over tafel heen zitten te zoenen, in het volle zicht van een tafel Amerikaanse toeristen. We zijn zo dronken dat het ons niets kan schelen.

De volgende ochtend word ik in mijn bed wakker, vervuld van een warme geestdrift, een herinnering aan Michael die me in een taxi thuis afzet en mijn gezicht aflebbert voor hij zegt dat we dit nog eens moeten doen. Ik ga zingend onder de douche. Ik zet koffie voor mijn zus en Steve, en breng een kop naar hun kamer. 'Wat is er in hemelsnaam met jou gebeurd?' vraagt mijn zus, duidelijk bezorgd over mijn plotselinge transformatie van iemand met een ochtendhumeur tot een ochtendmens. 'O, niets,' jubel ik. 'Het is gewoon een mooie dag!'

Buiten regent het pijpenstelen.

Ik ben wellicht voor het eerst in mijn carrière te vroeg op mijn werk. Ik ben een vrouw met een doel, ik kijk voortdurend in mijn inbox of er iets van Michael is. Ik weet dat dit erg is, ik weet dat ik waarschijnlijk een vreselijk mens ben omdat ik dit zelfs maar wil. Ik houd mezelf voor dat ik hier niet mee verderga, dat ik in mijn leven geen enkele behoefte heb aan een getrouwde man. Als hij mailt: 'Koffie om vier uur in de buurt van de krant? xx,' merk ik dat ik tik: 'Ja xx.'

We treffen elkaar voor onze koffie in de lobby van een hotel op vijf minuten lopen van de krant. Dat lijkt dichtbij, maar het is geen plek waar je ooit een collega zou verwachten – of hij/zij zou ook een verhouding moeten hebben – en dus lijkt het veilig, een toevluchtsoord. Michael zit verborgen in een hoekje van een dubbele espresso te genieten. 'Die heb ik nodig voor de kater,' zegt hij met een glimlach als hij opstaat om me op beide wangen te kussen.

Op tafel ligt een spiksplinternieuw exemplaar van Flemings *You Only Live Twice*, waarin de Tiger Tanaka van onze martinicocktails voorkomt. 'Dit is voor jou,' zegt Michael, die het aan me geeft. Op de omslag staat een foto van Sean Connery in avondkleding. Ik glimlach bij mezelf. Michael is mijn Sean Connery, besluit ik. Hij is mijn James Bond.

Geen enkele man heeft ooit een boek voor me gekocht. Als je zijn vrouw en drie kinderen even kunt vergeten – het is me gelukt hen volledig uit mijn gedachten te bannen – lijkt het ongelooflijk romantisch. Ik sla het boek open, blader door de nieuwe bladzijden. En dan kom ik bij een opdracht op de titelpagina. 'Volgens mij komt het door meneer Tanaka,' staat er, 'M xxx.'

Ik staar voor mijn gevoel tijden naar zijn handschrift. Het is mooi, keurig, vol zekerheid met een dure vulpen op de bladzij gezet. Ik heb nog nooit een man gezoend die een vulpen gebruikt, denk ik. Ineens is me duidelijk wat ik al die tijd in mijn leven heb gemist: een man met een vulpen.

'Gisteravond was echt te gek,' zegt hij als ik ga zitten. 'Ik moet er doorlopend aan denken.' Ik glimlach verlegen. Eigenlijk zou ik op dit moment naar zijn vrouw en zijn bloedjes van kinderen moeten vragen, moeten informeren waarom hij het in vredesnaam in zijn hoofd heeft gehaald om over het tafeltje heen te buigen om mij te zoenen nadat hij me eerst had volgegoten met supersterke martinicocktails. Maar dat suggereert dat ik volkomen onschuldig ben, en we weten allebei dat ik dat niet ben, en door de ring aan zijn vinger wist ik maar al te goed dat hij bezet was. Dit is het juiste ogenblik om er een eind aan te maken, om hem te vertellen dat het een dronken vergissing was geweest om hem te kussen, en dat hij geen vrouw moet hebben, of op zijn minst niet meer bij haar moet zijn als hij dat in de toekomst nog eens wil doen. Dit is het moment om wat zelfrespect terug te halen, om op te staan en in het bezit van mijn waardigheid te vertrekken. Maar tot mijn schande moet ik zeggen dat ik me te goed vermaak om iets van dien aard te doen. Ik giechel alleen maar. Ik gedraag me als een zielig schoolmeisje dat smoorverliefd is op haar gymleraar.

'Daarom dacht ik,' zegt hij, terwijl hij over het tafeltje heen reikt om mijn handen in de zijne te pakken, waarbij de trouwring me toe glinstert, alsof die me vraagt of ik het echt heel zeker weet. 'Zullen we een verhouding beginnen?'

En ineens is het een voldongen feit.

In het leven zijn er mensen die anderen dumpen en mensen die gedumpt worden. Ik behoor altijd tot de laatste categorie, dat wil zeggen, als het me überhaupt lukt een relatie te hebben. En voor het geval je je nu afvraagt wat deze overspelige rat met heel weinig haar eigenlijk zo aantrekkelijk maakt, kan ik je zeggen dat het dit is: Michael kan me niet dumpen, omdat we niet echt een stel zijn. Je kunt hem moeilijk mijn vriend noemen. Ik kan niet met hem op een feestje verschijnen of hem voorstellen aan mijn moeder. Hij zal niet binnen afzienbare tijd met me naar de film gaan, en er is weinig kans dat we plannen zullen maken voor een gezamenlijke vakantie.

Als ik naar Michael kijk, voel ik me indirect een vrouw van de wereld. Voor mijn gevoel heb ik het ver geschopt sinds die futloze, stupide kerels uit mijn verleden, sinds Sam de snowboarder met zijn eenpersoonsbed en zijn voorliefde voor hasj. In werkelijkheid is het natuurlijk precies andersom. Ik ben veeleer achteruitgekacheld, wat zeg ik, met een rotvaart achteruitgesjeesd. Hij vervult mijn fantasie over een oudere man, terwijl ik mezelf graag wijsmaak dat ik die van hem vervul over een jongere vrouw, waardoor ik me en passant sexy en verleidelijk voel. Michael heeft een zekere stijl, hoewel anderen dat gezien zijn gedrag niet zouden zeggen. Hij heeft wat geld en stabiliteit, hoewel die stabiliteit van iemand anders is en ik die heel goed zou kunnen ondermijnen. En als ik terugkijk op mijn veelbewogen liefdesleven zal ik beseffen dat Michael en Sam en alle andere mannen weliswaar weinig gemeen lijken te hebben, maar dat er toch één geweldige verbindende factor is, en wel dat ze allemaal niet beschikbaar waren. Ze waren er geen van allen echt voor mij, in lichamelijk of geografisch opzicht.

Maar op dit moment word ik zo verblind door geweldige seks, laat ik me zo'n rad voor de ogen draaien door het frivole en stoute aspect van de hele affaire, dat het me koud laat. We storten ons enthousiast in de verhouding, ik in elk geval. Als je in de literatuur over verhoudingen leest, is het toch een aaneenschakeling van diamanten, geheime weekendjes naar Parijs en een schitterend penthouse om de maîtresse haar mond te laten houden?

Nou, zo gaat het niet bij Michael en mij. Ik overtuig mezelf er opnieuw van dat dit komt doordat hij anders is dan andere mannen die er maar op los neuken. Maar in werkelijkheid komt het waarschijnlijk doordat ik hem zo graag ter wille wil zijn, hem zo graag wil zien dat ik ja zeg op elk mogelijk afspraakje dat hij voorstelt, ook al moet ik andere mensen daardoor afzeggen. Hij hoeft nooit echt zijn best te doen. Ik bied me aan op een presenteerblaadje, en dan nog wel op een oud, vies ding dat te lang in een hoekje stof heeft vergaard.

Hij blijft nooit slapen en hij komt zelden 's avonds langs uit angst dat hij Steve of mijn zus zal tegenkomen en zich opgelaten aan hen zal moeten voorstellen, waardoor alles reëel zou worden. In plaats daarvan gaan we tussen de middag stiekem naar mijn huis voor een snelle wip voordat we ieder weer terug moeten zijn op ons kantoor. Hij trakteert me nooit op een etentje, heeft me niet één keer bloemen gestuurd – als je bloemen hoort te sturen aan je wederhelft omdat je haar hebt bedrogen, hoefde hij dat wellicht ook niet te doen – en hij doet er vijf, soms zes uur over om mijn sms'jes te beantwoorden. Als hij een vriend was, zou een normaal mens hem de bons geven. Maar hij is geen vriend, en ik heb het rijk van de normale mensen al lang geleden achter me gelaten.

Het maakt me gelukkig om van kruimels te leven. Eigenlijk zelfs dat niet. Het maakt me gelukkig om van de kruimels van kruimels te leven. Ik vind het leven heerlijk als hij me per sms'je bedankt voor een wip tussen de middag: 'Je bent gewoon VERRUKKELIJK xxxx', alsof ik kreeftsoep met room ben in plaats van een mens. Wanneer ik een hele dag niets van hem hoor, voel ik me ellendig en alleen. Door een spontaan sms'je van hem ben ik in de zevende hemel. Ik raak aan hem verslaafd. Hij is net heroïne, maar dan goedkoper.

Als hij op een dag contact opneemt om voor te stellen dat ik naar hem toe kom als hij in Manchester een conferentie moet bijwonen, kan ik mijn geluk niet op. Ik ga EEN HELE NACHT MET HEM DOORBRENGEN. Het kan me niet schelen dat hij niet eens mijn treinkaatje betaalt en verwacht dat ik negentig pond uitgeef om seks met hem te hebben, hoewel al zijn onkosten worden vergoed. Ik stel me anonieme wandelingen door het centrum van Manchester voor, hand in hand, etentjes in restaurants, ontbijt op bed.

Hij belt om de plannen voor het weekend door te nemen. 'Ik heb vrijdagavond een diner, dus zal ik bij de receptie een sleutel voor je achterlaten en dan zie ik je na afloop in de kamer.' Ik protesteer niet. Ik houd mezelf gewoon voor dat dit een kans zal zijn om dronken te worden van de minibar, terwijl ik in een badjas van zachte badstof op en neer spring op het reusachtige kingsize bed. Ik ga naar Agent Provocateur en jaag er bijna tweehonderd pond door aan een korset en kousen met jarretels. Eindelijk zal ik het júíste slipje dragen en zal het van míj zijn. Ik neem de middag vrij om er mooi op tijd te zijn. Het kan me niet schelen dat ik er een vrije dag voor opneem – ik gebruik toch nooit al mijn vrije dagen.

Dat is een leugen. Ik ben drie, vier, vijf keer naar Los Angeles geweest om bij een vriendin te logeren die daar werkt, maar als ik terugkom voel ik me altijd vagelijk depressief omdat mijn borsten niet vanzelf naar de sterren wijzen en de zon niet de hele dag op mijn huis schijnt. Bovendien moest het vliegtuig de laatste keer door een noodgeval een tussenlanding maken in Salt Lake City, waar we de hele dag op de landingsbaan stonden en ik steeds ongeruster werd dat ik de rest van mijn leven in die rotstad zou moeten slijten, als de droogstaande vijfde vrouw van een mormoon. Ik ga nu alleen nog met mijn moeder op vakantie, korte reisjes naar Normandië of Barcelona, maar daar praat ik niet graag over, omdat we dan allebei klinken als tragische oude feeksen. Dus ja, ik neem zelden al mijn vrije dagen op, en als ik dat toch doe, gebeurt het verplicht aan het eind van het financiële jaar, waardoor ik drie weken in mijn flat nauwelijks uit bed kom en vage plannen heb om naar het British Museum of zo te gaan. Dus wat maakt het uit als ik een halve dag opneem om een nummertje te gaan maken met een getrouwde man, die het allemaal doet in de tijd van de baas, zodat hij al zijn dagen kan gebruiken om zijn enige gezinnetje mee te nemen naar hun villa in Spanje of gîte in Frankrijk of wat normale mensen maar hebben?

Ik arriveer in Manchester met een knoop in mijn maag en een korset dat eruitziet alsof het bij een sm-club hoort in plaats van mijn bagage. Ik ga naar de taxistandplaats en vraag de chauffeur of hij me naar het hotel wil brengen, dat om de hoek blijkt te zijn. 'Je kunt beter gaan lopen,' zegt hij, waarop hij zijn raampje voor mijn neus dichtdoet. Gewapend met uiterst vage aanwijzingen en de wetenschap dat ik er in hooguit drie à vier minuten zal zijn, vertrek ik met mijn korset op sleeptouw naar het hotel.

Het begint vrijwel meteen te regenen. Uiteraard. Het is Manchester. Ik heb geen paraplu bij me, ben niet eens praktisch genoeg om er een te hebben, en ik loop op suède laarzen met hakken van tien centimeter, gewoon voor het geval ik Michael op het station tegen het lijf zou lopen, omdat hij als bij toverslag heeft besloten me te verrassen. Een wandeling van drie minuten duurt op deze hakken eerder een kwartier, en een wandeling van drie minuten zal met mijn kennis van de omgeving eerder een halfuur duren. Ik loop eindeloos in een kringetje rond en ruik door de regen op mijn jas naar een vochtige teddybeer, één stap, nog een stap, kijk uit dat je daar niet valt op die glimmende natte kasseien.

Als ik het hotel eindelijk vind, is het donker, heb ik het koud en is mijn koffer van zijn wieltjes gewiebeld. Het is een groot zakenhotel, zoiets wat naar de opvattingen van een plaatselijke projectontwikkelaar is gerenoveerd om te gaan lijken op een Ian Schrager-hotel in Miami. Ik wankel naar de receptie en staar naar het aquarium erachter, terwijl ik wacht tot een personeelslid me ziet staan. 'Kan ik u helpen, mevrouw?' zegt een man met een zwaar Frans accent. Door de manier waarop de woorden uit zijn mond komen, weet ik dat ik volgens hem in een bordeel thuishoor, niet in een keurige, internationale hotelketen. Ik laat hem mijn strakste grijns zien.

'Ja, dat kunt u,' zeg ik met een ijzige blik. 'Ik heb hier gereserveerd voor vannacht. Ik geloof dat Michael Alleyne een sleutel voor me heeft achtergelaten.'

'O ja', zegt die kleine Franse lul, die ineens ontdooit. 'Mag ik u welkom heten in ons hotel, mevrouw Alleyne. Als u even wilt wachten, roep ik een collega om u naar uw kamer te brengen.'

En in een moment van helderheid, een gevaarlijk moment, een moment waarop ik die kleine zeikerd wil beroven van zijn glimlach, zeg ik het. 'Ik ben trouwens niet mevrouw Alleyne. Ik ben zijn liefje. Dat zullen jullie wel veel zien in zo'n hotel als dit, zakenlieden van middelbare leeftijd die hun sletjes naar binnen smokkelen om wat plezier te hebben op de creditcard van de zaak. Dus als u iemand wilt halen die me naar de kamer brengt, kunnen meneer Alleyne en ik ertegenaan.'

Hij staart me aan, staat met een mond vol tanden. We kunnen geen van beiden geloven dat ik dit zojuist heb gezegd.

'Een ogenblik, mevrouw', zegt hij, waarbij hij zijn lip krult tot een perfecte s van afkeer.

Als ik mevrouw Alleyne was geweest, had die Fransman misschien iemand gehaald om me naar mijn kamer te brengen. Als ik mevrouw Alleyne was geweest, had ik misschien iemand gehad om mijn bagage te dragen en had ik alles niet zelf naar boven hoeven zeulen. Wanneer ik bij de kamer kom, ben ik bezweet en buiten adem, staat mijn haar rechtop en heb ik brandende pijn in mijn voetzolen.

De kamer is niet zo vorstelijk als ik me had voorgesteld, is functioneler en praktischer dan me lief is, waarbij de broekpers de mogelijkheid benadrukt dat ik voor Michael Alleyne wellicht niet meer dan een tijdelijk gerief ben. Er is geen groot bad waar we samen in kunnen liggen en het bed is niet echt groter dan het bed waarin we bij mij thuis vrijen. Er zijn geen badstof badjassen voor hem en haar. Waarom zouden die er ook zijn? Dit is geen hotel waar je een geliefde mee naartoe neemt. Het is een plek waar zaken worden gedaan, waar transacties tot stand worden gebracht. Ik probeer het gevoel van me af te schudden dat ik inderdaad thuishoor in een bordeel.

Ik stuur Michael een sms'je om hem te laten weten dat ik er ben. Een uur later antwoordt hij. 'Geweldig, zou om tien uur terug moeten zijn!' Daardoor moet ik bijna drie uur zien door te komen. Op vrijdagavond, wanneer al mijn leeftijdgenoten lol hebben in de pub, zit ik in een onpersoonlijke hotelkamer te wachten op bloedeloze seks, waarvan ik mezelf zal wijsmaken dat het een hartstochtelijke aangelegenheid is. Ik neem een douche, smeer me helemaal in met bodymilk en loop in mijn ondergoed door de kamer te ijsberen, me afvragend wat ik moet doen. Ik bestel een fles wijn, die ik sneller opdrink dan zou moeten, en hang uit het raam om te roken en zo de tijd te doden. Om negen uur zet ik de televisie aan en begin ik me klaar te maken met op de achtergrond het satirische programma *Have I Got News For You*. Zo hoort iemand van negenentwintig toch haar vrijdagavond door te brengen?

Ik ben een kwartier bezig om me in mijn korset te persen en overweeg even de receptie te bellen of ze iemand willen sturen om te helpen. Nadat ik me er uiteindelijk in heb gewurmd, als een worstje in zijn vel, trek ik de kousen en jarretels aan. Ik ga voor de spiegel in de badkamer staan in de overtuiging dat ik eruitzie als een advertentie uit een reclamecampagne van Victoria's Secret, hoewel het in werkelijkheid waarschijnlijk meer weg heeft van een sketch van Victoria Wood. De kousen blijven maar afzakken en door het korset kan ik nauwelijks ademhalen. Het wordt tien uur zonder dat Michael zich laat zien. Om 22.25 uur stuur ik hem een sms'je om te vragen wanneer hij denkt te komen, en om 22.53 antwoordt hij om te zeggen dat het bijna is afgelopen en dat hij er zo zal zijn. Zodra ik de sleutelkaart in het slot hoor, schiet ik in de houding, drapeer ik me naar mijn mening op een verleidelijke manier op het bed. 'Tjongejongejonge,' zegt hij. 'Wat bof ik toch. Ik zal even *Newsnight* aanzetten – er zwaait altijd wat op kantoor als ik het heb gemist.'

En zo vrijen we ten slotte op de lieflijke klanken van presentator Jeremy Paxman die een parlementslid het vuur na aan de schenen legt over de kredietcrisis. Na afloop valt Michael in een onrustige slaap, en telkens wanneer hij ligt te woelen en te draaien, voel ik dat als een standje. Als hij 's morgens wakker wordt, probeert hij niet opnieuw met me te vrijen – hij is te moe – maar staat hij op om onder de douche te springen, en vervolgens deelt hij mee dat hij een ontbijtbespreking heeft. Op zaterdag. Na zijn vertrek rook ik een sigaret in bed, zonder de moeite te nemen de ramen open te zetten, waarna ik mijn spullen pak en naar het station ga. In de trein die terug tjoekt naar Londen bereken ik dat ik bijna driehonderd pond heb uitgegeven aan een wip met iemand die met één oog naar mijn borsten keek en met het andere naar *Newsnight*. En ik besef nog niet dat ik er een puinzooi van heb gemaakt.

Ik ben de laatste met wie je een verhouding moet hebben, aangezien ik mijn mond niet kan houden. Hoewel ik het in het begin prachtig vond om een geheime romance te hebben, ontdekte ik al snel dat er niks aan was als je er niet over mag praten, en zodoende flap ik het er op dronken stapavonden allemaal uit, waarna ik 's morgens hevig ongerust wakker word omdat ik het er allemaal uit heb geflapt. Ik maak lijsten van de mensen aan wie ik het heb verteld, en probeer na te gaan hoe groot de kans is dat ieder van hen het aan iemand anders vertelt. Ik maak mezelf eindeloos verwijten omdat ik zo'n vreselijke flapuit ben. In mijn hoofd is hij het niet die iets verkeerd doet – dat ben ik.

Ik vertel het niet aan Sally en Andy, omdat ik weet dat ze

dan nooit meer iets met me te maken willen hebben. Ze zouden mijn daden opvatten als een belediging voor alle getrouwde mensen op aarde. Steve en mijn zus moeten er niks van hebben. Natuurlijk niet. Ze vinden het nogal walgelijk en ze willen 's avonds als ze uit de pub komen echt niet naar YouTubefilmpjes van hem op een conferentie kijken. Ze vinden het dieptreurig wanneer ik dronken smeek of ze willen luisteren: 'Luister nou toch, zijn stem is net ZIJDE!'

Eerlijk, ik snap niet waarom ze zo vijandig tegenover hem staan.

Op de krant is Steve bevriend geraakt met de nieuwe jongen, een fijne meneer die Harry heet, een zegelring draagt en me altijd aankijkt alsof ik krankzinnig ben. Hij is de financieel verslaggever – zzz – en hoewel hij op een bekakte, schone manier knap is, stel ik me voor dat hij in het weekend instappers met rode sokken draagt. Ze zijn altijd samen – je zou bijna denken dat Steve een verhouding heeft met Harry – en ik vind die nieuwe vriendschap veel verbijsterender dan mijn affaire met Michael. Harry zegt eigenlijk nooit wat. Hij zit altijd in onze woonkamer te lachen om Steves grappen en mij stilletjes te veroordelen omdat ik een klojo ben.

'Harry kan niet geloven dat je van bil gaat met Michael,' deelt Steve op een dag mee als we voor de televisie naar *Coronation Street* zitten te kijken.

'Heb je het aan HARRY verteld?' gil ik. 'Ach, waarom ben ik eigenlijk verbaasd? Natuurlijk vertel je het aan je VRIENDJE.'

'Bryony, je hebt het aan iedereen verteld. Ik heb het niet aan Harry hoeven vertellen. Het hoorde zo'n beetje bij zijn introductiedag. "Nou, hier heb je de kantine en daar is de wc en dat is Bryony, ze heeft een verhouding met een vent die denkt dat hij Steve Jobs is."'

'Nog een reden voor hem om me te veroordelen,' verzucht ik.

'Hij veroordeelt je niet.'

'Dat doet hij wel. Hij zit altijd zachtjes afkeurende geluidjes te maken over mijn gedrag. Heeft hij ooit van zijn hele leven iets riskants gedaan? Hij zal het wel reuze naar zijn zin hebben als hij zich met een petje van Guinness op zit vol te gieten terwijl hij naar rugby kijkt.'

'Dat is niet eerlijk, Bryony,' zegt Steve met woede in zijn stem. 'Je hebt zelfs nooit een poging gedaan een gesprek met hem te voeren. JIJ bent HEM juist aan het afserveren. Omdat hij er niet alles uitflapt zoals jij, hoeft hij nog niet saai te zijn.'

Ik sta op, storm naar mijn kamer, sla de deur dicht en zit gevangen. Ik slaak een gil. 'ARGGGGGGGH. IK HAAT MIJN LEVEN.'

Ik doe echter geen enkele poging het te veranderen. Ik ga verder als altijd. Ik probeer niet aan zijn vrouw te denken, maar dat lijkt hem beter af te gaan dan mij. Naar mijn idee is ze een zeurend, uitgezakt, vervelend mens met een te wijde vagina, maar als ik haar googel, ontdek ik dat ze eigenlijk een chique zakenvrouw met beeldig haar en talloze vlotte pakjes is. Ik raak bezeten van haar. Ik denk bijna evenveel aan haar als aan hem. In gedachten zie ik hele scènes voor me: waarin ik de kinderen bij haar terugbreng na een weekendje bij papa en zijn nieuwe vriendin, onze ijzige verhouding van lieverlee hartelijker wordt wanneer zij een nieuwe man vindt en zij verklaart dat ze me eigenlijk dankbaar is, omdat ze nooit echt gelukkig is geweest in haar huwelijk en dat ze altijd heeft vermoed dat Michael en zij beter af zouden zijn met andere mensen. En voor we het weten, trekken we samen op, bezoeken we samen beautyfarms, gaan we samen naar de kapper, en uiteindelijk zijn we met ons allen één grote blije familie.

Maar hoewel ik in gedachten vaak speel met de rol van stiefmoeder, waardoor ik het monster word dat ik als kind vreesde, begin ik nooit tegen hem over zijn gezin uit angst dat ik onrust zal zaaien. Het onderwerp is al heel lang niet meer een pot hete brij waar we omheen draaien. Het is inmiddels een borrelende krater. Ik houd mezelf voor dat het niet mijn probleem is – hij heeft per slot van rekening een gezin, niet ik – maar het begint aan me te vreten zonder dat ik het zelfs maar besef. Ik heb een hekel aan mezelf door wat ik doe en ik weet het niet eens.

Als mijn dertigste verjaardag nadert, besluit ik aarzelend te opperen samen naar een hotel te gaan om het te vieren. We zijn in mijn kamer, zitten midden in het voorspel, als ik hem laat weten dat er een belangrijk moment in mijn leven aankomt. 'De drie kruisjes,' zegt hij, en ik ben bang dat hij me te oud zal vinden, me zal afdanken en zal vervangen door een jonger model. 'Ik hoop dat je een feest geeft.'

'Nou, eigenlijk,' zeg ik, 'dacht ik dat jij en ik het misschien samen zouden kunnen vieren. Je weet wel, misschien naar een hotel gaan?' Ik zit schrijlings op hem. Door die positie kan ik uitstekend zien hoe zijn medelijden zich over zijn gezicht verspreidt. 'O, Bryony,' zucht hij. 'Dat lijkt me geen goed idee. Ik vind niet dat je zo'n belangrijk moment met mij moet vieren. Ik ben je energie niet waard.' Voor mijn gevoel verschrompelt mijn gezicht helemaal. 'Je weet toch dat dit gewoon seks is, Bryony?'

Ik spring van hem af en zeg tegen hem dat hij moet vertrekken. Ik besef in een flits dat deze verhouding niet eens een verhouding is, dat hij er met niet meer dan een vreselijk stijve aan is begonnen. Hij heeft nooit om me gegeven, heeft nooit enig respect voor me gehad. Maar ik vind het langzamerhand tijd worden om wat respect voor mezelf te krijgen.

12

Op de een of andere manier haal ik de dertig

Over zes dagen word ik dertig en ik heb nog steeds niets georganiseerd. Ik heb nog niets georganiseerd omdat ik niet in staat ben iets anders te organiseren dan niets. De afgelopen twee weken heb ik alleen maar kunnen huilen. Ik huil achter mijn bureau, heel stilletjes, zodat het voor mijn collega's klinkt als een eigenaardig filmpje op YouTube waar iemand naar zou kunnen kijken om iets te onderzoeken in plaats van een echt mens dat een minizenuwinzinking heeft. Ik huil om Michael, omdat ik zo'n ongelooflijke idioot ben. Het lijkt hem absoluut niets te doen dat ik voor het eerst van mijn leven heb geprobeerd iemand de bons te geven, wellicht omdat hij wist dat hij niet echt de bons kon krijgen, dat zijn mooie vrouw er als puntje bij paaltje kwam altijd voor hem zou zijn. Hij verliet mijn flat die dag tijdens de lunchpauze eerder met een zweem van opluchting, alsof ik hem een gunst had bewezen door hem de deur te wijzen. Heel typerend, dat ik niet eens iemand echt de bons kan geven.

Maar goed, een enkeling valt mijn tranen op, zoals de man die naast me zit, maar hij doet of hij niets merkt, vat het geluid van mijn gesnotter op als zo'n hebbelijkheid van vrouwen zoals ik, zo'n waardeloos geintje voor op feestjes. Ik huil op het toilet (niet eens in de wc zelf, zoals een normaal mens, maar bij de wasbakken) en ik huil op de gang, waar iedereen regelmatig komt om gedempt te bellen met echtgenoten, minnaars of de bank. Ondertussen huil ik over de telefoon tegen vrienden over de echtgenoot die ik niet heb, de minnaars die ik niet wil en de bank die me maar niet met rust laat, want o-ja-ik-heb-mijn-krediet-weer-overschreden-eigen-schuld-dikke-bult. Ik geneer me er niet voor dat ik in het openbaar huil. Integendeel. Ik vind het niet iets om je voor te schamen. Ik zie het als eerlijk en open, als een heet, zout bewijs van de dramatiek, de waanzin en de volstrekte zinloosheid van mijn leven op dit moment. Het kan me niet schelen wat mijn bazen denken – ze denken vermoedelijk alleen dat het goed materiaal is voor een column.

Als ik op een dag naast de snackautomaat van die hete, zoute tranen sta te vergieten, komt Harry naar me toe. Dat is NET wat ik nodig heb, een schijnheilige zak op zoek naar hard bewijs dat ik een loser ben. Ik schud mijn hoofd als hij dichterbij komt, veeg mijn ogen af met mijn mouw en wil weglopen.

'Wacht, Bry,' zegt hij.

'Bryony,' snauw ik.

'Sorry, Bryony. Loop niet weg. Is alles goed met je?'

'Het gaat prima met me,' zeg ik verongelijkt. 'Laat me alsjeblieft met rust.'

'Oké,' zegt hij kennelijk geïrriteerd. 'Maar ik liep niet achter je aan. Ik kwam gewoon een blikje cola halen.' Hij glimlacht uiterst flauw. Ik storm naar het damestoilet.

De enige die me begrijpt is Chloe, want haar zeepbel van liefde is ook uit elkaar gespat, doordat haar vriend met de noorderzon is vertrokken en pas twee maanden later weer contact met haar opnam om te vertellen dat hij met een ander ging trouwen en om te vragen of ze zijn box van *Breaking Bad* wilde opsturen naar zijn moeder, met wie ze voortaan trouwens contact moest opnemen als ze meer wilde weten.

'WAT bijvoorbeeld?' zegt ze op een avond, waarbij ze haar drankje met een klap neerzet op een tafel vol sigarettenas. 'DE BIJZONDERHEDEN VAN DE HUWELIJKSLIJST BIJ JOHN LEWIS? Alsof ik hem die verdomde box van *Breaking Bad* ga opsturen. Ik ga geen verzendkosten aan hem verspillen, laat staan dat ik naar een postkantoor ga om het pakketje te laten wegen en aangetekend te versturen. Ik ga hem de dvd's niet sturen zodat hij het eind van seizoen drie knus met HAAR op de bank kan bekijken. Hij kan de pot op. *Breaking Bad* kan de pot op. Ik ga die kut-dvd's verkopen om een eigen voorraad crystal meth aan te schaffen en alles achter me te laten en hem te vergeten, die kleine klootzak.'

Zodoende hebben Chloe en ik uitgehuild op elkaars met snot bedekte schouders, maar zelfs haar geduld met me begint op te raken.

'Praat me niet van postkantoren,' zeg ik, weer met ogen vol tranen.

'Wat?' zegt Chloe hoofdschuddend.

'Ik zeg, praat me niet van postkantoren.'

'Ik praatte niet van postkantoren. Ik had het tegen je over mijn ex-vriend die me in een crystal-methjunkie zou kunnen veranderen.'

'Weet je wel, Chloe, dat ik niet meer in een postkantoor ben geweest sinds ik een kind was? Ik ben alleen met mijn moeder wel eens naar een postkantoor gegaan,' jammer ik terwijl ik warmloop voor mijn thema. 'Als ik een ECHTE VOLWASSENE was, zou ik doorlopend in het postkantoor komen, om BEDANKJES te versturen en POSTZEGELS TE KOPEN en KINDERBIJSLAG TE INCASSEREN VOOR MIJN KLEINE SCHATJES. Dan zou ik BELANGRIJKE PAKKET-

TEN VOOR VOLWASSENEN ophalen. Maar niemand stuurt me pakketten. NIEMAND! Zo meteen word ik dertig, Chloe, en ik heb NOG ALTIJD GEEN REDEN OM NAAR EEN POSTKANTOOR TE GAAN.'

Chloe kijkt me volstrekt ongelovig aan. Ze legt haar hoofd in haar handen. 'Waarom moet je werkelijk alles op jezelf betrekken, Bryony?'

Dus krijgen Chloe en ik ruzie, wat inhoudt dat ik straks dertig zal worden zonder vriend, zonder beste vriendin en zonder reden om naar het postkantoor te gaan, of ik moet aanbieden de dvd's er voor Chloe naartoe te brengen om ze terug te sturen naar haar ex. Zelfs Sally is van de radar gevallen, wat wel zal komen, denk ik, door de scan van een ongeboren foetus die ze vorige week op Facebook heeft gezet. Ik heb op 'vind ik leuk' geklikt en ben begonnen een berichtje te tikken om haar te feliciteren, maar toen werd ik ergens door afgeleid en ik heb het nooit meer afgemaakt. Ik heb medelijden met mezelf, want zelfs ik zie hoe zielig ik moet overkomen, waardoor ik, ironisch genoeg, alleen maar meer medelijden met mezelf krijg. Het afgelopen jaar heb ik uitnodigingen gekregen voor extravagante feesten voor dertigste verjaardagen op boten en in feesttenten en in landhuizen, waar alleen wijn werd gedronken uit het uitstekende jaar waarin de gastvrouw was geboren, terwijl ouders, echtgenoten en partners overdreven toespraken over de jarige afstaken. Maar het wordt steeds duidelijker dat niemand ooit een toespraak over mij zal afsteken, of het moet een politieagent zijn tegen een klas docenten uit het voortgezet onderwijs om te waarschuwen voor de gevaren van alcohol, tabak en drugs. Ik wil mijn dertigste verjaardag niet vieren, er vált niets te vieren, er gloort alleen een volgend decennium dat ik absoluut en ontegenzeggelijk zal verknallen, nog erger dan de afgelopen tien jaar. Mijn leven als dertiger zal de geschiedenis ingaan als een afschuwelijke periode waarin de goudmijn uitgeput raakt, er een eind komt aan alle hoop en de weg in wordt geslagen naar de rest van mijn zinloze, eenzame, kinderloze bestaan. 'Volgens mij begin je als dertiger aan de periode waarin je krijgt wat je toekomt,' zegt mijn moeder hoopvol. Maar ik weet dat ze haar tijd verdoet, en zij beslist ook.

Als Steve me voor de achtste achtereenvolgende dag in mijn kamer hoort huilen, stelt hij voor dat ik misschien naar de dokter moet gaan. 'Wellicht kun je iets krijgen waardoor je je beter voelt,' probeert hij me te troosten terwijl hij me vriendelijk over mijn rug aait.

'Bedoel je dat ik volgens jou PROFESSIONELE HULP nodig heb?' jammer ik.

'Nee,' zegt hij, hoewel hij duidelijk JA bedoelt, 'alleen dat we allemaal op zijn tijd wat hulp kunnen gebruiken. Het is geen schande om je open te stellen voor anderen.'

'Open te stellen?' zeg ik perplex. 'Waar ben je mee bezig? Een zweverige newagecursus?'

Desondanks zit er wel iets in, hoe slecht hij het ook heeft gebracht. Maar er is slechts één probleem: ik heb geen dokter. Ik ben bijna dertig en ik heb geen dokter of een reden om naar het postkantoor te gaan of een vriend of een beste vriendin. De laatste huisarts bij wie ik stond ingeschreven, was de dokter uit mijn jeugd, en de enige artsen naar wie ik sindsdien heb moeten gaan, hadden te maken met mijn seksuele gezondheid, wat op zich een reden lijkt om naar iemand toe te gaan.

'Dag, wat kan ik voor u doen?' zullen ze in mijn verbeelding vragen als ik verschijn.

'Nou, het punt is dat ik al in geen tien jaar een dokter heb gehad, en daar begin ik me zorgen over te maken. Stel je voor dat ik niet iemand ben die een dokter heeft. Stel je voor dat ik geen dokter kan krijgen. Stel je voor dat ik gedoemd ben mijn leven lang naar de artsen van andere mensen en naar plaats-vervangers te gaan. O GOD, EEN NORMAAL MENS ZOU EEN DOKTER HEBBEN.'

'Maakt u zich maar geen zorgen, mevrouw Gordon. We zien dat u echt een arts nodig hebt en we zullen er alles aan doen om er een voor u te vinden.'

Op de krant is een arts die twee keer per week langskomt om de kwalen en pijntjes van de werknemers te behandelen. Hij ziet er echt uit zoals je van een huisarts verwacht, hij heeft wel iets van een dier, van een geleerde das met een bril. Twee jaar geleden ben ik een keer bij hem geweest, toen ik me er zorgen over maakte dat mijn onderrug altijd pijn deed wanneer ik 's morgens wakker werd. 'Eerst dacht ik dat het gewoon kwam door het bed waarin ik sliep, maar – en dit is toch allemaal vertrouwelijk, hè?'

Hij knikt.

'Maar het punt is, dokter, dat ik in HEEL VEEL bedden heb geslapen sinds... als u begrijpt wat ik bedoel...' De blik in zijn ogen zegt me dat hij het wel begrijpt maar niet wil begrijpen. 'En toch heb ik nog steeds diezelfde pijn in mijn onderrug. Dus dacht ik dat het misschien geen pijn in de onderrug is. Misschien heb ik een nierkwaal doordat ik te veel drink, wat ook zou kunnen betekenen dat ik een leverkwaal heb.'

'Nou, mevrouw Gordon, het lijkt erop dat u me helemaal niet nodig hebt, aangezien u zelf zo goed een diagnose kunt stellen. Maar ik zou zeggen, en vergeet niet dat dit vertrouwelijk is, hè? Ik zou zeggen: hoeveel drinkt u per dag? Drinkt u als u 's morgens wakker wordt?'

'God nee! 's Morgens voel ik me altijd VEEL te beroerd om een borrel zelfs maar te overwegen. In elk geval tot de avond.'

'Goed. Drinkt u elke dag?'

'Natuurlijk,' zeg ik schouderophalend. Hij verschuift zijn papieren over het bureau.

'Hebt u ooit gedronken tot u buiten bewustzijn raakte?'

'Heb ik dat ooit gedaan?' zeg ik. 'Dat doe ik vrijwel altijd. Dat doet toch iedereen van achtentwintig die in een stad bij de media werkt en niemand heeft die van hem of haar afhankelijk is? Neem me niet kwalijk, dokter, maar u moet wel realistisch blijven.'

Hij neemt wat bloed af om mijn leverfunctie te onderzoeken, 'gewoon als voorzorgsmaatregel', zegt hij zorgzaam. Ik gil als hij de naald in mijn arm steekt en maak veel misbaar over de blauwe plek die ik vast zal krijgen. Het is duidelijk dat hij ziet wat voor vlees hij in de kuip heeft: iemand die nog nooit echt pijn heeft gehad, behalve toen ze op haar achtste blindedarmontsteking had, iemand die nog nooit echt problemen heeft gehad, een dramaqueen uit de middenklasse die zo'n luizenleventje heeft dat ze medische problemen moet verzinnen om te kunnen voelen dat ze leeft. Een week later ga ik naar zijn kamer terug voor de uitslag, en die blijkt tot mijn voldoening aan te tonen dat ik kerngezond ben. 'Dat wil niet zeggen dat u zoveel kunt blijven drinken als nu,' zegt de dokter streng. 'Au contraire, dokter, au contraire,' antwoord ik. 'Ik vind dit een geweldige reden om het glas te heffen!'

En nu moet ik naar hem toe omdat ik misschien een zenuwinzinking heb, wellicht omdat ik te veel drink, maar dat hoeft hij niet te weten. Denkbeeldige leverkwalen, een zenuwinzinking doordat ik helemaal bezeten ben van mezelf – ik denk dat hij me alleen zal wegsturen met een recept voor een flinke dosis realiteitszin. Ik ga tegenover hem zitten, hij vraagt wat hij voor me kan doen en ik barst in tranen uit.

'Ik voel me gewoon zo...' Ik huil nog wat, want plotseling kan ik niet eens meer op de eenvoudigste woorden komen. 'HULPELOOS.'

'Och, och.' Hij geeft me een doos tissues. 'Hoe komt dat?'

'Dat weet ik niet,' snotter ik. Dat weet ik wel. Het komt

doordat ik de afgelopen tien jaar te veel heb gedronken en met ondeugdelijke mannen naar bed ben geweest, en dat heeft me niets anders opgeleverd dan verontrustend gele ogen. 'Ik kan gewoon niet ophouden met huilen. Binnenkort word ik dertig en het is net of dat iets bij me heeft losgemaakt. Het is net of ik van alles in me heb weggestopt in de hoop dat het vanzelf zou verdwijnen, en ineens besef ik dat ik er niet jonger op word en dat alles er niet beter op wordt als ik niet besluit mijn leven te veranderen. Maar daartoe voel ik me niet in staat. Ik weet niet eens hoe ik dat moet doen. Ik heb me zo diep laten wegzakken in een berg stront – en het ergste is dat het mijn eigen stront is, het is stront die ik zelf heb geproduceerd, weet u – dat ik door de bomen het bos niet meer zie. Of door die stront de toiletpot. Ik kan bij wijze van spreken,' vervolg ik met een voldaan gevoel over deze beeldspraak, 'door de stront de toiletpot van mijn LEVEN niet meer zien.'

'Ahem,' zegt hij alleen maar.

'En hier ben ik dan, bijna dertig, en ik heb helemaal niets van wat ik had gedacht te zullen hebben op dit punt van mijn leven. Niets wat ik zou horen te hebben, waarvan de samenleving zegt dat ik het moet hebben tegen de tijd dat ik dertig ben. Ik heb geen huis, ik kan niet autorijden, ik heb geen wederhelft in mijn leven. Ik heb helemaal niemand in mijn leven. Ik haal nog steeds niet het eind van mijn financiële maand zonder vijftig pond te moeten lenen van mijn moeder, en nu ik het toch over mijn moeder heb, volgens mij is ze echt dood- en doodongelukkig omdat ik haar nooit kleinkinderen zal geven, in elk geval niet in dit tempo, en ik geloof dat ze zichzelf dat verwijt, terwijl het natuurlijk alleen maar mijn schuld is. Ik heb een carrière, maar tob er voortdurend over dat die morgen voorbij zal zijn doordat er een bank in gebreke blijft – ik ben bijna dertig en ik weet niet eens wat dat betekent en of het wel ergens op slaat – waardoor de economie weer in een vrije val zal raken, wat inhoudt dat ik zal worden ontslagen. Weet u wel dat ik verdomme elke ochtend wakker word in de overtuiging dat ik eruit moet, niet omdat ik me heb misdragen – alhoewel, jezus, het zou echt geen kwaad kunnen als mijn onvermogen om me aan een deadline te houden eens werd aangepakt, want dat probleem speelt al sinds ik op SCHOOL zat en mijn huiswerk niet op tijd kon inleveren –, maar omdat een stel eikels die alles hebben wat ik zou moeten hebben – een verdomd groot huis, een auto, een gezin – roekeloos zijn geweest en DE TOEKOMST VAN ONS ALLEMAAL IN HET WATER VAN HUN LUXUEUZE PRIVÉZWEMBAD HEBBEN GEGOOID.'

Ik kan niet geloven dat ik dit allemaal net heb gezegd tegen iemand die ik niet eens ken.

'Nou, ik vind het heel goed dat je dit allemaal inziet,' zegt de dokter, die een recept uitschrijft. 'Daaruit blijkt dat je over een flinke dosis zelfkennis beschikt, al is dat misschien alles, zoals je zelf beweert. Ik denk dat je waarschijnlijk een steuntje in de rug nodig hebt, iets om je door de komende paar maanden heen te helpen zodat je weer op eigen benen kunt staan. Daarom schrijf ik je een licht antidepressivum voor, waardoor je in elk geval niet meer doorlopend zult hoeven huilen. Hopelijk zul je daardoor weer door de stront de toiletpot van je leven kunnen zien, zoals je het zo prachtig uitdrukt.'

Ik staar naar het recept en het begint me te dagen dat ik niet alleen binnenkort dertig zal worden zonder vriend of beste vriendin of een reden om naar het postkantoor te gaan, maar dat ik nu ook antidepressiva slik. Zoals de jeugd zegt: FML: FUCK MY LIFE.

'O, en Bryony,' zegt de dokter als ik opsta om te vertrekken. 'Je moet weten dat het volkomen normaal is zoals je je voelt. Je zou mijn dochter moeten zien. Eenendertig en zoals ze zelf toegeeft, heeft ze alles volkomen verknald.' Hij glimlacht vriendelijk naar me, en we beginnen allebei te lachen. Na al die tranen voelt dat heel goed.

De bijsluiter in het doosje sertraline legt uit dat het middel behoort tot 'een groep medicijnen die selectieve serotonine-heropnameremmers (SSRI's) worden genoemd; deze medicijnen worden gebruikt om depressies en/of angststoornissen te behandelen'. Er zit een lijst bij van mogelijke bijwerkingen waarvoor je moet uitkijken. Tot de meest voorkomende behoren slapeloosheid, sufheid (ten gevolge van de slapeloosheid, denk ik), hoofdpijn, diarree, misselijkheid, een droge mond, vermoeidheid, vertraagde zaadlozing. Over dit laatste punt hoef ik me in elk geval geen zorgen te maken. Maar als ik verder lees, kom ik te weten dat het slikken van sertraline kan leiden tot vaginale hemorragie (wat verd...?), vrouwelijke seksuele stoornissen, buitensporige vaginale bloedingen, een droge vaginastreek, genitale afscheiding, afscheiding van de borsten en bédplassen. Dat is net wat ik nodig heb: dertig worden en luiers voor volwassenen moeten kopen. Er zijn nog meer verontrustende bijwerkingen: pijn in de onderbuik, braken, constipatie, maagproblemen, winderigheid, haaruitval, hoge bloeddruk, hallucinaties, epileptische aanvallen, geheugenverlies, spraakstoornissen, oorpijn, gezwollen ogen, boeren, coma, stijfheid, KANKER, hartaanvallen, groene staar en een vreemde huidlucht. Ik krijg al hartkloppingen en begin te tandenknarsen – allebei trouwens mogelijke bijwerkingen – als ik die rotbijsluiter alleen maar lees. 'Jeetje,' zegt mijn zus, die haar blik over het lange document laat glijden. 'Hier staat dat je door het slikken van antidepressiva suïcidaal kunt worden. Om nog maar te zwijgen van paranoïde en agressief. Maar het is positief dat zo'n een à tien op de honderd patiënten die sertraline gebruiken, anorexia krijgt, waardoor je misschien eindelijk de eetstoornis zult krijgen waar je altijd op hebt gehoopt.'

'Wat ben je toch geestig,' zeg ik sarcastisch. Ik gris de bijsluiter uit haar handen en werp haar een vernietigende blik toe. 'Het is fijn om te weten dat als ik je echt nodig heb je altijd tijd vindt om een absoluut vreselijk kutwijf te zijn.'

'Hé,' zegt ze, terwijl ze naast me op bed komt zitten en over mijn rug wrijft. 'Alles komt goed, dat garandeer ik je. Dit gaat ook voorbij. En terwijl we daarop wachten, vind ik dat we een feestje voor je dertigste verjaardag moeten geven. Ik weet dat je zegt dat het voor jou niet hoeft, maar ik ken je ook goed genoeg om te bedenken dat je diep in je hart waarschijnlijk geen bezwaar zult hebben tegen een feest. Het hoeft geen grote toestand te worden, maar we moeten in elk geval een behoorlijk aantal mensen in de pub krijgen. Ik heb een mailtje gestuurd naar Chloe...'

'Heb je een mailtje gestuurd naar CHLOE?'

'Ja, en zij vindt het ook een goed idee.'

'Ik dacht dat we niet meer met elkaar praatten.'

'Ze zegt dat ze daaroverheen is en ze hoopt dat jij dat ook bent. Ze heeft een hoop mensen verzameld, en Steve ook. We hebben voor zaterdagavond een hoek in de pub verderop in de straat gereserveerd.'

Ik glimlach en omhels haar.

'Ga je een toespraak houden?'

'Maak het niet te bont, meid.'

Voor mijn dertigste verjaardag krijg ik zes flessen champagne, een zelfgebreide vriend, een kaars die ik nooit zal aansteken uit angst dat de boel zal afbranden, wat waardebonnen voor Topshop en een wikkel met cocaïne. Sinds dat voorval op Glastonbury heb ik geen verdovende middelen meer gebruikt – of ze moeten zijn voorgeschreven –, maar ik besluit dat het geen kwaad kan om mezelf te trakteren, aangezien het mijn dertigste verjáárdag is.

Dit is de eerste fout die ik maak op de avond van mijn verjaardagsfeestje.

De tweede komt als de pub dichtgaat en ik besluit dat het een goed idee is om de avond voort te zetten en iedereen – inclusief het barpersoneel – mee terug te nemen naar onze flat. Steve en Harry, zijn zwijgende kompaan, zijn er ook en hoewel de blik op Harry's gezicht zegt dat hij het allemaal maar niks vindt, laat hij zich er daardoor niet van weerhouden zich aan te sluiten bij mijn feestje. We kopen kratten bier en alle wijn in de pub die niet is opgedronken, en in een lange dronken polonaise, waardoor we de brave bewoners van Camden wakker maken, verlaten we de pub en gaan we op weg naar mijn flat.

We draaien Beyoncé op een volgens ons redelijk decibelniveau. Maar als je het decibelniveau bepaalt wanneer je dronken bent, is het probleem dat je er meestal niet meer helemaal bij bent. In de loop van de nacht (inmiddels is het eigenlijk de volgende ochtend) komen de buren twee, drie, vier keer op de deur bonzen, waarbij een van hen ons zelfs dreigt te vermoorden als we de muziek niet ogenblikkelijk zacht zetten. 'Jullie zouden je moeten SCHAMEN,' zegt de vrouw, die er beeldig uitziet op haar pantoffels en in een roze nachtjapon met bloemetjes.

'Rustig maar, schat,' zegt iemand van het barpersoneel. 'Het is een dertigste verjaardag. Ze doen dit niet continu.'

Het mens kijkt hem woedend aan. 'Dat doen ze juist WEL!'

Ik zit te vrijen met de bedrijfsleider van de pub. Ik ben zo dronken dat ik er telkens aan moet worden herinnerd hoe hij heet. Het valt me op dat ik me niet als enige een ongepaste zoen veroorloof. In de hoek kan Steve niet van Chloe afblijven, waar mijn zus op wijst, terwijl ze hen uitlacht. 'Arme

Harry,' zeg ik, omdat ik geen sarcastische schimpscheut aan zijn adres wil missen. 'Je vriend heeft je verlaten voor een andere vrouw.'

'Denk je,' zegt hij, een blikje bier opentrekkend, 'dat je nu je dertig bent, zou kunnen besluiten om volwassen te worden?'

'Niet wat jou betreft, bekakte jongen.'

Ik ga niet naar bed, omdat ik dat niet zou kunnen, ook al probeerde ik het: ik ben zo stoned als een kanarie door de sertraline en de cocaïne. Ik probeer om comateuze lichamen heen op te ruimen en zie dat iemand met mijn Mac-lippenstift op de badkamerspiegel heeft geschreven. Er staat: '30! PROFICIAT SUFKUT!' Ik ben een uur bezig om te proberen het weg te schrobben, maar de schade is aangericht, de woorden staan er voor altijd, zullen me er telkens wanneer ik in de spiegel kijk aan herinneren dat ik een sufkut ben.

Ik huil en ik huil en ik huil nog meer. In mijn eerste week als dertiger voel ik me leeg, hol, door een terugval in drank en drugs. Het is geen veelbelovend begin van mijn leven als dertiger, maar het beantwoordt denk ik wel aan alle verwachtingen.

Ik krijg als dertiger niet, zoals mijn moeder heeft voorspeld, wat me toekomt – of ze moet hebben bedoeld dat mijn leven zou veranderen in een nog grotere door drank benevelde teringzooi dan daarvoor. Het is net of alle remmen losgaan, waarbij en passant elke eventuele hoop de bodem in wordt geslagen dat ik weer op het rechte spoor zou komen en een geslaagd mens zou worden. Ik drink naar hartenlust, zoen met Jan en alleman en geef roekeloos geld uit. Ik besluit dat als ik toch geen gezin krijg en niet dat hele klotetraject van nog lang en gelukkig ga doorlopen, ik net zo goed kan kiezen voor de variant van een vrij leven en een vroege dood. Ik neem weer contact op met Michael, die na een periode van opluchting over mijn afwezigheid nu beweert dat hij me vreselijk mist en me weer met open armen verwelkomt.

Ik maak mezelf wijs dat ik nu een verhouding heb op mijn voorwaarden, waardoor ik seks en genegenheid krijg zonder dat ik me hoef te binden en zo. Inwendig ben ik versomberd; ik voel me dood achter mijn ogen. Ik stop met zoeken naar een vriend, zit mezelf niet meer op de huid omdat ik een vriend wil. Ik ga leven zoals ik wil, zonder de beperkingen die de samenleving me oplegt.

Op Valentijnsdag vraagt Michael of ik wat met hem wil gaan drinken. Ik heb de pest aan Valentijnsdag, heb die dag nog nooit met iemand gevierd en ga daar nu niet aan beginnen, maar Michael houdt merkwaardig hardnekkig vol dat we wat moeten afspreken. 'We moeten echt praten,' zegt hij op een avond tijdens een gedempt telefoongesprek, en voor de allerlaatste keer sta ik mezelf toe om te hopen. Ik vraag me af of Michael op het punt staat roet in het eten te gooien ten aanzien van mijn plannen voor een ongehuwd bestaan, of hij gaat meedelen dat hij niet zonder me kan leven, dat hij me meer nodig heeft dan hij ooit echt heeft geweten.

We spreken af in een bar op Trafalgar Square, waar veel toeristen komen, zodat we opnieuw niet worden begluurd door iemand die ons zou kunnen kennen. Dit zou mijn eerste aanwijzing moeten zijn dat de avond niet zo geslaagd zal verlopen als ik hoop, maar ik houd mezelf voor dat hij zo gewend is om zulke kroegen te kiezen, dat het voor hem een tweede natuur is geworden. Als ik arriveer, is hij er al en neemt hij net de laatste slok van een groot glas rode wijn. Hij geeft me nerveus een zoen op mijn wang en vraagt wat ik wil drinken. Hij maakt een zenuwachtige, gereserveerde indruk, is helemaal niet zichzelf.

'En, heb je een leuk weekend gehad?' Dit is volkomen nieuw. Dit heb ik nog nooit gehoord. In alle tijd die we inmiddels samen zijn – min of meer samen maar meestal gescheiden – heeft hij niet één keer gevraagd naar mijn weekend. Hij is niet geïnteresseerd in mij als mens. Hij is alleen geïnteresseerd in mij als zijn verleidelijke sekspoes.

'Mijn weekend?' herhaal ik tegen hem. 'Ik zou het niet meer weten. Ben je wel in orde?'

'Niet echt.' Hij staart naar zijn wijn. Hij heeft me niet één keer aangekeken. 'Bryony, ik moet je wat zeggen, voor iemand anders de kans krijgt dat te doen.' Mijn buik trekt samen, die is tegenwoordig alleen nog maar strak wanneer iemand op het punt staat me slecht nieuws te vertellen, en ik word overspoeld door een golf van ongerustheid. Is zijn vrouw erachter gekomen? Is ze op dit moment op weg naar mijn huis met een assortiment keukenmessen en een fles bleekmiddel die ze over me wil leeggieten? Hij stamelt zachtjes. Door het kabaal van waardeloze popmuziek kan ik niet verstaan wat hij mompelt.

'Wat zeg je, Michael? Je maakt me gek.'

'Bryony,' zegt hij, waarbij hij me ten slotte aankijkt. 'Mijn vrouw is zwanger. Ik kan hier niet mee doorgaan. Het is niet eerlijk tegenover haar en de kinderen. Ik heb het gevoel dat dit een tweede kans is voor haar en mij, een kans om weer opnieuw te beginnen. Ik ben echt heel...'

'Heb je me op VALENTIJNSDAG hier laten komen om er een punt achter te zetten, en niet alleen om er een punt achter te zetten, maar om me te vertellen dat je een ANDERE VROUW ZWANGER HEBT GEMAAKT?'

'Jezus, is het Valentijnsdag?' zegt hij, waarop hij haastig zijn portefeuille zoekt om de rekening te betalen. 'Shit. Bedankt dat je me eraan herinnert.'

Ik ren de deur van de bar uit. Ik ren en ik ren en ik ren tot ik een taxi kan aanhouden. Hij is een vreselijke klootzak, en ik ben een vreselijk kreng dat neukt met een man die ondertussen een zwangere vrouw heeft! Buiten adem bel ik Chloe, omdat ik weet dat ze ergens in Soho een anti-Valentijnsdagfeestje heeft (ondanks hun gezoen op mijn verjaardag hebben Chloe en Steve besloten alles op een zuiver platonisch niveau te houden).

'Chloe!' jammer ik. 'Ik moet je zien!' Ze vertelt waar ze is en ik stuur de taxi die kant op.

Die avond drink ik de ene borrel na de andere en ik word dronkener dan ik in lange tijd ben geweest – wat, voor mijn doen, heel veel zegt. Op een gegeven moment, en mijn herinnering is hier een beetje wazig, zet Chloe me in een taxi naar huis, maar als we daar aankomen, besef ik dat ik geen geld heb en dat ik mijn pas achter de bar van de pub heb laten liggen. Ik blijk mijn sleutels ook niet te kunnen vinden. Ik druk als een gek op de bel, waardoor ik me ineens weer nuchter voel. Uiteindelijk doet Steve open, na voor mijn gevoel een eeuwigheid, terwijl de meter van de taxi verder en verder oploopt. Ik probeer uit te leggen wat er is gebeurd.

'Bryony, wat heb je gedaan?' zegt Steve, die ondertussen zijn schoenen aantrekt. 'Ga binnen bij Harry zitten. We zaten aan het bier terwijl we naar voetbal keken. Hij kan voor jou zorgen en ik ga geld halen om je taxi te betalen.'

En als ik de woonkamer in kom, begin ik te huilen. Ik stoot lange, hartverscheurende snikken uit waardoor mijn hele lichaam beeft. Ik klink alsof ik fysieke pijn heb, en misschien heb ik dat ook wel. 'Michael,' weet ik net hikkend uit te brengen. 'Zijn vrouw, zwanger.' Harry komt van de bank naar me toe en slaat zijn armen om me heen. Ik huil tegen zijn streepjesoverhemd aan. 'Het geeft niet, Bryony. Ik zorg wel voor je,' sust hij, hoewel mijn tranen mascaravlekken op zijn kleren maken. Hij ruikt lekker, voelt warm aan. Ik besef dat hij, Steve en mijn zus de enige stabiele factoren in mijn leven zijn sinds we naar Camden zijn verhuisd. 'Zal ik je eens wat zeggen? Je bent geweldig, heus. Iedere man zou blij met je moeten zijn. En het wordt tijd dat je dat beseft.' Ik zak op de grond neer, trek hem mee.

Soms moet je tot op de bodem vallen om weer naar de top te kunnen klimmen.

13

Er gebeurt iets wanneer ik dat het minst verwacht

Het begon als altijd met een kus.

Het begint altijd met een kus.

Het begint toch nooit met vijf grote glazen bier, drie glaasjes tequila en iemand die je in een groezelige kroeg in je kont knijpt? En zo begint het deze keer ook niet. Het begint in feite met twee flessen witte wijn, een glaasje sambuca en een hand op de onderrug. De hand op de onderrug is een magische manoeuvre, toch, een manoeuvre die wordt gebruikt door een man met meer stijl, die suggereert dat dit niet zomaar een onenightstand zal worden. Maar deze keer begin ik niet te bedenken hoe we dit verhaal tijdens onze denkbeeldige bruiloft zullen vertellen, of aan onze theoretische kleinkinderen. Ik heb er genoeg van om te dagdromen en door te draven. Dat doordraven heeft me geen goed gedaan. Daardoor ben ik achtergebleven met het slipje van een ander. Daardoor zijn andere vrouwen zwanger geraakt en heb ik hoofdluis gekregen.

Het begon dus met een kus, in Clapham nota bene. Clapham, dat oord van rijkelui en barbiemama's voor wie de babyyoga het hoogtepunt van de dag is. De wijk waarvan ik altijd heb gezegd dat ik er voor geen goud naartoe zou gaan, en toch ben ik daar nu, in een souterrainappartement vlak bij metrostation Clapham Common, nadat ik een avond in een pub in het centrum van de wijk heb zitten brallen als de beste. En zo erg is het niet, niet zo erg als ik had gedacht dat het zou zijn. Eigenlijk is het er best leuk, best groen. En de man met wie ik er ben is ook niet slecht. Hij is aardig (aardig!) en geestig en – durf ik het te zeggen? – normaal, wat na Michael allemaal nieuw voor me is.

Het is een warme augustusavond, en daarom lijkt het zonde om onze avond in de pub door te brengen, vooral als ik hoor dat zijn appartement een tuin heeft. Dus vertrekken we, lopen we de paar honderd meter naar het appartement waar hij samen met twee andere mannen woont. Ze zitten in de woonkamer bier te drinken, te kaarten en naar *Predator* te kijken – en niet voor het eerst, te oordelen naar hun vermogen om uit hun hoofd elke zin te citeren die Arnold Schwarzenegger uitspreekt. Hij stelt me aan hen voor, legt uit dat we buiten wat gaan drinken, en ze zwaaien en zeggen hallo en richten zich weer op hun actiefeestje.

De flat is gezellig, niet poenerig, en evenmin, verbazingwekkend genoeg, een volslagen zwijnenstal. Dit zijn drie mannen van in de dertig die duidelijk een gezond respect hebben voor hygiëne en kookkunst.

'We zijn te oud om doorlopend de bloemetjes buiten te zetten,' zegt mijn date, die een koelkast vol wijn, groente en hompen vlees opentrekt, 'hoewel we uiteraard graag denken dat we het nog steeds in ons hebben.' Hij schenkt voor mij een glas sauvignon blanc in, voor zichzelf een merlot, en neemt me mee naar de tuin.

Ik kan me niet herinneren of er sterren aan de hemel staan; waarschijnlijk niet. Ik herinner me alleen het angstaanjagende gekrijs van parende vossen dat door de buurt weergalmde.

'Ik heb je toch gezegd dat Clapham chic was,' zeg ik. 'Jullie hebben zelfs wild. In Camden zijn de beesten in de buurt helaas voornamelijk van menselijke aard.' Hij glimlacht, we voeren een tijdje een beleefd gesprek. Ik voel me in zijn gezelschap genoeg op mijn gemak om mijn zoveelste sigaret te kunnen opsteken, hoewel hij niet rookt. 'Ik ben een veel te grote schijtlijster,' heeft hij me eerder verteld. 'Maar ik houd van de lucht bij anderen. Het is net of je indirect cool bent.'

We luisteren nog wat naar de vossen, en dan is het alles of niets. Hij zal me zo kussen of het blijft een volstrekt kuise avond, waarna ik een taxi zal bellen en we waarschijnlijk nooit meer een afspraak zullen maken. Als ik tot nu toe één ding heb geleerd tijdens mijn rampzalige datingcarrière is het dat elk afspraakje een omslagpunt heeft waarop het stopt of verdergaat, en ik voel dat we dat van ons naderen. 'Je bent een vrouw uit duizenden, Bryony Gordon,' zegt hij, waardoor hij de vossen onderbreekt, om nog maar te zwijgen van mijn gedachtegang. En dan kust hij me. Het is een warme, heerlijke kus, die smaakt naar bier en naar hém. En in tegenstelling tot alle andere hoeft er niets aan te worden veranderd. Het komt niet eens in me op dat de zoen niet normaal zou zijn.

Na die avond waarop ik ben ingestort, begin ik aardiger te doen tegen Harry. Ik ga met hem en Steve mee stappen. We ontdekken een gemeenschappelijke liefde voor sciencefictionfilms, en op een avond, als Steve al naar bed is, blijven we nog een hele tijd zitten om bier te drinken en naar *Alien* te kijken. Het valt me op dat hij eigenlijk heel knap is. Hij heeft een gave kuif, prachtige helderblauwe ogen en een leuk stoppelbaardje. Hij is lang zonder overheersend te zijn, stevig maar niet te gespierd. Op een avond valt me op dat hij geen deodorant gebruikt. Ik weet dat ik iets voor hem moet voelen, want ik besef dat ik zijn lucht echt lekker vind.

Op de krant beginnen we elkaar te mailen, waarbij ik chat-vensters wegklik zodra Steve in zicht komt. Ik begin ernaar uit te kijken om met hem naar de Prêt te wippen en samen koffie te drinken in de kantine. Hij maakt me aan het lachen met zijn Donald Duckimitatie; als ik hem op kantoor in de verte zie, merk ik dat ik glimlach.

Alle boeken, films en tijdschriften hebben me verteld dat er een donderslag zou weerklinken. Alles zou vertragen, er zou een orkest om ons heen beginnen te spelen en ineens zou alles goed lijken. Maar zo gaat het niet, hè? Goeie god, het is zo'n cliché, maar na al dat geklaag geloof ik dat ik wel eens iemand kan hebben gevonden toen ik dat het minst verwachtte.

Het duurt een hele tijd voor hij van ogenschijnlijk geestdo-dend alledaags verandert in zielstrelend bijzonder. Dat proces gaat zelfs nog even door na onze kus in zijn tuin bij de sound-track van wippende vossen. Hij is gewoon zo normaal, zo goed van zichzelf, zo tevreden en vrij van shit dat ik hem een tijdje uitermate raadselachtig vind, een eigenaardige figuur die je op een afstandje moet houden terwijl je hem probeert te doorgronden. 'Ik geloof niet dat er iets te doorgronden valt,' zegt Steve tegen me als hij ontdekt dat we hebben ge-zoend. 'Bij Harry krijg je wat je ziet.'

'Maar er moet toch IETS aan hem mankeren,' redeneer ik, want alle mannen zijn toch een klein beetje lullig? 'Hij heeft vast problemen met zijn familie. Of hij is stiekem nog gek op zijn ex-vriendin. Of hij plast in zijn bed. Ik ben bang dat hij een beetje SAAI is.'

'Bedoel je dat je hem alleen aardig kunt vinden als er iets aan hem mankeert? Moet hij echt een onberekenbare schoft met luizen of een vrouw zijn? Ik begrijp dat je er niet veel voor voelt, Bryony. Hij is per slot van rekening single, heeft niemand die van hem afhankelijk is en loopt met geen andere bagage rond dan de iPad die hij meeneemt naar de krant. Nu ik erover nadenk, heb je gelijk. Ik besef dat hij ronduit een vreselijke gegadigde is.'

Het gaat zo langzaam omdat ik ben vergeten hoe het is om een normale relatie te hebben. Ik ben zo gewend aan vuurwerk en drama dat ik niet besef dat Harry niet vol valstrikken zit. Het is domweg een feit dat hij me aardig vindt. Ik dacht altijd dat hij me zwijgend zat te veroordelen, zich afvroeg waarom iemand mijn gedrag in vredesnaam zou tolereren, maar na Valentijnsdag besef ik dat het precies andersom is. Hij heeft me nooit veroordeeld, heeft nooit slecht over me gedacht. Hij vroeg zich alleen af waarom ik mijn tijd verdeed met Michael. Die keer op mijn verjaardagsfeestje, dat moment bij de snackautomaat – ik was zo afwerend dat ik niet zag dat hij alleen maar het beste met me voorhad. Misschien hing hij onder andere zoveel bij Steve rond omdat hij graag bij mij was.

Ik probeer het te verkloten, echt waar. Ik kan niet zomaar een goede man in mijn leven toelaten en ervan genieten. Nee, nee, nee. Ik ben ervan overtuigd dat er iets verkeerd zal gaan. Ik zal hem in mijn slaap een grof sms'je sturen. Ik zal stomdronken worden en zo blind zijn van de alcohol dat ik het probeer aan te leggen met een van zijn huisgenoten. Hij plast weliswaar niet in bed, maar ik raak ervan overtuigd dat ik dat wel zal doen.

Op een avond gaan we uit eten, een activiteit die op zich vol mogelijke voetangels en klemmen zit. Ik kan me niet herinneren wanneer ik voor het laatst uit eten ben geweest, en ik weet vrij zeker dat ik voor het laatst door een man ben meegenomen toen Sam me de bons gaf in Nando's. Ik zal eten morsen op mijn shirtje of tussen de gangen door boeren. 'Ik eet eigenlijk nooit 's avonds,' zeg ik als we plaatsnemen in een tapasrestaurant.

'O nee?' zegt hij met opgetrokken wenkbrauwen.

'Nee.' Ik schud mijn hoofd. 'Meestal drink ik liever alleen.'

'O, dat kan ook,' zegt hij met een glimlach.

Een paar glazen wijn later begin ik naar zijn familie te vragen.

'Mijn vader heeft in het leger gezeten,' onthult hij. 'Ik ben opgegroeid op militaire basissen in alle hoeken van Duitsland.' Ik neem een grote slok wijn in een poging het gevoel te smoren dat we totaal verschillend zijn.

'Dat moet...' – ik zoek naar een woord – '...interessant zijn geweest.'

'Niet echt.' Hij eet zijn chorizo. 'Maar toen we naar Dublin verhuisden omdat mijn vader militair attaché werd, kregen we een schildwacht. Dat was wel gaaf.'

Ik ben te laf om te vragen wat een militair attaché precies is.

'En je moeder?' Ik schenk nog wat wijn in. 'Wat doet zij?'

Hij kijkt naar zijn eten, schudt zijn hoofd. 'Ze is er niet meer.'

'Wat naar,' zeg ik. 'Mijn ouders zijn ook gescheiden.'

'Nee,' zegt hij, terwijl hij zijn mes en vork neerlegt. 'Ik bedoel dat ze een paar jaar geleden is overleden.'

'Waaraan?' flap ik er cru uit.

'Ze had borstkanker,' zegt hij eenvoudig.

'O, wat afschuwelijk.' Ik raak in paniek. Kan ik nog ongevoeliger zijn?

'Het geeft niet.' Hij eet nog wat chorizo.

'Als het soms een troost is,' zeg ik zowaar, 'mijn opa's en oma's zijn ook dood.'

Ja, ja, ik kan nog ongevoeliger zijn.

'Je hoeft me niet te troosten, Bryony,' zegt hij met zijn hand op de mijne. 'Hoewel je ondoelmatige pogingen wel lief zijn.'

Een paar weken later probeer ik het echt te verkloten. Hij vertelt dat we op vrijdag niet kunnen afspreken omdat hij de volgende dag vroeg op moet voor een familiebijeenkomst, en ik raak volledig in paniek. Die vrijdag ga ik met Chloe naar de pub en bij mijn zoveelste glas wijn kom ik tot de conclusie dat hij me niet meer hoeft.

'Hij zou echt gewoon naar zijn familie kunnen gaan,' redeneert Chloe.

'Of hij zou een ANDER kunnen hebben,' zeg ik, waarop ik mijn glas met een klap op tafel zet. 'O god, hij heeft iemand anders leren kennen. Hij probeert me beleefd te laten zitten, omdat hij weet dat ik kwetsbaar ben door Michael. Hij wil niet dat ik me WEER afgewezen voel, dus knijpt hij er stiekem tussenuit door te doen of hij een afspraak met zijn familie heeft. Want als hij me echt aardig vond, zou hij de vrijdagavond wél met mij doorbrengen, ook al moest hij vroeg op. Als hij me echt aardig vond, zou hij ME MEENEMEN NAAR DIE FAMILIEBIJEENKOMST.'

'Jezus, Bryony, hoor je wel wat je zegt?' Chloe schudt haar hoofd in haar handen. 'Het is heel goed mogelijk dat hij als de dood voor je is – als ik je zo zie, ben ik dat ook. Maar het is ook heel aannemelijk dat hij weet dat als hij vanavond met jou zou afspreken, jullie samen dronken zouden worden, waardoor hij niet op zijn best zal zijn als hij naar zijn vader gaat.'

'O man, zijn vader. Zijn vader zal me haten, dat weet ik zeker. Hij zal vinden dat ik een wispelturige sloerie ben. Hij zal vinden dat ik maf en oppervlakkig en zielig ben.'

'Bryony, WIL JE VERDOMME EENS TOT BEDAREN KOMEN?'

Als de pub sluit, zeg ik tegen Chloe dat ik naar huis ga. Maar ik heb tegen haar gelogen. In mijn door drank benevelde geest heb ik een plan beraamd. Ik zal in een taxi springen en naar Harry gaan, en ik zal hem verrassen met een verleidelijke grijns. Hij zal het prachtig vinden. En als hij het niet prachtig vindt, komt dat doordat hij eigenlijk iets heeft met een andere vrouw. En dan kan ik er toch maar beter zo achter komen, hè?

Ja toch?

Ik houd een taxi aan en stuur hem naar Clapham. Dronken als ik ben, onthul ik tegenover de chauffeur wat ik ga doen. 'Want als hij me echt aardig vindt, zal het hem toch niet kunnen schelen, hè, en als het voorbestemd is, zal hij het vast heel leuk vinden,' wauwel ik, 'en bovendien zijn we er nu bijna, dus...'

'Weet je zeker dat je dit wilt doen, liefje?'

'Ik ben NOG NOOIT VAN MIJN LEVEN ERGENS ZO ZEKER VAN GEWEEST,' zeg ik als ik hem twintig pond geef met de mededeling – heel royaal, geloof ik – dat hij de rest mag houden.

Later herinner ik me dat de rit 19,80 pond kostte.

Ik sta voor zijn appartement en breng mijn haar in orde, waarna ik mijn make-up controleer in het spiegeltje van de poederdoos. Het valt me op dat er geen licht meer brandt, en ik zeg bij mezelf dat hij niet heeft gelogen; of dat hij, als hij dat wel heeft gedaan, met zijn nieuwe grietje vroeg naar bed is gegaan om de hele nacht hartstochtelijk te vrijen. Dat kun je beter nu te weten komen, Bryony, dat kun je beter nu te weten komen. Ik loop de hoge stoep op en haal diep adem. Ik bel aan en zet me schrap. Er gebeurt niets. Ik bel nogmaals. Niets. Maar ik ben niet helemaal hierheen gekomen om voor een appartement te staan, dus pak ik mijn telefoon en ik bel hem. Het is gebeurd. Dat is dat.

'Bryony?' zegt een slaperige stem.

'Hallo, ik sta voor je appartement!'

'Wat?'

'Ik sta voor je appartement! Ik wilde je verrassen!' Ik zie licht aangaan. Hij moet naar buiten komen. 'Ik weet dat je hebt gezegd dat je vroeg op moet, maar ik dacht: hij vindt het desondanks vast heerlijk om de dag 's avonds laat met mij af te sluiten!'

'Maar Bryony, ik kijk uit het raam en er staat niemand voor de deur. Weet je zeker dat je hier bent?'

Binnen ontstaat opschudding, hoor ik mensen dingen zeggen als: 'Wie kan dat verdomme zo laat nog zijn?' en: 'Heeft die en die goddorie zijn sleutels vergeten?'

'Bij welk nummer sta je?' vraagt Harry.

'Negenendertig,' zeg ik, waarop ik achteruit de stoep af loop en op het trottoir ga staan, terwijl traag tot me doordringt wat ik heb gedaan.

'Maar ik woon op nummer zevenendertig, sukkel.'

Ik ren. Ik kijk niet om.

Eenmaal binnen breng ik mezelf tot bedaren met nog een glas wijn. Ik zie dat Harry alleen is en dat hij, te oordelen naar de gepakte koffer in zijn kamer, niet tegen me heeft gelogen. Ik doe een slecht overwogen poging om hem te verleiden, maar ben zo dronken dat ik in zijn bed buiten westen raak. Als ik de volgende ochtend wakker word, zit ik onder mijn eigen kwijl. Harry, valt me op, heeft oordopjes in.

'Je snurkte of je voor Engeland uitkwam,' vertelt hij me als hij me naar huis rijdt. 'Vooral je tirade over ijsberen was kostelijk, dat we ze niet moesten helpen, want als zij ons in een donker steegje tegenkwamen, hoefde je niet te denken dat ze een poot voor ons zouden uitsteken.'

'IJsberen?'

'En het was een hoogtepunt toen ik een glas voor je inschonk en jij het ogenblikkelijk op de grond gooide, waardoor het in duizend scherven viel. Ik heb een pleister op mijn voet om het te bewijzen.'

'Het spijt me,' zeg ik, ineens beschaamd. 'Ik was bang dat je niet meer in me geïnteresseerd was en iets had verzonnen om me niet meer te hoeven zien.'

'Bryony,' zegt hij, terwijl hij onder het rijden mijn hand pakt. 'Alles hoeft niet per se voorzien te zijn van een dramatisch onderschrift. Als ik niet meer in je geïnteresseerd ben – en hoe zou dat kunnen, gezien je eindeloze talent om alles even vermakelijk te maken – zal ik het je laten weten, dat beloof ik.'

Dus ja, ik probeer het te verkloten en toch laat hij dat niet echt gebeuren. Het kan hem niet schelen. Hij wordt niet uit zijn doen gebracht door mijn bezeten gedrag. Dat heeft hij allemaal al eerder gezien wanneer hij bij Steve was. Hij heeft me nooit anders gekend, neem ik aan. Het is heel prettig om mezelf te kunnen zijn. Het is leuk om het gevoel te hebben dat mijn gedrag op de een of andere manier aantrekkelijk kan zijn, dat ik een goed mens ben en niet alleen een hofnar die bestaat om te worden bespot. Bij Harry hoef ik niet te doen of ik iemand anders ben, omdat hij altijd alleen maar geïnteresseerd is geweest in mij.

In de loop der maanden worden we vrienden, geliefden en zonder het ooit te zeggen elkaars vriend en vriendin. We beginnen op te trekken met Sally en Andy, die net een gezonde baby in hun wereld hebben verwelkomd. 'Hij is leuk,' zegt Sally als ze ziet hoe Harry haar zoon vasthoudt. 'Ook goed met kinderen. Weet je, nu heb je het eigenlijk allemaal – de carrière en de man – verdorie, ik was vroeger al jaloers op je, maar nu barst ik gewoon van afgunst.' Ik werd de hele tijd zo in beslag genomen door mijn hunkering naar Sally's leven dat me niet eens was opgevallen dat zij naar mijn leven hunkerde.

'Denk je dat we Harry voor me kunnen klonen?' vraagt Chloe op een dag wanneer ik me verontschuldig dat ik heel klassiek van de radar ben verdwenen. 'Weet je, ik vind het niet eens erg dat je de hele tijd in Clapham zit.'

'O nee?'

'Ik zou zelfs de Northern Line trotseren om bij je op de

borrel te komen als je dat zou vragen,' zegt ze. 'Heb ik een visum nodig?'

'Dat kan ik vast wel voor je regelen,' zeg ik met een glimlach.

'Weet je waarom het prima is dat je optrekt met brallende corpsballen? Omdat je er echt heel rustig uitziet. Na al die jaren waarin je een volslagen maniak was, heb je je min of meer... ontspannen. Het is me zelfs opgevallen dat je laatst tijdens de lunch goed at, en als ik me niet vergis, heb je toen we vorige week bij Topshop waren zowaar geweigerd een paar hakken te kopen omdat ze te "duur" waren. Dus moet Harry iets goed doen.'

Ik zucht. 'Ik heb nooit gedacht dat het zo zou zijn. Ik dacht dat mijn hart telkens een buiteling zou maken als ik naar een vriend keek, maar dit... dit is anders. Ik vind het gewoon fijn om bíj hem te zijn. Om me met hem te ontspannen. Ik kijk ernaar uit om met hem couscous te eten, en we zijn zelfs net aan *The Killing* begonnen. Een DVD-BOX, Chloe. Ik kijk naar een dvd-box. Hij is heel lief en grappig en aardig. Besef je wel dat aardig vreselijk wordt onderschat, Chloe? Iedereen wil iemand hebben die lang, donker en knap is, die kan doe-het-zelven en hen wezenloos kan wippen voordat hij een uitstekende maaltijd in elkaar draait, na afloop opruimt en vervolgens voorstelt naar de opera te gaan. Maar hoe dan ook. Ik verlang alleen maar naar aardig! En dat heb ik gevonden, en ik ben dolgelukkig!'

'Bryony,' zegt Chloe. 'Je klinkt weer een beetje bezeten.'

Ik klik afkeurend met mijn tong. 'Is het niet verschrikkelijk tragisch dat ik een mán nodig heb om me tot rust te brengen? Ik besef niet eens dat ik rustig ben. Het is langzaam tot me doorgedrongen, als een... als een seriemoordenaar die me al tijden stalkte, wachtend op het juiste moment om toe te slaan. En nu is het net, jeetje, dit is ZO GEMAKKELIJK. Er zijn geen spelletjes van wachten met sms'jes, geen complicaties...'

'Behalve dan de complicaties die jij hebt geprobeerd te veroorzaken,' valt Chloe me in de rede.

'Ach, ja. Ik zal niet helemaal veranderen.'

In werkelijkheid komt er natuurlijk geen eind aan de chaos in mijn leven omdat ik een vriend heb. Ik ben niet als bij toverslag genezen van mijn slechte eigenschappen, word er niet ineens door van weerhouden vergissingen te maken. Het kost me nog altijd moeite om mijn rekeningen op tijd te betalen, ik kan nog altijd niet koken en ik heb nog steeds geen hobby. Maar bij hem kan ik er gewoon een chaos van maken zonder dat het uitmaakt. Hij geeft me het zelfvertrouwen om mezelf te zijn.

Ik denk aan de mannen door wie ik iemand anders wilde zijn. Ik denk aan Sam, door wie ik zo'n type wilde zijn dat surfte en hasj rookte en hem in het land zou weten te houden. Ik denk aan Josh, door wie ik iemand wilde worden die zijige slipjes van Agent Provocateur droeg. Ik denk aan de Australische kickbokser, door wie ik slanker, gezonder, nuchterder wilde worden. Ik denk aan Dylan als in Bob, door wie ik een indie-fan wilde zijn. Ik denk aan Michael, door wie ik zijn vrouw wilde zijn.

En ik aanvaard de verantwoordelijkheid voor al die dingen. Ik besef dat ik de enige was door wie ik dat allemaal wilde zijn.

En ik ben hen heel dankbaar dat ze waren wie ze waren. Ik ben hen heel dankbaar dat ze me niet wilden hebben. Want daardoor hebben ze me geleid naar iemand die me wel wil hebben.

Ik lig inmiddels al zes uur in een ziekenhuisbed, verbonden met een infuus en hevig bloedend. Het is vrijdagavond, en aan de andere kant van het dunne gordijn hoor ik het geschreeuw van dronkenlappen en junkies. Ik heb al zes weken niet meer gedronken. Al die tijd hebben mijn lippen ook geen sigaret aangeraakt. Maar toch, hoewel ik mijn leven heb gebeterd, geloof ik niet dat ik me ooit van mijn leven zo ziek heb gevoeld.

Harry zit op een stoel naast mijn bed. De afgelopen paar uur heeft hij door het hokje lopen ijsberen terwijl hij zijn best deed om niet te laten merken hoeveel zorgen hij zich om me maakte. Maar ik zie het in zijn ogen. Ik ben even wit als het laken waar ik onder lig, zak telkens weg en kom weer even bij kennis. Ze hebben bloed afgenomen, talloze inwendige onderzoeken gedaan. Ik weet niet precies wat me mankeert, maar ik heb er een aardig idee van.

De dokter glipt door het gordijn en trekt het zo dicht dat de ruimte zo afgezonderd mogelijk is. Ze kan niet veel ouder zijn dan Harry of ik; het is heel goed mogelijk dat ze jonger is. Tot nu toe probeerde ze een professionele en zorgvuldige indruk te maken, maar nu doet ze haar best er aardig of geruststellend uit te zien. Voor ze iets zegt, weet ik al dat er echt iets heel erg mis is.

'We sturen je weer naar huis, Bryony,' zegt ze met een vriendelijk gezicht. 'We weten het niet zeker, maar we geloven dat je een miskraam hebt. Ik wil dat je naar huis gaat om te rusten. Ik heb de eerst mogelijke afspraak voor je gemaakt bij de poli vroege zwangerschap. Daar zullen ze je maandagmorgen meer kunnen vertellen.'

Ik stort in.

Een paar maanden nadat het tussen Harry en mij 'officieel' was geworden, besloten we dat duidelijk aan te geven door te gaan samenwonen. Ik verruilde Camden voor Clapham – ik was daar toch altijd en ik vond het leuk om met Harry's huisgenoten naar films van Arnie te kijken – terwijl Steve een flat kocht en mijn zus bij een oude schoolvriendin introk.

Harry en ik waren nog geen jaar samen toen we onze eerste echte ruzie kregen. We waren naar een afscheidsfeestje geweest en ik was stomdronken geworden. Dat was niets nieuws voor Harry – dat zag hij bijna elke week – maar het was wel nieuw dat ik de hele slaapkamervloer onderkotste doordat ik ineens, vreemd genoeg, niet meer tegen alcohol kon. 'Dit moet stoppen,' zei hij tegen me tijdens zijn inspanningen om de rommel op te dweilen die ik op het tapijt had achtergelaten. 'Het is tot daaraan toe om wat te drinken, maar om zo lazarus te worden dat we twee uur bezig zijn om je braaksel op te ruimen is een totaal ander verhaal.'

'Ik heb het toch gezegd,' gilde ik terwijl ik met mijn hand braaksel van mijn gezicht veegde. 'Iemand moet iets in mijn drankje hebben gedaan.'

'Bryony, we waren op een feestje bij mensen die we kennen. Denk je heus dat iemand daar een reden zou hebben om iets in je drankje te doen?'

'Meneer Perfect,' begin ik te honen. 'Dat ben jij. Ik ben Harry. Ik word niet teut, ik rook niet, ik gebruik geen drugs, ik zit gewoon iedereen te veroordelen die dat wel doet. God, ik wilde dat je eindelijk eens de boel VERKLOOTTE, net als iedereen.'

Hij gaat er niet op in. Dat doet meneer Perfect nooit.

We gaan slapen zonder met elkaar te praten. 's Morgens neem ik als gewoonlijk een kop koffie en een sigaret, alleen voel ik me daardoor niet beter, zoals anders, maar moet ik ineens weer overgeven. Ik voel me raar, ben mezelf niet. Ik neem een Nurofen en hoop dat het gevoel weer zal verdwijnen. Dat gebeurt niet. Die middag begint me te dagen wat me zou kunnen mankeren. Ik ben drie dagen over tijd.

Ik laat de middag op louter wilskracht verstrijken, tel de uren tot ik naar huis kan gaan en Harry kan vertellen wat me wel eens zou kunnen mankeren. Ik wil een zwangerschapstest doen, bewijzen dat mijn vermoedens ernaast zitten en mijn leven voortzetten. We zijn nog geen jaar samen. Zo had het echt niet mogen gaan. Zo had het absolúút niet mogen gaan.

Ik ga naar Boots en koop de goedkoopste test die ik kan vinden. Zonder een woord te zeggen rijden we samen in de metro naar huis. Zodra we daar zijn, loop ik regelrecht naar de badkamer en besluit ik alles meteen af te handelen. We kunnen bevestigen dat ik gewoon gek was, een borrel nemen, het goedmaken en blij naar bed gaan. Ik plas op het stukje plastic terwijl Harry voor de badkamerdeur staat te wachten en dan maak ik me op om de verplichte drie minuten te wachten.

Alleen duurt het niet zo lang.

Binnen dertig seconden heeft de test zijn werk gedaan. Ik begin te jammeren. Harry vliegt naar binnen en neemt me in zijn armen. Hij kijkt naar de test. Eén streepje, twee streepjes, en ons leven is voorgoed veranderd.

De poli vroege zwangerschap is geen vrolijke plek. Het is een klein kamertje naast de kraamafdeling, wat op de een of andere manier ongepast lijkt. Wij zijn niet de enigen die daar die maandagochtend zijn. Tegenover ons zit nog een bleek, treurig stel. Ik vraag me af of zij net zo'n weekend hebben gehad als wij, met tranen en zwijgende knuffels en een enorm, overweldigend gevoel van verlies door iets waarvan we amper zes weken geleden nog niet eens wisten of we het wel wilden hebben.

En nu ik in deze kamer zit, geloof ik dat mijn hart zal breken door dit kind in me. Als het er niet meer is, als het verloren is, weet ik niet hoe ik verder moet. Al die tijd dacht ik niet dat ik ooit moeder zou worden, wist ik niet of dat wel de bedoeling was, en nu kan ik me niets anders voorstellen. Toen we ontdekten dat ik zwanger was, lazen we alles wat we te pakken konden krijgen. We wisten dat we de eerste twaalf weken nergens op mochten rekenen, en dat we ook daarna nog voorzichtig moesten zijn. Maar dat weerhield ons er niet van ons te hechten, dat weerhield ons er niet van ons het wezentje in me voor te stellen, of het een jongetje of een meisje zou zijn, en o god, maakte dat eigenlijk iets uit? Er is nooit sprake van geweest dat we het niet zouden laten komen – 'nooit en te nimmer,' had Harry stralend gezegd kort nadat we het te weten waren gekomen – en nu zaten we hier omdat de natuur de keus voor ons had gemaakt.

De receptioniste roept mijn naam en we lopen langzaam de kamer in waar we te weten zullen komen wat er is gebeurd. Als ik er niet haastig naartoe ga, kan ik het weten uitstellen, kan ik nog enige hoop hebben dat dit bolletje cellen in me kan uitgroeien tot iets groters. De kamer bevat een onderzoekstafel, een computer en een vrouw met een vriendelijk gezicht, die vraagt of ik mijn slipje wil uittrekken en wil gaan liggen. Ik moet bijna lachen omdat het allemaal zo absurd is.

Ze gaat een inwendige echo maken om te zien of ze een hartslag kan vinden, legt ze uit. Dit zou niet al te vervelend moeten zijn, voegt ze eraan toe. Ik ga op mijn rug liggen en haal diep adem. Ik doe mijn ogen dicht. Harry houdt mijn hand vast terwijl de vreemde vrouw in me begint rond te wroeten. Ik staar Harry aan, hoop dat ze het snel doet.

En dan horen we het.

De hartslag.

'Gefeliciteerd,' zegt de vrouw, die met de hand die niet in mijn baarmoederhals zit op een scherm wijst. Daarop kan ik vaag iets onderscheiden wat een beetje op een zitzak lijkt. 'Je bent net iets meer dan negen weken zwanger van een zo te zien kerngezonde baby. Willen jullie een foto van de echo?'

'Ja!' zegt Harry.

Hand in hand kijken we naar de korrelige foto van ons ongeboren kind. We zien de navelstreng die het verbindt met mijn baarmoeder. Ik begin te huilen, harder dan ooit tevoren. Ik blijf wel een uur, wellicht twee uur huilen. Dit zijn tranen van pure vreugde en opluchting. Als ik ophoud met huilen, begin ik te lachen.

'We krijgen een baby,' giechel ik. 'We krijgen een baby!' Ik vlij me tegen de borst van mijn vriend. Mijn vriend, mijn baby. Ik lach en lach en lach en lach. Na al het andere is het zo echt begonnen.

Dankwoord

De meeste namen in dit boek zijn veranderd om de schuldigen te beschermen, maar er zijn meer dan genoeg mensen die ik graag met naam en toenaam wil noemen om hen te bedanken voor alle hulp die ze me hebben geboden bij het schrijven van deze autobiografie. Mijn agent Janelle Andrew verdient zoveel dankbaarheid dat ik niet weet waar ik moet beginnen: zonder haar zou dit boek niet bestaan. Ik wil ook graag haar collega bij Peter Fraser Dunlop bedanken, Annabel Merullo, die me jaren geleden als eerste heeft benaderd om iets te schrijven. Bedankt dat jullie me trouw zijn gebleven.

Bij Headline wil ik Sarah Emsley graag bedanken voor haar geloof dat ik dit boek zou kunnen schrijven, hoewel ik met het voorstel bij haar kwam toen ik achtenhalve maand zwanger was. Door haar vertrouwen, en dat van Georgina Moore, is het me op de een of andere manier gelukt het af te krijgen toen de baby negen maanden was. Sarahs trouwe assistente Holly Harris moet ook worden genoemd. Ik zou Joe van de Apple Store in Regent Street ook héél graag willen bedanken, omdat hij mijn gecrashte laptop een week voor de deadline heeft gerepareerd. Ik weet niet wat je achternaam is en of je dit ooit zult zien, maar Joe, je hebt mijn leven gered.

Bij de *Telegraph* wil ik graag Elizabeth Hunt, Fiona Hardcastle, Tony Gallagher, Becky Pugh, Maureen O'Donnell, Chris Deerin, Sally Chatterton en Rob Colvile bedanken. Ik kwam vaak te laat op mijn werk en had bijna altijd een kater, maar toch hebben jullie me om de een of andere reden nooit de laan uit gestuurd. Jullie hebben zelfs toegestaan dat ik mijn beroep maakte van mijn krankzinnige leven als twintiger. Daarom zijn jullie allemaal top. Anna Murphy en Tim Auld van *Stella Magazine* moeten speciaal worden genoemd, omdat ze de opdracht hebben gegeven voor mijn column 'How the Other Half Lives' en eindeloos veel geduld hebben gehad met deadlines.

Dan zijn er nog mijn geweldige drinkmaatjes, waardoor mijn leven als twintiger zo leuk was (en die bovendien mijn door alcohol benevelde geheugen hebben opgefrist ten aanzien van dingen die ik in het boek kon zetten): Meredith Davies, Ian Melding, Catherine Elsworth, Paul Antrobus, Greg Cheverall, Lucy Cockcroft, Richard Alleyne, Duncan Gardham, Sam Leith, Neil Tweedie, Olivia Lamb, Louise Wilkinson, the Hoggs, Kate Fassett, Mireia Manguel, Anna Ekelund, Louise Pepper, Matt Moore, Jon Swaine, Rupert Neate, James Quinn, Ed Cumming en alle anderen die ik ben vergeten doordat ik het grootste deel van het decennium dronken was. Jane Cullen en Laura Wilkins, omdat jullie het boek hebben gelezen en me goede adviezen hebben gegeven. Voor hun eindeloze wijze raad en glazen wijn: Polly Vernon en Lindsay Frankel.

Mijn moeder, omdat ze de aardigste vrouw is die ik ken, en mijn vader omdat hij de grappigste man is die ik ken. Ik hoop dat dit boek hen niet met ál te veel ontzetting vervult. Mijn broer Rufus en mijn zus Naomi, omdat ze me hebben verdragen. En ten slotte wil ik Harry en Edie graag bedanken. Want zonder jullie tweeën zou ik nooit de energie en het optimisme hebben gehad om dit boek te schrijven. Jullie zijn niet mijn gelukkige einde. Jullie zijn mijn gelukkige begin.

Inhoud